# 小児急性
# 血液浄化療法
# ハンドブック 第2版

監修

国立成育医療研究センター腎臓・リウマチ・膠原病科
**亀井宏一**

横浜市立大学大学院医学研究科発生成育小児医療学
**伊藤秀一**

東京医学社

小児急性
血液浄化療法
ハンドブック 第2版

# 執筆者一覧

## 監修

| | | |
|---|---|---|
| 亀井　宏一 | 国立成育医療研究センター腎臓・リウマチ・膠原病科 |
| 伊藤　秀一 | 横浜市立大学大学院医学研究科発生成育小児医療学 |

## 執筆者（執筆順）

| | | |
|---|---|---|
| 永渕　弘之 | 神奈川県立こども医療センター救急・集中治療科 |
| 和田　尚弘 | 静岡市立静岡病院小児科 |
| 澤田真理子 | 倉敷中央病院小児科 |
| 亀井　宏一 | 国立成育医療研究センター腎臓・リウマチ・膠原病科 |
| 稲垣　徹史 | 宮城県立こども病院腎臓内科 |
| 幡谷　浩史 | 東京都立小児総合医療センター総合診療科 |
| 大橋　牧人 | 国立成育医療研究センター手術・集中治療部医療工学室 |
| 石川　　健 | 岩手医科大学小児科 |
| 山田　拓司 | 名古屋市立西部医療センター小児科 |
| 田中亮二郎 | 兵庫県立こども病院腎臓内科，小児救命救急センター |
| 北山　浩嗣 | 静岡県立こども病院腎臓内科 |
| 佐藤　　舞 | 国立成育医療研究センター腎臓・リウマチ・膠原病科 |
| 井手健太郎 | 国立成育医療研究センター集中治療科 |
| 大田　敏之 | 県立広島病院小児腎臓科 |
| 西﨑　直人 | 順天堂大学医学部附属浦安病院小児科 |
| 平野　大志 | 東京慈恵会医科大学小児科 |
| 伊藤　秀一 | 横浜市立大学大学院医学研究科発生成育小児医療学 |
| 星　　雄介 | 宮城県立こども病院消化器科 |
| 虻川　大樹 | 宮城県立こども病院消化器科 |
| 三浦健一郎 | 東京女子医科大学腎臓小児科 |
| 服部　元史 | 東京女子医科大学腎臓小児科 |
| 池住　洋平 | 藤田医科大学小児科 |
| 荒木　義則 | 国立病院機構北海道医療センター小児科小児腎臓病センター |
| 藤田　直也 | あいち小児保健医療総合センター腎臓科 |

# 主要略語一覧

| | |
|---|---|
| $\beta_2$MG | $\beta_2$-microglobulin<br>$\beta_2$-ミクログロブリン |
| %ECV | %extracorporeal volume |
| %FO | %fluid overload<br>体液(輸液)過剰率 |
| ACE-I | angiotensin converting enzyme inhibitor<br>アンジオテンシン変換酵素阻害薬 |
| ACT | activated clotting time<br>活性化凝固時間 |
| aHUS | atypical hemolytic uremic syndrome<br>非典型溶血性尿毒症症候群 |
| AKI | acute kidney injury<br>急性腎障害 |
| AKIN | Acute Kidney Injury Network |
| ALL | acute lymphoblastic leukemia<br>急性リンパ芽球性白血病 |
| AML | acute myeloid leukemia<br>急性骨髄性白血病 |
| ANCA | anti-neutrophil cytoplasmic antibody<br>抗好中球細胞質抗体 |
| APD | automated peritoneal dialysis<br>自動腹膜透析 |
| ARDS | acute respiratory distress syndrome<br>急性呼吸窮迫症候群 |
| ARF | acute renal failure<br>急性腎不全 |
| BM | biomarker |
| Ccr | creatinine clearance<br>クレアチニンクリアランス |
| CD | Crohn's disease<br>クローン病 |
| CFPD | continuous flow peritoneal dialysis<br>持続腹膜透析 |
| CHD | continuous hemodialysis<br>持続的血液透析 |
| CHDF | continuous hemodiafiltration<br>持続的血液濾過透析, 持続的血液透析濾過 |
| CHF | continuous hemofiltration<br>持続的血液濾過 |
| CKD | chronic kidney disease<br>慢性腎臓病 |
| CLS | child life specialist<br>チャイルド・ライフ・スペシャリスト |
| CRRT | continuous renal replacement therapy<br>持続的腎代替療法 |

# 主要略語一覧

| | | |
|---|---|---|
| CRS | cardiorenal syndrome<br>心腎症候群 | |
| CyA | cyclosporine A<br>シクロスポリン | |
| DFPP | double filtration plasmapheresis<br>二重濾過血漿分離交換法 | |
| DHP | direct hemoperfusion<br>直接血液灌流 | |
| DIC | disseminated intravascular coagulation<br>播種性血管内凝固症候群 | |
| ECMO | extracorporeal membrane oxygenation<br>体外式膜型人工肺 | |
| ECUM | extracorporeal ultrafiltration method<br>体外限外濾過法 | |
| eGFR | estimated glomerular filtration rate<br>推算糸球体濾過量 | |
| ESKD | end-stage kidney disease<br>末期腎不全 | |
| FFP | fresh frozen plasma<br>新鮮凍結血漿 | |
| FDA | Food and Drug Administration<br>米国食品医薬品局 | |
| FO | fluid overload<br>体液過剰 | |
| FSGS | focal segmental glomerulosclerosis<br>巣状分節性糸球体硬化症 | |
| GBM | glomerular basement membrane<br>糸球体基底膜 | |
| GCAP | granulocytapheresis<br>顆粒球除去療法 | |
| GFR | glomerular filtration rate<br>糸球体濾過量 | |
| HA | hemoadsorption<br>血液吸着 | |
| HD | hemodialysis<br>血液透析 | |
| HDF | hemodiafiltration<br>血液濾過透析 | |
| HF | hemofiltration<br>血液濾過 | |
| HIT | heparin-induced thrombocytopenia<br>ヘパリン起因性血小板減少症 | |
| HPM | high performance membrane | |
| HP | hemoperfusion<br>血液灌流 | |
| HUS | hemolytic uremic syndrome<br>溶血性尿毒症症候群 | |

| | |
|---|---|
| IBD | inflammatory bowel disease<br>炎症性腸疾患 |
| IGFBP7 | insulin-like growth factor binding protein 7 |
| IHD | intermittent hemodialysis<br>間欠的血液透析 |
| ISKDC | International Study of Kidney Disease in Children<br>国際小児腎臓病研究班 |
| IRRT | intermittent renal replacement therapy<br>間欠的腎代替療法 |
| KDIGO | Kidney Disease Improving Global Outcomes |
| KIM-1 | kidney injury molecule-1 |
| LCAP | leukocytapheresis<br>白血球除去療法 |
| L-FABP | liver-type fatty acid-binding protein |
| LDH | lactate dehydrogenase<br>乳酸脱水素酵素 |
| LDL | low density lipoprotein<br>低比重リポ蛋白 |
| LDL-A | LDL-apheresis<br>LDL吸着療法 |
| LPS | lipopolysaccharide<br>リポポリサッカライド |
| MOF | multiple organ failure<br>多臓器不全 |
| NGAL | neutrophil gelatinase-associated lipocalin |
| PA | plasmaadsorption<br>血漿吸着 |
| PCPS | percutaneous cardiopulmonary support<br>経皮的心肺補助 |
| PD | peritoneal dialysis<br>腹膜透析 |
| PE | plasma exchange<br>血漿交換(療法) |
| PELOD | Pediatric Logistic Organ Dysfunction |
| PIM | Pediatric Index of Mortality |
| PIRRT | prolonged intermittent renal replacement therapy<br>長期間欠的腎代替療法 |
| PMX | polymyxin B-immobilized fiber column<br>ポリミキシンB固定化繊維 |
| PMX-DHP | polymyxin B immobilized fiber column direct hemoperfusion<br>ポリミキシンB固定化繊維を用いた直接血液灌流法 |
| pRIFLE | Pediatric Risk, Injury, Failure, Loss, End-stage renal failure |
| PRISM | Pediatric Risk of Mortality |
| PT-INR | prothrombin time-international normalized ratio<br>プロトロンビン時間-国際標準化比 |
| PV | priming volume<br>プライミングボリューム |

## 主要略語一覧

| | | |
|---|---|---|
| $Q_B$ | blood flow rate<br>血流量 | |
| $Q_D$ | dialysate flow rate<br>透析液流量 | |
| $Q_F$ | filtration flow rate<br>濾過流量，濾液流量 | |
| QOL | quality of life<br>生活の質 | |
| $Q_S$ | replacement (substitusion) flow rate<br>補液（置換液）流量 | |
| RAA | renin-angiotensin-aldosterone system<br>レニン・アンジオテンシン・アルドステロン | |
| RBC | red blood cell<br>赤血球 | |
| RBF | renal blood flow<br>腎血流量 | |
| RIFLE | Risk, Injury, Failure, Loss, End-stage renal failure | |
| RRT | renal replacement therapy<br>腎代替療法 | |
| SCr | serum creatinine<br>血清クレアチニン | |
| SI | selectivity index<br>蛋白尿の選択性 | |
| SIRS | systemic inflammatory response syndrome<br>全身性炎症反応症候群 | |
| SLED | sustained low efficiency dialysis<br>持続的低効率透析 | |
| SOFA | sequential organ failure | |
| SRNS | steroid-resistant nephrotic syndrome<br>ステロイド抵抗性ネフローゼ症候群 | |
| TIMP-2 | tissue inhibitor of metalloproteinase-2 | |
| TLS | tumor lysis syndrome<br>腫瘍崩壊症候群 | |
| TMA | thrombotic microangiopathy<br>血栓性微小血管症 | |
| TMP | transmembrane pressure<br>膜間圧力差 | |
| TTP | thrombotic thrombocytopenic purpura<br>血栓性血小板減少性紫斑病 | |
| UC | ulcerative colitis<br>潰瘍性大腸炎 | |
| UL-VWFM | unusually large von Willebrand factor multimer<br>超巨大分子量VWFマルチマー | |
| VWF | von Willebrand factor<br>von Willebrand因子 | |

# 序　言

　本書の初版は2013年に発刊されたが，幸い多くの先生方にご愛用いただき，この度改訂版を出版する運びとなった。

　筆者が小児病院で初期研修をしていた約四半世紀前には，小児とりわけ低体重の乳幼児や小児患者への急性血液浄化療法は黎明期にあった。小児腎臓医が主体となり，患者の体格や病態に合わせて血液浄化療法の回路を自作し，泊まり込みで患者を治療していたが，予後は厳しいといわざるを得なかった。振り返れば，現代の技術と医療体制があれば，救命可能であった命も少なくない。しかし，治療に携わった医師たちの経験や熱意が，次第に複数の医療機器メーカーをこの小さな分野に呼び込み，機器開発，治療法の確立と均てん化，安全性の向上，さらに予後の改善に結実した。わが国の小児急性血液浄化療法(本療法)の進歩には，優れた医療技術と工業技術を有する透析大国であったこと，さらに，真面目で忍耐強く丁寧な日本人の気質も貢献したに違いない。わが国が生み出した優れた治療技術と機器は，アジアを含む世界中に発信・輸出されるべき価値を有していると確信する。

　2000年代に入り，小児救急・集中治療分野の発展と医療体制の整備が進み，重症の子どもたちの予後は著明に改善した。その大きな理由のひとつは，本療法がさまざまな重症疾患に応用され始めたことである。急激に少子化が進行するわが国で，救命可能な子どもの命を確実に救うことは，ますます重要になっている。近年，小児腎臓医が本療法に主導的にかかわる機会は減りつつあるが，チーム医療の現場における協働は，さらに強化されている。

　一見，難解に感じる本療法であるが，その治療効果はしばし劇的である。危急状態の子どもたちを本療法により救命する経験を通じて，1人でも多くの若手医師に，本療法に興味を抱いていた

だければ幸いである。最後に，監修をお手伝いいただいた亀井宏一先生と執筆を快諾していただいた先生方に，この場をお借りして深謝申し上げます。

　本療法の確立に献身されてきた，多くの敬愛する先人たちに本書を捧げる。

2021年4月　横浜にて

伊藤 秀一

# 目 次

【急性血液浄化療法・総論】

## 1 小児急性血液浄化療法の基本的事項の理解（種類・理論） …… 1
  血液浄化療法の基本的考え方 …… 1
  急性血液浄化療法の種類 …… 6

## 2 多職種連携 …… 12
  チーム医療とは …… 13
  各職種の役割 …… 15
  病期によるチーム医療体制の移行 …… 17

## 3 治療の差し控え，倫理 …… 19
  治療方針の決定に至る3つの方法 …… 20
  医療チームでの方針に関する話し合い …… 22
  家族への説明 …… 23
  その後のフォローと治療方針の見直し …… 24

【急性血液浄化療法の実際】

## 1 病態別の導入基準，条件設定と注意点（モジュール選択を含めて）…… 26
  Renal indication（腎的適応＝腎補助を目的とした場合の適応）とnon-renal indication（非腎的適応＝腎補助以外を目的とした治療の適応）…… 27
  各病態における導入基準，条件設定と注意点 …… 30

## 2 バスキュラーアクセスとカテーテル管理のコツ …… 39
  カテーテルの種類 …… 39
  カテーテルの選択 …… 40
  留置血管の選択 …… 42
  カテーテル挿入時の注意点 …… 43
  カテーテルの管理 …… 43
  閉塞予防 …… 44
  閉塞時の対応 …… 45

# 目次

 カテーテル感染時の対応 …………………………………… 45

## 3 小児血液浄化療法の透析装置，モジュール，周辺機器 …………………………………………… 47
 血液浄化装置 ……………………………………………… 47
 モジュール ………………………………………………… 59
 周辺機器 …………………………………………………… 65

## 4 プライミングから開始まで ……………………………… 73
 物品の選択と準備 ………………………………………… 74
 血液浄化装置・回路と血液の流れ ……………………… 75
 回路の組み立てとプライミング ………………………… 77
 血液プライミング ………………………………………… 82
 監視装置の設定 …………………………………………… 84
 治療 ………………………………………………………… 86
 抗凝固薬 …………………………………………………… 88

## 5 急性血液浄化療法中の薬剤の使用法と注意点 ……… 91
 薬物動態と小児 …………………………………………… 92
 急性血液浄化療法中の薬剤の使用法と注意点 ………… 95

# 【急性腎障害(AKI)と急性血液浄化療法】

## 1 急性腎障害(AKI) ……………………………………… 102
 定義，概念 ………………………………………………… 103
 頻度，原因と high risk 群 ………………………………… 104
 病因，病態 ………………………………………………… 104
 治療 ………………………………………………………… 106
 AKI の薬物動態 …………………………………………… 110
 AKI の栄養と食事療法 …………………………………… 110
 AKI の治療戦略 …………………………………………… 112

## 2 急性腎障害(AKI)とバイオマーカー ………………… 116
 バイオマーカーの定義，概念 …………………………… 117
 AKI とバイオマーカーの基本的事項 …………………… 118
 AKI の各バイオマーカー ………………………………… 120

### 3 新生児・低出生体重児への急性血液浄化療法 ……… 129
- 適応と選択 …………………………………………………… 130
- 持続的血液濾過透析(CHDF)施行方法 …………………… 133
- 新生児の留意点 ……………………………………………… 136

### 4 長期予後とフォローアップ ………………………………… 141
- AKIの長期予後 ……………………………………………… 141
- 小児におけるAKI …………………………………………… 142
- 溶血性尿毒症症候群(HUS)の長期予後 …………………… 143
- AKIのフォローアップ ……………………………………… 144

## 【その他の疾患への急性血液浄化療法/アフェレシス治療】

### 1 急性肝不全 …………………………………………………… 146
- 急性肝不全の定義と予後 …………………………………… 147
- 一般管理 ……………………………………………………… 148
- 人工肝補助療法の適応と条件 ……………………………… 149
- 人工肝補助療法の管理と注意点 …………………………… 150
- 急性肝不全の治療についての今後の課題 ………………… 156

### 2 先天代謝異常症に対する急性血液浄化療法 ……………… 159
- 除去すべきもの(何を) ……………………………………… 160
- 開始基準(いつ) ……………………………………………… 161
- 急性血液浄化療法の選択(どのように=方法) …………… 165
- 条件設定(どのように=条件) ……………………………… 166
- チーム医療(どのように) …………………………………… 167
- 酸塩基平衡異常の視点から(どのように) ………………… 167
- 中止時期(いつまで) ………………………………………… 169

### 3 敗血症/多臓器不全 ………………………………………… 172
- 概念と定義 …………………………………………………… 172
- 基本病態 ……………………………………………………… 175
- 敗血症/敗血症性ショックに対する急性血液浄化療法の
  種類と適応 ………………………………………………… 176
- ポリミキシンB固定化繊維を用いた直接血液灌流法
  (PMX-DHP)施行のコツとピットフォール …………… 181

**目次**

　　ポリミキシンB固定化繊維を用いた直接血液灌流法
　　　（PMX-DHP）の効果判定･････････････････････････････ 184

## 4 血液腫瘍疾患 ･･･････････････････････････････････････････ 188
　　腫瘍崩壊症候群･･･････････････････････････････････････ 189
　　血栓性微小血管症･････････････････････････････････････ 197

## 5 心疾患，術後（ECMOを含めて） ･････････････････････････ 202
　　心疾患術後の病態･････････････････････････････････････ 204
　　非体外式膜型人工肺（ECMO）症例の急性血液浄化療法････ 204
　　体外式膜型人工肺（ECMO）症例の急性血液浄化療法 ･････ 206
　　心疾患術後循環器疾患に対する持続的血液濾過透析
　　　（CHDF）による特殊な電解質管理 ････････････････････ 212

## 6 自己免疫疾患（リウマチ疾患，神経免疫疾患，
　　　川崎病）･････････････････････････････････････････････ 217
　　血漿交換療法（PE）･･･････････････････････････････････ 218
　　二重濾過血漿分離交換法（DFPP） ･･････････････････････ 224
　　血漿交換療法（PE），二重濾過血漿分離交換法（DFPP）が
　　　治療に用いられる小児免疫疾患 ･･････････････････････ 225

## 7 炎症性腸疾患 ･･･････････････････････････････････････････ 229
　　作用機序 ････････････････････････････････････････････ 230
　　疾患について････････････････････････････････････････ 231
　　血球成分除去療法の効果，エビデンス ･･････････････････ 234
　　血球成分除去療法の適応 ･･････････････････････････････ 236
　　使用法 ･･････････････････････････････････････････････ 237
　　注意点 ･･････････････････････････････････････････････ 238
　　副作用，合併症 ･･････････････････････････････････････ 239

## 8 ステロイド抵抗性ネフローゼ症候群････････････････････････ 242
　　ステロイド抵抗性ネフローゼ症候群と治療 ･･････････････ 242
　　ステロイド抵抗性ネフローゼ症候群に対するアフェレシス
　　　････････････････････････････････････････････････････ 243
　　ステロイド抵抗性ネフローゼ症候群に対するアフェレシス
　　　の実際 ････････････････････････････････････････････ 244

## 9 薬物中毒 249
　血液浄化療法の適応 250
　血液浄化療法の適応を考えるうえで考慮すべき
　　原因物質側因子 250
　血液浄化療法の選択 251
　バスキュラーアクセスと抗凝固薬 254
　小児薬物中毒として頻度の高い原因薬剤 255

【腹膜透析療法】

## 1 緊急腹膜透析（緊急PD） 259
　小児緊急PDの特徴 259
　小児緊急PDの適応 260
　小児緊急PDの導入：カテーテル留置 260
　小児緊急PDの導入：透析開始 262
　小児緊急PDの継続 263
　小児緊急PDの終了 267

## 2 低出生体重児のPD（CFPDを含む） 268
　低出生体重児の急性腎障害（AKI）に対する治療 269
　実際の腹膜透析（PD）の方法：①通常のPD 272
　実際の腹膜透析（PD）の方法：②持続腹膜透析（CFPD） 275
　そのほかの一般的な注意事項 277

索　引 282

急性血液浄化療法・総論

# 1 小児急性血液浄化療法の基本的事項の理解（種類・理論）

## ポイント

1. 血液浄化療法は，ヒト腎臓システムの一部を代用する腎代替療法として開発された。
2. 血液浄化療法には，体外循環を用いる血液透析，血液濾過，血液濾過透析，血漿交換，吸着療法などと，体外循環ではなく腹膜を利用する腹膜透析がある。
3. 血液浄化療法では，濾過，拡散および吸着などの原理を利用し溶質の分離/除去を行う。濾過では小分子から中分子の溶質まで均等に除去される。拡散は分子量500以下の溶質除去に特に優れる。吸着は分子量と関係なく，溶質との親和性を利用する。
4. 小児急性血液浄化療法においては，持続的血液浄化療法が主体であるが，海外においては人的・経済的コストの面から，間欠的血液浄化療法も試みられている。

## 血液浄化療法の基本的考え方（図1[1]，図2）

　血液浄化療法は，別名腎代替療法（RRT）とも称し，腎機能の一部を代行する人工腎臓システムとして開発され，その用途は溶質の分離（除去）と除水である。腎臓に達した血液は，腎動脈が分岐を繰り返し，最終的に輸入細動脈から糸球体へと流入した後，輸出細動脈へと連なる。糸球体内では輸入細動脈が4～6本の毛細管係蹄に分岐し，その糸球体係蹄では，血圧（動脈圧）を駆動圧として血漿成分がボウマン嚢へと濾し出され，原尿が生成される。1分間に濾し出される原尿の量が糸球体濾過量（GFR）であり，溶質除去効率の指標となる。原尿は，尿細管においてアミノ酸，ブドウ糖，ナトリウムなど必要

## 急性血液浄化療法・総論

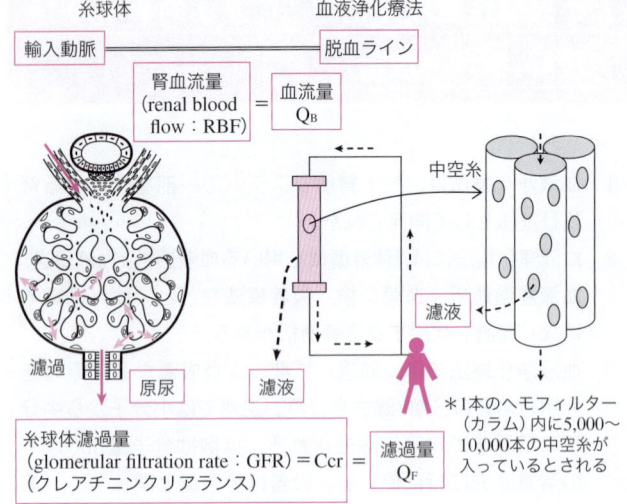

**図1 ヒトの腎臓と血液浄化システムの比較**
和田, 2013[1]より引用, 一部改変

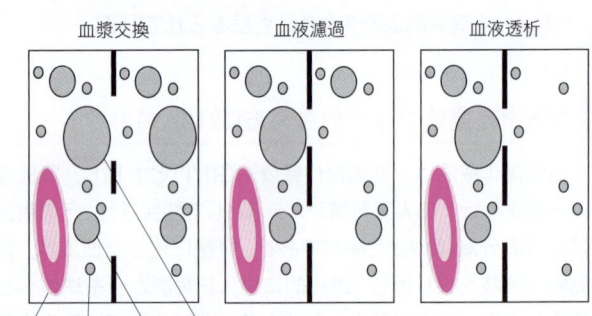

**図2 血液浄化療法で使用する溶質分離の原理**
血漿交換と血液濾過は, convection(対流)の原理, 血液透析は, diffusion(拡散)の原理を利用して溶質を移動させ, 半透膜の孔径の大きさで分子量によるふるいをかけて溶質を分離する。

## 1 小児急性血液浄化療法の基本的事項の理解(種類・理論)

な物質を吸収(再吸収)された後,膀胱を経て尿として排出される。血液浄化療法は,基本的に尿細管に相当するシステムをもたず,輸入細動脈-糸球体-輸出細動脈のみの機能に限定された人工腎臓である。輸入細動脈が脱血ライン,糸球体がヘモフィルター,輸出細動脈が返血ライン,そしてヘモフィルター内の中空糸が糸球体係蹄にそれぞれ相当する(図1)[1]。糸球体係蹄壁を一種の半透膜と考えれば,原尿が濾し出されるという現象は,膜分離の原理における限外濾過(ultrafiltration)にあたり,血液浄化療法においては,体外限外濾過法(ECUM)に相当する。成人ヒトの正常腎血流量(RBF)は1分当たり約1 L,GFRはRBFの10%,すなわち1分当たり約100 mLである。これを血液浄化療法に置き換えると,血流量($Q_B$)1,000 mL/分,濾液流量($Q_F$)6,000 mL/時のECUMを24時間継続するシステムということになるが,実際の腎臓では,6,000 mL/時の濾過量のうち99%が尿細管において再吸収され,正味の尿量(除水量)としては60 mL/時程度に抑えられている。血液浄化療法では,再吸収システムがないため,代わりに補液(補液流量:$Q_S$)を行うことで水分バランスを調節することになる。このECUMに補液を加えたシステムが,血液濾過(HF)である。限外濾過では,溶媒(水)に含まれる溶質が溶液として移動するため,分子量の大小にかかわらず溶質は同じ速度で運搬される。すなわち,アンモニア(分子量17)もクレアチニン(分子量113)もバンコマイシン(分子量1,449)も等しい除去量(クリアランス)ということになる。もっとも,溶質が濾過されただけでは血液中の溶質の濃度は変化することはなく,対象となる溶質を含まない組成の補液を行うことによって初めて血液中の溶質濃度を低下させることができる(ECUMでは溶質の血中濃度を低下させられないが,HFでは血中濃度を低下させることができる)。尿細管で再吸収されないクレアチニンは,生体におけるGFRの指標とされているが,再吸収システムのないHFにおいては,小分子から中分子(分子量12,000程度まで)

## 急性血液浄化療法・総論

であればクリアランスは一定であり[2]、クレアチニンクリアランス(Ccr)に等しい。そして、そのクリアランスは$Q_F$によって規定され、生体におけるGFRに相当することとなる。例えば、2歳の小児(体重11 kg、身長85 cm、体表面積0.5 m$^2$)に対し、$Q_B$ 20 mL/分、$Q_F$ 300 mL/時、$Q_S$ 300 mL/時のHFを行った場合、クリアランスは300 mL/時=5 mL/分となり、体表面積補正(1.73 m$^2$)を行うと5/0.5×1.73=17.3 mL/分/1.73 m$^2$のGFRに相当する。

溶液に圧力をかけると溶液内に「流れ」が生じ、溶媒(水)に溶け込んだ溶質は溶媒とともに移動する。この物質移動の原理を対流(convection)と称し、この原理を利用して溶質の分離を行うのがHFである。convectionにおいては、溶媒の「流れ」に溶質が乗っているだけであるため、溶質の大小にかかわらず溶質分子は同じ速度で移動する。溶液を半透膜で仕切ることにより、溶質を分離することが可能となる(孔径より小さい溶質は通過し、大きい溶質は通過できずに留まる)。材料工学の発展に伴い、さまざまな孔径のヘモフィルターが開発されている。孔径を最も大きくした(0.1～0.3 μm)膜が、血漿交換療法(PE)で用いられる血漿分離膜であり、血球成分は通過できないが、分子量100～200万の蛋白質まで通過可能である。血漿中の蛋白質までを含む溶質が濾過され、新鮮凍結血漿(FFP)やアルブミン溶液が補液として補充されるため、あたかも血漿中の溶質を入れ換えているようでもあり、血漿「交換」と称されるが、PEにおける物質移動の原理はあくまでもconvectionである。

半透膜を介して、一方は溶質を含む溶液、もう一方は溶質を含まない溶媒とした場合、溶質は濃度が均一になるよう、溶質を含む側から溶質を含まない側へ膜を通過して移動する。適切な孔径の膜を選択することにより、溶質の分離が可能となる。この溶質の移動は溶媒である水分子による溶質のブラウン運動によるものとされ、この原理を拡散(diffusion)と称す

## 1 小児急性血液浄化療法の基本的事項の理解(種類・理論)

る。ある程度溶質の流出が起こった時点で移動先の溶液を新たな(除去したい溶質を含まない)溶液に交換すれば、さらなる溶質の除去が可能となる。この溶媒の交換を連続的に行うシステムが血液透析(HD)である。ブラウン運動による溶質の移動速度は分子量に反比例するため、convectionとは異なり、分子量が大きくなると移動速度が遅くなることから、分子量の大きい溶質のクリアランスはHFに劣る。実臨床においては、同じ血液浄化量であれば分子量1,000以上の溶質のクリアランスは、HFのほうが優れるとの報告がある[2]。

近年、医療機器の発展に伴って大孔径のヘモフィルターが使用されるようになり、巨視的にはdiffusionとconvectionを厳密に分けて考えることが困難になってきている。透析液は、透析液ポンプによってヘモフィルター容器(カラム)内へ流入し、濾液ポンプによりカラム外へ流出するが、その際、ポンプ使用に伴う圧力が生じる。孔径が小さければこの圧力による作用は無視できるが、近年の大孔径のヘモフィルターでは、この圧力が血液に作用することによる溶質の移動(convection)が生じ、これを内部濾過と称する。high cut-off(HCO)[3]やmedium cut-off(MCO)[4]と呼ばれる大孔径ヘモフィルターを使用することにより、HDを施行するだけで血液濾過透析(HDF)様の作用を得ることが可能である(実際の内部濾過量の評価は困難であるが、通常のHDFと比較すれば濾過量は少ない)。HCO膜やMCO膜により除去可能な溶質分子量のカットオフ値は、それぞれ55,000、45,000程度とされており、HDを施行するだけであっても内部濾過作用による中分子除去量は格段に増加することが予想される。これらのヘモフィルターを用いたHDを施行することにより、アルブミン(分子量66,000)の喪失を抑えながら、サイトカイン(分子量2〜5万程度)の除去効率を高める試みも行われている。

サイトカインの除去に注目が集まり、中分子から大分子の溶質除去に対するさまざまな工夫が行われているが、それら

## 急性血液浄化療法・総論

の溶質の除去量を増やすということは，同時に栄養素となる蛋白質（アミノ酸）の喪失につながることを忘れてはならない。特に持続的血液浄化療法（CBP）である，持続的血液透析（CHD），持続的血液濾過（CHF）や持続的血液濾過透析（CHDF）などの治療においては蛋白質の喪失は依然として解決されておらず，投与蛋白質量を増量することで対応する他はない。血液浄化においては「必要な物質も除去されてしまう」という視点を常に意識し，「不必要に溶質除去を増大する」ことを避けるべきである。

溶質の分離には，上記のconvection，diffusionに加え，吸着（adsorption）の原理も利用される。除去（分離）したい溶質と親和性の高い物質（吸着材）を固定した吸着筒の中に血液（血液吸着；HA）や血漿（血漿吸着；PA）を通すことにより，溶質を分離することが可能となる。除去したい溶質が決まっている場合には特異性の高い治療法となり，前述のような蛋白質喪失の問題が生じることはない。

## 急性血液浄化療法の種類

急性血液浄化療法における治療法の選択は，分離（除去）したい溶質の分子量により決定する。除去したい物質の分子量と治療法との関連を図3[1]に示す。特異的な吸着材のある場合には，吸着療法を施行する。

### 1. 溶質除去方法による分類
#### 1）血液濾過（HF），血漿交換（PE）

convectionの原理を用いた血液浄化療法である。いわゆるhigh performance membrane（HPM）であれば，分子量15,000，HCO膜であれば，分子量40,000程度の溶質までは有効なクリアランスが得られるとされ，それ以上の分子量の溶質を除去したい場合にはPEを選択する。convectionの原理を用いて溶質除去量（クリアランス）を高めようとする場

## 1 小児急性血液浄化療法の基本的事項の理解(種類・理論)

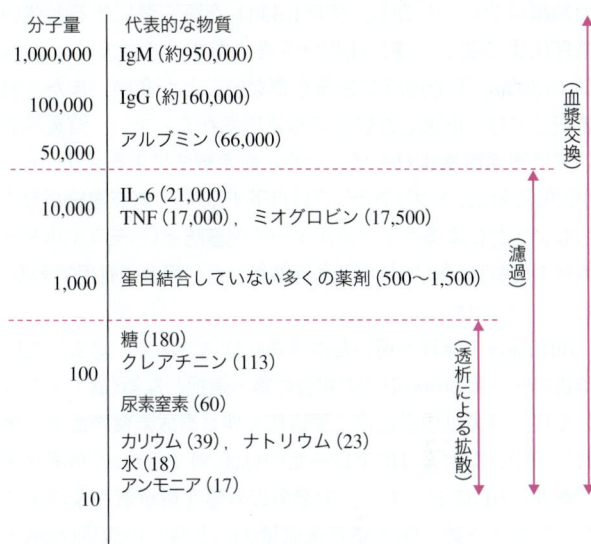

**図3 除去可能な溶質の分子量と血液浄化療法との関係**
和田, 2013[1]より引用, 一部改変

合, 血液濃縮が律速段階となる。カラム内に流入した血液は, 濾液ポンプの陰圧により血球成分を残して溶液が濾過されるため, 血液は濃縮された状態となる。この濃縮状態は, 補液ラインからの補液を受けるまで持続するため, 血液濃縮率が高くなりすぎると中空糸内での凝血塊形成から血流の閉塞をきたす。濃縮の限界として, $Q_F$は$Q_B$の30%以下とすることが一般的であり, 特に長時間にわたるCBPでは, 10～20%程度に抑えることが推奨される。すなわち, $Q_F$(≒溶質クリアランス)は$Q_B$によって上限が規定されることになる。上述のシステム(HFにおける補液をカラムの下流側から行う方法)を後希釈法と呼ぶが, 補液をカラムの上流側から行うシステム(前希釈法)も可能である。濾過が行われる前に血液が希釈され, 血液濃縮が起こらないことから, 理論的には$Q_F$

## 急性血液浄化療法・総論

の制限はない。しかし，実際には$Q_F$を高流量にすると強い陰圧による著しい濾過圧の低下をきたすことが多く，$Q_F$は$Q_B$の30％以下で施行せざるを得ないことが多い。また，前希釈法では，除去したい溶質も希釈されてしまい，溶質除去効率は後希釈法よりも低くなる。前希釈法によるメリットは（後希釈法に比べクリアランスは低下するが），血液濃縮が起こらないことによるヘモフィルターの閉塞防止（ヘモフィルター寿命の延長）にあり，抗凝固薬を減量したい場合に有用である。

### 2）血液透析（HD）

diffusionの原理を用いた血液浄化法である。除去したい溶質の分子量が500以下の場合は第一選択となる（高アンモニア血症，高カリウム血症，尿毒症を伴う高尿素窒素血症，炭酸リチウムなど）。HFでは一定の$Q_B$に対する$Q_F$の制限が生じたが，HDにおいては，中空糸の外側を透析液が灌流するだけであるため，$Q_F$を透析液流量（$Q_D$）と等しい流量（除水＝0）で維持する限り，$Q_D$の増量に伴う血液濃縮は起こらない。HFでは$Q_F$（＝$Q_S$）は$Q_B$の30％程度が限界であるが，HDでは$Q_F$（＝$Q_D$）に施行上の上限は存在しない。ただし，溶質除去効率は，$Q_B$の2倍程度で頭打ちとなることが知られており，実際には$Q_D ≦ Q_B × 3$の設定とする。$Q_B$を一定とした場合，血液浄化量の上限は，HFモードでは$Q_B × 0.3$，HDモードでは$Q_B × 3$となり，分子量500以下の小分子に関しては，HDモードのほうが圧倒的に高いクリアランスを得られる。ただし，孔径の大きいHCO膜を使用した場合には，もう少し大きい分子のクリアランスまでHDモードのほうが有利となる可能性はある。

### 3）血液濾過透析（HDF）

$Q_B$を一定とした場合に最大の溶質除去を得るための治療法である。HFにHDを組み合わせることで，HFを単独で行う場合に比べ，小分子除去効率を高めることが可能となる。わが

国の小児急性血液浄化療法で最も選択率の高い治療法である。

## 4）吸着療法〔血液吸着（HA），血漿吸着（PA）〕

adsorptionの原理を用いた血液浄化療法である。古くは活性炭による中毒物質の吸着療法として行われていたが，白血球を吸着するポリエチレンテレフタレートや酢酸セルロース固定化カラムの開発を始め，エンドトキシンを吸着するポリミキシンB固定化カラム，エンドトキシンとサイトカインのいずれをも吸着するアクリロニトリルメタリルスルホン酸ナトリウム固定化カラムなどから，細菌やウイルスの吸着カラムまでさまざまな吸着カラムが開発されつつあり，さまざまな治療効果が期待されている。カラムの容量が小さいと吸着した物質で吸着材が容易に飽和してしまうため，一般的にカラムの容量は大きくつくられており，小児においては循環動態への負担から使用できないものも多い。また，吸着療法単独では電解質コントロールや除水ができないことから，無尿から乏尿を呈する急性腎障害（AKI）を合併している症例においては，HDやHDFなどのRRTと併用されることが多い。

## 5）腹膜透析（PD）

生体内に存在する半透膜である腹膜を介して，ブドウ糖やアミノ酸などの高浸透圧液と血液との浸透圧差によるconvectionと除去したい溶質の濃度差によるdiffusionの原理を用いた血液浄化療法である。生体膜を利用するため，人工膜で起こり得る異物接触に伴う有害反応がない。また，これまで述べてきた体外式の血液浄化療法（EBP）と比較すると特殊な装置（コンソール）が不要でコストのかからないこと，抗凝固薬が不要で新生児や未熟児での頭蓋内出血のリスクが低くなることなどから，特に新生児において汎用される。高濃度ブドウ糖溶液の注液→貯留→排液というサイクルを繰り返し行う方法が標準的であるが，溶質のクリアランスはEBPに劣る。持続的に腹腔内へ注排液を行う持続腹膜透析（CFPD）ではEBPに劣らないクリアランスを得られるとされるが，PD

## 急性血液浄化療法・総論

の最大の問題点は，溶質クリアランス，除水とも治療効果の予測が立たない点にある。特に可及的速やかに計画的な水分コントロールを行いたい場合（うっ血性心不全）や緊急に溶質除去を確実に行う必要のある場合（高アンモニア血症や高カリウム血症）には，EBPのほうが適している。

### 2. 治療スケジュールによる分類

急性血液浄化療法は，多臓器不全の部分症状のひとつとしてのAKIに対するRRTとして発展してきた側面が強い。循環動態の不安定な患者に施行されることが多く，慢性腎臓病（CKD）に対する間欠的な維持透析療法と異なり，緩徐で持続的な治療が選択されてきた。近年，特に成人領域において人的・経済的側面から間欠的な血液浄化療法が検討されるようになり，治療効果においては，CBPと遜色のないことが示されている。一方，小児における間欠的血液浄化療法（IBP）の施行例は少なく，今後の検討課題である。

#### 1）持続的血液浄化療法（CBP）

ICU管理を必要とする循環動態が不安定な患者において第一選択とされる血液浄化療法であり，特に小児においては急性血液浄化療法の標準治療となっている。持続的腎代替療法（CRRT）とほぼ同義に扱われることが多い。24時間のモニタリング，抗凝固薬の調整やCBP専用コンソールを使用とするため，トレーニングされたスタッフによるICU管理を必要とする。

#### 2）間欠的血液浄化療法（IBP）

間欠的腎代替療法（IRRT）と同義，持続的低効率透析（SLED）とも称される。厳密な定義はなく，1回4時間の血液浄化療法を週3回行う，いわゆるCKDに対する間欠的血液透析（IHD）と近年，成人ICU患者に対して行われつつある長期間欠的腎代替療法（PIRRT）に分けて述べられることが多い。IHDは，24時間のモニタリングやCBP専用コンソールなどの特別な管理システムを必要とせず，従来から透析室で使用

## 1 小児急性血液浄化療法の基本的事項の理解(種類・理論)

されている個人用透析装置を使用することが可能であり、人的・経済的負担が少ない、抗凝固薬の使用を減量できるなどの利点がある。一方で、短時間のうちに高効率の血液浄化および除水を行わなければならず、循環動態が安定していない場合には選択し難いという問題点があるため、この点を改善するべくPIRRTが考案された。小児におけるPIRRTの定義としては、①1回の治療が6時間以上(12時間まで)、②$Q_B$は5 mL/kg/分以下、③$Q_D$は$Q_B$の2倍を超えない、などがあげられている[5]。成人における検討であるが、1週間当たりの溶質のクリアランスの点からは、$Q_D$ 350 mL/分、$Q_S$ 1 L/時の血液浄化量で1日8時間、週6日間施行するPIRRTと20〜25 mL/kg/時の血液浄化量で施行するCHFが同等であるとされる。コスト面では、PIRRTはCRRTの1/3〜1/4程度とされ、経済的に優れることも報告されている[6]。

## 文献

1) 和田尚弘:小児急性血液浄化療法の基本的事項の理解(種類・理論). 伊藤秀一, 他編:小児急性血液浄化療法ハンドブック, 東京医学社, 24-34, 2013
2) 片山 浩:クリアランスからみた持続血液浄化法の比較. 日集中医誌 5:115-121, 1998
3) Olczcyk P, et al:Dialysis membranes: A 2018 update. Polim Med 48:57-63, 2018
4) Zweigart C, et al:Medium cut-off membranes − closer to the natural kidney removal function. Int J Artif Organs 40:328-334, 2017
5) Sinha R, et al:Prolonged intermittent renal replacement therapy in children. Pediatr Nephrol 33:1283-1296, 2018
6) Berbece AN, et al:Sustained low-efficiency dialysis in the ICU:cost, anticoagulation, and solute removal. Kidney Int 70:963-968, 2006

(永渕 弘之, 和田 尚弘)

急性血液浄化療法・総論

# 2 多職種連携

### ポイント

1. 高度な医療を効率よく，きめ細やかに提供するために，チーム医療体制が必要である。
2. 医療チームの運営にはチームの基本方針が明確であること，情報共有ができていること，コミュニケーションがとれていることが重要である。
3. 小児急性血液浄化療法のチーム医療では，医師(小児集中治療医，新生児集中治療医，小児腎臓病医など)，看護師，臨床工学技士，薬剤師，医療ソーシャルワーカー，理学療法士，チャイルド・ライフ・スペシャリスト，ホスピタル・プレイ・スペシャリストなどの多方面のメディカルスタッフが構成員となる。
4. 急性期から慢性期にかけて連続的なチーム医療の提供にあたって，その基本方針や構成員は柔軟に変化していく。

## はじめに

　小児急性血液浄化療法を必要とする患者の多くは，非常に重篤で集中治療を要する患者群である。さらに，急性血液浄化療法という専門性の高い治療を行うため，その管理は高度で複雑となる。小児急性血液浄化療法の実施に当たって，高度な医療を，効率よく，きめ細やかに提供する医療システムは不可欠である。

　集中治療領域においても，従来，医師主導型頂点とするピラミッド型指揮体制がとられ，効率のよい治療が行われていた(図1)。しかし，医療の細分化により1人の患者を複数の医師が診察するようになり，使用される医療機器の高度化と

## 2 多職種連携

**図1 従来型の医療システム**

提供できる医療の多様化が急速に進んできた。そのため、多角的な患者管理が必要となってきた。現在は、患者の病気の改善・社会復帰を目指すフラット型メディカルスタッフ体制へと変化してきた。この体制を運営するため、医師、看護師、臨床工学技士、薬剤師などのスタッフが互いの専門性を尊重し、最大限の能力を引き出し合うことによって最善の治療を行う医療現場の取り組み、すなわちチーム医療が行われている(図2)。

## チーム医療とは

チーム医療とは、1人の患者に複数のメディカルスタッフが、それぞれの専門性をもとに高い知識と技術を発揮し、互いに理解し目的と情報を共有して、連携・補完し合い、疾患の治療、患者の生活の質(QOL)の維持・向上、患者の人生観を尊重した療養の実現をサポートすることである[1]。

チーム医療を機能させるためには、基本方針が明確である、各メディカルスタッフの高いレベルの専門性が維持されている、情報が必要十分に共有されている、円滑なコミュニケー

## 急性血液浄化療法・総論

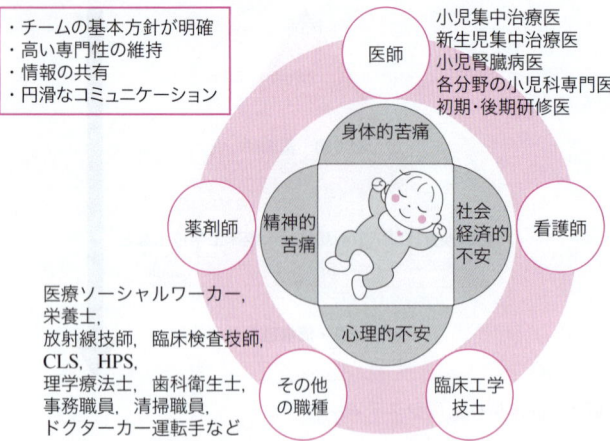

- チームの基本方針が明確
- 高い専門性の維持
- 情報の共有
- 円滑なコミュニケーション

医師：小児集中治療医，新生児集中治療医，小児腎臓病医，各分野の小児科専門医，初期・後期研修医

薬剤師

看護師

臨床工学技士

その他の職種：医療ソーシャルワーカー，栄養士，放射線技師，臨床検査技師，CLS，HPS，理学療法士，歯科衛生士，事務職員，清掃職員，ドクターカー運転手など

身体的苦痛／精神的苦痛／社会経済的不安／心理的不安

**図2　チーム医療（メディカルスタッフの連携と協力）**
CLS：チャイルド・ライフ・スペシャリスト，HPS：ホスピタル・プレイ・スペシャリスト
多方面の専門的な立場から総合的に，効率よくきめ細かな医療を提供する。

ションがなされている，などが必要である。基本方針を明確にするために，医師は病状や患者・家族の希望，提供可能な医療資源などを正確に把握し，メディカルスタッフの意見を引き出し，まとめていくリーダーシップが必要となる。また，それぞれのメディカルスタッフが高いレベルの専門性を維持するために，知識や技術の習得・維持，標準化，安全で効果的な業務を遂行できるよう研鑽する。情報共有のためにカンファレンスや記録などにより，チームの基本方針を各メディカルスタッフは常に確認しておく，それぞれの業務を適切に記録・保管しておく，加えて患者情報の漏洩に十分な注意を払う。チームのコミュニケーション促進のため，互いの専門性に敬意かつ業務に関心を払い，医療チーム全体の統合性を確立し，他のメディカルスタッフとの協働に努める。

　小児急性血液浄化療法におけるチーム医療は，重篤な原疾

患をもった小児に対する集中治療(呼吸・循環管理など)や看護ケアに加え,腎障害を始めとする急性血液浄化療法を要する病態への専門性の高い治療,医療機器管理,臓器不全などを伴う患者への薬物投与設計や服薬指導,呼吸リハビリテーションを始めとする理学療法,口腔内衛生保持,特殊な栄養管理,種々の検査や画像検査,高額医療に対するサポートの提供,小児患者および家族の心身を支える保育や臨床心理士,チャイルド・ライフ・スペシャリスト(CLS),ホスピタル・プレイ・スペシャリスト(HPS),清潔で快適な環境整備など,多岐にわたる。また,日常生活の指導など多方面から継続的にかかわり,患者・家族が病気を受容し前向きに生きようとする姿勢をもつことができるように支援していく。

## 各職種の役割

チーム医療にかかわる職種は,医師,看護師,臨床工学技士,薬剤師,医療ソーシャルワーカー,診療放射線技師,臨床検査技師,理学療法士・作業療法士,臨床心理士,保育士,CLS,HPS,歯科衛生士など多様である。それぞれのメディカルスタッフの役割を表に示す。

医師は,診断と治療方針を決定する役割を担う。集中治療では,小児集中治療医,新生児集中治療医,小児腎臓病医,各分野の小児科専門医,研修医らが,互いの専門性を生かして,個々の患者に合わせた適切な診断と治療方針を決定する。また,他のメディカルスタッフの意見を引き出し,検討し,包括的な治療方針を決定する。患者・家族への病状説明と最終的な同意を得て,チーム医療を実行する。またチームの環境整備も行う。

看護師は,最も患者・家族に近い位置におり,彼らの理解の確認や補足説明,種々の問題点の把握,適切な看護ケアを行う。チームと患者・家族や各メディカルスタッフとの橋渡しなど,チーム環境の調整を行う。

**急性血液浄化療法・総論**

### 表　チーム医療におけるメディカルスタッフの役割

| | | |
|---|---|---|
| 1. | 医師 | 診断と治療方針を決定 |
| | | 患者・家族への病状説明と同意 |
| | | チームの環境整備 |
| 2. | 看護師 | 患者・家族背景の理解 |
| | | 種々の問題点の把握 |
| | | 患者・家族の理解の確認と補足 |
| | | チームの橋渡し |
| 3. | 臨床工学技士 | 血液浄化療法などに必要な医療機器の点検・補修 |
| | | 治療中の作動点検・機器管理 |
| 4. | 薬剤師 | 薬剤の効能，副作用，投与方法 |
| | | 薬剤の管理法，他の薬剤との配合変化 |
| | | 患者・家族への説明 |
| 5. | 医療ソーシャルワーカー | 経済的問題の相談 |
| | | 社会資源の活用 |
| | | 病院の総合相談窓口 |
| 6. | その他の職種 | 管理栄養士，理学療法士，作業療法士，言語療法士，臨床検査技師，放射線技師，臨床心理士，保育士，CLS，HPS，ケアマネージャー，保健師，事務職員，清掃職員など |
| | | 専門分野からのアドバイスや支援 |

　臨床工学技士は，血液浄化療法や集中治療に必要な医療機器の点検・補修，治療中の作動点検や機器管理，有効性の維持を行う。医療機器の管理方法やベッドサイド対応などを，他のメディカルスタッフに教育する。

　CLSとは，医療環境にある子どもや家族に，遊びを通して心理社会的支援を提供する，米国から提唱されたメディカルスタッフである。米国において，CLSは多くの子ども病院や小児科病棟で一般的なものになってきている。CLSの活動内容は，子どもの人権を尊重し，これから受ける医療を理解し

## 2 多職種連携

主体的に臨めるように心の準備をサポートする，病院という非日常的な環境に日常を創造し子どもに優しい医療環境をつくる，さまざまな家族の危機的な状況や喪失体験と向き合う家族を支援する，などである．子どもや家族が抱え得る精神的負担を軽減し，主体的に医療体験に臨めるよう支援し，「子ども・家族中心医療」をサポートしている[2]．

HPSとは，病院や療育施設などに入院している子ども・在宅療養中の子どもなどすべての子どもに遊び(ホスピタル・プレイ)を届ける，英国から提唱されたメディカルスタッフである．医療環境をチャイルドフレンドリーなものにし，病気や障害をもつ子どもたちが医療とのかかわりを肯定的にとらえられるように支援している[3]．

## 病期によるチーム医療体制の移行

急性血液浄化療法を要する小児患者は，急性期から慢性期に及ぶ連続的な集学的治療を要する．病期に応じて，その治療目標は，救命から合併症の回避，日常生活動作の改善，QOLの改善，退院後の生活支援へと変化していく．チーム医療の体制も，急性期から慢性期にかけてその役割は変化するため，患者・家族の状況や希望に応じた個別のゴール設定とサポート体制の構築が必要である．

小児急性血液浄化療法の長期予後の改善のためには，急性期のみならず慢性期のチーム医療による支援も重要である．基礎疾患をもった小児の退院支援，退院後の地域での医療・社会資源の活用を進めていく．おのおのの医療施設の機能に合わせて，医療機関相互の連携や役割分担を行うこと，また，より効率的な医療提供体制を確立することで切れ目のない医療を提供し，在宅生活への早期復帰，在宅医療へとつないでいく．院内だけのチーム医療ではなく，地域医療連携の充実が求められている．

# 急性血液浄化療法・総論

## おわりに

　チーム医療は，患者・家族の意思を尊重し，各メディカルスタッフが専門領域で役割と責任を果たし，チームの基本方針を支えることで成り立つ医療である。患者・家族のニーズに応じた柔軟な方針決定や，新たなメディカルスタッフとの連携などのチームの再編成など，流動的なチーム運営が必要である。高度な医療を効率よく，きめ細やかに提供し，長期に及ぶ闘病生活の支援と予後の改善につながるよう努めていくべきである。

### 文献

1) チーム医療推進協議会：http://www.team-med.jp　2020.6.3アクセス
2) チャイルド・ライフ・スペシャリスト協会：http://childlifespecialist.jp　2020.6.3アクセス
3) 日本ホスピタル・プレイ協会：https://hps-japan.net　2020.6.3アクセス

（澤田　真理子）

急性血液浄化療法・総論

# 3 治療の差し控え，倫理

### ポイント

1. 重篤な障害をもつ児あるいは生命予後が不良な児への腎代替療法の適応決定に明確な基準はなく，個々の患者で検討していく必要がある。治療方針は家族と相談しながら進めていくことになるが，年長児で本人の意思確認が可能な場合は，必要性に応じて本人にも病状を伝えていく。
2. 治療方針を決めるのに，パターナリズム，インフォームド・コンセント，共同意思決定の3つの方法があるが，重篤な障害をもつ児あるいは生命予後が不良な児の腎代替療法の適応を決める時は共同意思決定が望ましい。
3. 治療の必要性，利益，不利益(侵襲性や合併症)および患者の予想される予後などを医療チームで話し合ったうえで，家族へ治療方針を説明する。いったん方針が決まっても，その後，家族の気持ちの変化に基づいて見直すことができることも伝えておく。またその後のフォローも重要である。

## はじめに

急性腎障害(AKI)の時に透析などの侵襲的な治療の差し控えを考慮するのは，重症心身障害児，不可逆的な脳障害を合併した児，末期の悪性腫瘍など回復不能な疾患などで生命予後が不良であることが予測されている児などである。

染色体異常，多発奇形，新生児仮死(低酸素脳症)などによる重症心身障害児の発生率は，出生人口1,000人当たり約0.3人と推定されている[1]。大島分類(図)の1～4に相当する重症心身障害児は感染症などが重症化するリスクが高く，AKI

急性血液浄化療法・総論

| 21 | 22 | 23 | 24 | 25 | 80 |
|---|---|---|---|---|---|
| 20 | 13 | 14 | 15 | 16 | 70 |
| 19 | 12 | 7 | 8 | 9 | 50 |
| 18 | 11 | 6 | 3 | 4 | 35 |
| 17 | 10 | 5 | 2 | 1 | 20 |
| 走れる | 歩ける | 歩行障害 | 座れる | 寝たきり | 0 |
|  |  |  |  |  | IQ |

**図　大島分類**
重症心身障害児とは，重度の肢体不自由と重度の知的障害とが重複した状態で，大島分類の1〜4に相当する。

に対する腎代替療法(RRT)がしばしば必要となる。重症仮死や感染症などが原因の新生児のAKIはしばしば経験するが，血液浄化を必要とするAKIを合併した新生児は，重篤な脳障害を合併していることが多い。重症心身障害児や重度の脳障害が予測される新生児などでは，本人の意思表示を確認するのが困難であるため，治療方針は代理人である保護者(多くは家族)と相談しながら進めていくことになる。一方，末期の悪性腫瘍などで生命予後が不良な児が年長児であることも少なくなく，本人の意思の確認が可能な場合は，家族と相談しながら，必要に応じて本人にも病状を伝えていく。いずれにしても，重篤な障害をもつ児あるいは生命予後が不良な児へのRRTの適応決定の明確な基準はなく，個々の患者で検討していく必要がある。各種指針[2〜4)]を参考にしてもよい。

## 治療方針の決定に至る3つの方法

重要な治療方針を決定する際のプロセスとして，以下の3つがあげられる。

### 1. パターナリズム

医師が患者にとって何が最善かを判断し，決定する方法である。専門家主導の父権主義的な方法で，医師による単一の

治療方針を患者に話す形であるため，医師が提供する情報は少なくなる。治療方針が明確であり（エビデンスが高い場合と高くない場合双方を含む），かつ治療を急ぐ必要があり，また患者に治療の差し控えを考慮する可能性がない場合に，この方法をとることがある。基礎疾患がない患者における突然のショック時の急速輸液などがこれに当たる。

## 2. インフォームド・コンセント

医師が医学的判断に基づいて選択肢を説明し，患者あるいは家族が十分に理解したうえで，最終決定する方法である。現在，わが国の医療において侵襲的な検査や治療，手術などの多くの処置で，この方法を行っている。側面（問題点）としては，患者は説明された内容に対し，単に同意の署名をするだけの場合があることも指摘されている。また，「医療従事者が後で法的に問題視されないために証拠書類を残すための作業」に陥る危険をはらんでいるともいわれている。

## 3. 共同意思決定（SDM）

医師と患者あるいは家族が互いの知識や価値観を共有し合い，共同して最善の治療選択を決定する方法である[5～7]。医師は治療方法についてエビデンスやガイドラインで記載されている内容のみならず，患者の病気の状態や予後，治療の利点，必要性，問題点や合併症，治療しなかった場合の予想される経過，さらには費用について説明する。また，その他の治療も含め幅広くオプションを提示し，そのなかで自施設の経験なども加味したうえで，最善と思われる方法を提案する。患者あるいは家族は，医師の意見を聞いたうえで，価値観や宗教的側面なども考慮に入れた希望の方法を提示する。最終的には両者が共同で最終決定する。インフォームド・コンセントは，医師が提供した方針に対し患者が同意するというプロセスであるのに対し，共同意思決定（SDM）では，治療を決

## 急性血液浄化療法・総論

定する際に医師と患者が対等な立場であることが特徴である。SDMのプロセスを表[5]に示す[7]。

上記3つのどの方法をとるかは，緊急性の程度，すでに主治医と家族との間で話し合われている方針内容，現在の患者の全身状態や生命予後などを考慮する必要がある。例えば，低血圧性ショックでの輸液や痙攣重積の治療など，急を要する状況で，ゆっくり時間をかけてSDMを行うのはナンセンスであろう。重篤な障害をもつ児あるいは生命予後が不良な児へのRRTの適応決定はインフォームド・コンセントあるいはSDMであることが必要であるが，可能な限りSDMが望ましいと思われる。以下，SDMに準じたRRTの適応決定までの手順を示す。

## 医療チームでの方針に関する話し合い

家族へ情報提供する前に，医療チームで十分な現状の把握をするため，情報収集を行い，チーム内で情報を共有しておく。主治医が所属する主科の他，集中治療医，新生児集中治

### 表 Shared decision making の進め方

1. 問題点を定義・説明する
2. 選択肢を提示
3. 利点・決定・費用を話し合う
4. 患者の価値観・意向の確認
5. 患者の能力・自己効力に関する話し合い
6. 意思の知識と推奨
7. 患者の理解を確認
8. 医療決定ないし延期
9. フォローアップ予約

Charles C, et al：Decision-making in the physician-patient encounter：revisiting the shared treatment decision-making model. Soc Sci Med 49：651–661, 1999[5]より引用．一部改変

### 3 治療の差し控え，倫理

療医，看護師の他，必要があれば臨床心理士，緩和ケアチーム，医療ソーシャルワーカーなど，多科，多職種で話し合うのがよい。そのうえで考えられる治療の選択肢をあげ，それらの問題点や侵襲性などを抽出する（例えば急性血液浄化の場合，カテーテル挿入に伴う合併症，透析開始に伴う低血圧のリスク，輸血など）。また，患者の予想される予後（生命予後および後遺症）を推測し，治療の利益・不利益を考慮して，患者に望ましい方針を検討する。

なお，治療の差し控えや中止を検討する際，必要に応じて当該施設の倫理委員会や倫理的問題を議論するカンファレンスを開催することを検討する。

### 家族への説明

家族への説明の際は両親同席が原則であり，必要があれば両親が信頼する人（祖父母など）を立ち会わせてもよい。現在の診断名，病態，血液浄化療法などの治療をした場合，しない場合，おのおのの利益と不利益（合併症），予後（後遺症および生命予後）を，十分にわかりやすく説明する。この時，重要な内容は文書にて提供するのが望ましい。また，AKIに対する急性血液浄化であっても，慢性透析へ移行する可能性があること，およびその場合の患者と家族の負担についての説明も必要である。また，いったん方針が決まっても，その後，家族の気持ちの変化に基づいて見直すことができることも伝えておく。

家族への説明内容や決定した方針については，その経過をカルテに記載する必要がある。特に，治療を差し控えた場合，その根拠を話し合いの経過や内容とともに記載することは重要である。なお，家族と医療チームの間で方針についての合意が得られない場合は，倫理委員会など複数の専門家からなる委員会より助言を得るのが望ましい。

## その後のフォローと治療方針の見直し

　いったん方針が決定した後も，家族への継続的な精神的支援が必要である。血液浄化療法を開始していても，その後，不可逆的な障害が進行し，中止することも起こり得る。一方で行わないと決まった後に，気持ちの変化などで行うことになることもあり得る。このような治療方針の見直しを考慮する場合などは，再度話し合いの場を設ける。また，治療方針の変更の際は，適宜医療チーム内で合意を得ることが望ましい。

　継続していた血液浄化療法の中止を家族が希望された場合などは，それが一時的な感情などではなく，十分に状況を把握して熟慮したうえで決定されたものであることを確認する必要がある。また，その場合中止後早期に死亡する可能性もあり，治療を中止するタイミングについても相談して決定する。

### 文献
1) 杉本健郎，他：超重症心身障害児の医療的ケアの現状と問題点─全国8府県のアンケート調査．日小児会誌 112：94-101，2008
2) 日本小児科学会　倫理委員会小児終末期医療ガイドラインワーキンググループ：重篤な疾患を持つ子どもの医療をめぐる話し合いのガイドライン，2012　https://www.jpeds.or.jp/uploads/files/saisin_120808.pdf　2020.6.4アクセス
3) 日本集中治療医学会，他：救急・集中治療における終末期医療に関するガイドライン～3学会からの提言～，2014　https://www.jsicm.org/pdf/1guidelines1410.pdf　2020.6.4アクセス
4) 日本透析医学会血液透析療法ガイドライン作成ワーキンググループ，他：維持血液透析の開始と継続に関する意思決定プロセスについての提言．日透析医学会誌 47：269-285，2014
5) Charles C, et al：Decision-making in the physician-patient encounter: revisiting the shared treatment decision-making model. Soc Sci Med 49：651-661, 1999
6) Stiggelbout AM, et al：Shared decision making: Concepts,

evidence, and practice. Patient Educ Couns 98：1172–1179, 2015
7) Makoul G, et al：An integrative model of shared decision making in medical encounters. Patient Educ Couns 60：301–312, 2006

〈亀井 宏一〉

急性血液浄化療法の実際

# 1 病態別の導入基準，条件設定と注意点 （モジュール選択を含めて）

### ポイント

1. Renal indication, non-renal indicationの両方の適応がある。
2. Renal indicationでは，尿毒症症状，薬物治療で管理困難な溢水（高血圧，心不全，肺水腫）やアシドーシス，高カリウム血症が適応となるが，それらの前段階で導入準備をしておくことが必要である。
- 持続的血液透析（血液透析濾過）の条件では，通常，腎クリアランスの完全な代行はできないことを念頭におき，薬剤の使用量を考慮する。
- 連続で血液浄化をすることにより，低カリウム血症，低リン血症などの問題が起こることがあるので注意が必要である。
3. 急性肝不全では，肝性昏睡物質の除去を目的に持続的血液濾過透析を選択する。
- 血漿交換を施行する場合にはクエン酸中毒に注意し，持続的血液濾過透析と併用する。
4. 先天代謝異常症では，アンモニアを急速に低下させる必要がある。
- 急性血液浄化の条件はできる限り最大にし，アンモニアの急速な低下を図る。
- 正常化後もリバウンドに注意する。
5. 敗血症/多臓器不全では，non-renal indicationも考慮しながら導入を決める。
- 溢水などに陥り，全身状態が増悪する前に導入を考慮する。
- 開始時の低血圧，出血傾向に特に注意する。
6. 薬物中毒では，薬物代謝経路に問題がある場合に適応と

## 1 病態別の導入基準，条件設定と注意点（モジュール選択を含めて）

なる。
・血液灌流とともに，血液透析も多くの薬物の除去が可能である。
・血液透析では，比較的長時間の透析を行うことにより，薬物の除去が可能である。

### はじめに

　小児の急性血液浄化療法は，急性腎障害（AKI）を始めとする多くの病態で実際に患者に用いられている。そのなかで「いつ始めたらよいか？」，また「どのように始めたらよいか？」について，基本的な考え方を示すとともに，主な病態について導入基準や条件設定について明らかにしていく。

### Renal indication（腎的適応＝腎補助を目的とした場合の適応）とnon-renal indication（非腎的適応＝腎補助以外を目的とした治療の適応）

　急性血液浄化療法，特に持続的血液濾過（CHF），持続的血液透析（CHD），持続的血液濾過透析（CHDF）は，もともと慢性腎不全患者に対する間欠的血液透析（IHD）から発展してきたもので，基本的には腎不全の治療ツールである。したがって，これらは本来renal indicationに対して使用されるものであり，何らかの理由（敗血症，術後など）によるAKIに対して用いられてきた。しかし，経験が積み重ねられてくると，その血圧上昇効果や敗血症/多臓器不全での救命率の向上など，水分出納の管理や電解質の補正などとは直接関係のない効果が注目されるようになり，サイトカインや中分子量物質の除去による病態の改善を目的としたnon-renal indicationでも治療として用いられるようになってきた。そこで，まずrenal indicationでの導入基準を示し，non-renal indicationについても述べる。

**急性血液浄化療法の実際**

## 1. Renal indication

　腎臓はさまざまな仕事をしているが，そのなかでも重症疾患の急性期に大切なのは，体液恒常性の維持である．さまざまな理由でこの機能が失われAKIになると，途端にその管理に苦労することとなる．特に敗血症/多臓器不全などの重症の病態では，各種の輸液，薬物が水分として投与されることにより水分過剰となり，一方，体内では心不全，呼吸不全，感染症などのために異化が亢進し，代謝産物の量が普段よりも増加してアシドーシスに陥っている．患者が回復するためには，各種の薬物や輸液，エネルギーが適切に投与されること，体内環境を整えることが必要であるが，腎臓が十分に機能しない状態でこれらのコントロールを行うのが急性血液浄化療法である．表1[1]にAKIにおける導入基準を示したが，ここに示した基準は急性血液浄化療法導入の絶対的な基準であり，このような状況になることが予測された時点で開始することが必要である．特に最近，救急医療においては初期輸液の必要が強調され，ショック状態にある患者に対して(それが排泄され得るかどうかに関係なく)初期大量輸液を行うことが推奨されているので，初期輸液が排泄されてこない時点で導入について考え始めるべきである．患者が脱水でない限りは，入れた水分は過剰水分になる．また，重症病態では大量の輸液，薬物投与を必要とする．多くの薬物は経静脈的に投与されるため，重症であればあるほど水分投与量が多くなってしまう．大量輸液を行えば少量は尿が出ることも多い

**表1　急性腎障害(AKI)における急性血液浄化療法開始基準**
1. 利尿薬に反応しない溢水，無尿の持続，心膜炎や原因不明の意識障害などの尿毒症症状の出現，輸液スペースが確保できない時
2. 薬物治療でコントロールできない代謝性アシドーシス
3. 薬物治療でコントロールできない高カリウム血症，低ナトリウム血症

稲垣, 2013[1] より引用，一部改変

### 1 病態別の導入基準,条件設定と注意点(モジュール選択を含めて)

ため,尿量は導入基準として重視せず,体液(輸液)過剰率(%FO)を基準にして考えるべきである。例えばKidney Disease Improving Global Outcomes(KDIGO)2012による基準では,AKIで急性血液浄化療法を検討する尿量は0.5 mL/kg/時以下,であり,10 kgの児では5 mL/時となるが,40 mL/時の輸液を行うと,35 mL/時の水分が体に蓄積していく。これに各種の薬物投与や輸血などが加わればさらに水分が蓄積される。この水分が排泄されなければ浮腫や肺水腫,うっ血などが起こり,病態が悪化していく。その前に除水をすることが必要である。逆に,除水が十分行われる状態であれば,水分負荷を心配せずに各種薬剤や栄養を投与することができる。また,高カリウム血症により心停止した場合,蘇生できたとしても心停止によるダメージが病態に加わるため,回復困難に陥りやすい。一方,急性血液浄化療法の適応が判断されてから,実際の開始までには平均3時間超を要するため,この時間を考慮すると迅速に導入を決定する必要がある。今までは施行の困難さなどから小児に対する急性血液浄化療法は敬遠されていたが,極低出生体重児(在胎22週の10パーセンタイルは403 g)に対しても腹膜透析を含め何らかの急性血液浄化療法は導入可能であり,積極的に施行を考慮すべきである。

## 2. Non-renal indication

現在,non-renal indicationとして,急性肝不全,先天代謝異常症,敗血症/多臓器不全,急性膵炎,急性脳症などに対してさまざまな種類の急性血液浄化療法が施行されている。また,エビデンスは乏しいが急性呼吸窮迫症候群(ARDS)における肺の酸素化能の低下や全身性炎症反応症候群(SIRS)-sepsis(敗血症)での血圧低下に対して行われることもある。サイトカイン除去による病態の改善を目的とした場合,IL-6などの炎症性サイトカインを基準にする場合もあるが,サイトカイン測定が保険適用外である現状では,導入基準として

**急性血液浄化療法の実際**

は普遍化できないのが実情である。現実的には重症度に応じて行われているが，特に急性脳症やSIRS-sepsisにおいては初期治療の効果がない場合には導入を検討してもよいと思われる。

## 各病態における導入基準，条件設定と注意点(表2)[1]

### 1. 急性腎障害(AKI)
#### 1)導入基準

AKIにおける導入基準は表1[1]および前項で述べた通りであるが，KDIGO 2012では，AKIステージ2(血清クレアチニンの基礎値からの2～3倍の上昇，尿量が0.5 mL/kg/時以下が12時間以上持続)で急性血液浄化療法を検討するとされている。また，明確なエビデンスはないが，%FOを基準とすると15%以上の増加で急性血液浄化療法が必要との報告もある。

$$\%FO = \frac{\text{fluid in (L)} - \text{fluid out (L)}}{\text{PICU 入院時体重(kg)}} \times 100 (\%)$$

#### 2)条件設定

AKI単独で他の病態が合併していなければ，血流量($Q_B$)は2～5 mL/kg/分，方法はIHDまたは持続的腎代替療法(CRRT)で，IHDであれば透析液流量($Q_D$)は$Q_B$の2倍程度，CRRTであれば，$Q_B$の0.2～0.5倍程度，濾過流量($Q_F$)は$Q_B$の0～20%に設定する。AKIは心臓外科術後などさまざまなcriticalな病態で起こるが，renal indicationで導入する場合にはこの導入条件でよい。回路全体のプライミングボリュームは，血圧低下などの合併症なく安全に開始するために，循環血液量の10%＝8 mL/kg以下に抑えなければならないが，小児では8 mL/kgを達成するのは不可能なことが多く，その場合には血液などで充填する。血液充填すれば，プライミングボリュームが30 mL/kgを超えてもバイタルサインが大きく変動することなく開始可能である。

## 1 病態別の導入基準，条件設定と注意点（モジュール選択を含めて）

**表2 各病態における導入基準，初期条件設定，注意点**

| 病態 | 導入基準 | 条件設定 | 注意点 |
|---|---|---|---|
| 急性腎障害 | ・コントロールできない溢水<br>・代謝性アシドーシス<br>・高カリウム，低ナトリウム血症 | CHD（またはIHD）<br>$Q_B$：2〜5 mL/kg/分<br>$Q_D$：$Q_B$の0.2〜0.5倍<br>$Q_F$：$Q_B$の0〜20%（IHDなら2〜2.5倍） | 低カリウム血症<br>低リン血症 |
| 肝不全 | ・肝性脳症の出現<br>・凝固異常（PT-INR >2.0でFFP輸注でコントロールできない時） | CHDF<br>$Q_B$：5 mL/kg/分<br>$Q_D$：$Q_B$の0.4〜2倍<br>$Q_F$：$Q_B$の20〜33%<br>PE：slow-PEまたは24時間連続<br>交換量：1.5〜3血漿単位/回または日 | アルカローシス<br>クエン酸中毒<br>出血傾向 |
| 先天代謝異常症 | ・コントロール不能な代謝性アシドーシス（pH<7.2）<br>・高アンモニア血症（500 μmol/L）<br>・昏睡が持続 | CHD<br>$Q_B$：3〜10 mL/kg/分（20 mL/分以上）<br>$Q_D$：$Q_B$の1〜2倍以上（$Q_B$が少なければCHDFも） | エネルギー不足<br>低カリウム血症<br>低リン血症<br>中止後のリバウンド |
| 敗血症/多臓器不全 | ・急性腎障害<br>・心不全の徴候 | CHDF<br>$Q_B$：2〜5 mL/kg/分<br>$Q_D$：$Q_B$の0.3〜1倍<br>$Q_F$：$Q_B$の20%まで<br>PMX<br>$Q_B$：01R 8〜12 mL/分<br>　　05R 20〜40 mL/分 | 開始時低血圧<br>血小板低下，出血傾向 |
| 薬物中毒 | ・薬剤の代謝排泄経路の障害<br>・排泄遅延<br>・全身状態の悪化 | HP<br>$Q_B$：2〜5 mL/kg/分（100 mL/分くらい）<br>HD<br>$Q_B$：2〜5 mL/kg/分<br>$Q_D$：$Q_B$の2倍 | 低カルシウム血症<br>低血糖<br>低カリウム血症<br>低リン血症 |

CHD：持続的血液透析，IHD：間欠的血液透析，$Q_B$：血流量，$Q_D$：透析液流量，$Q_F$：濾過流量，PT-INR：プロトロンビン時間-国際標準化比，FFP：新鮮凍結血漿，CHDF：持続的血液濾過透析，PE：血漿交換，ARDS/ALI：急性呼吸窮迫症候群/急性肺障害，PMX：ポリミキシンB固定繊維，HP：血液灌流，HD：血液透析
稲垣，2013[1]）より引用，一部改変

### 3）注意点

　まず注意する点は，電解質の管理である．一般的に急性血液浄化療法で使用される透析液は無菌的に調整された市販の

**急性血液浄化療法の実際**

補液であり，もともと慢性腎不全患者の維持透析時に，血液濾過を加える時に用いられるものである。そのため，カリウムは2 mEq/Lで，リンは含有していない。近年，criticalな病態に対してhigh-flow CHDFが注目を集めており（ランダム化比較試験では否定的だが），特に新生児の場合，成人と同じ量（500～800 mL/時）の使用で大量の透析をすることが可能である。このように大量の透析液を使用する場合には，低カリウム血症，低リン血症が問題となってくる。また，溢水分を除水した後には低ナトリウム血症が起こってくることもある。このような場合，ひとつには輸液の電解質濃度の調節を行うという方法もあるが，補液の組成を変更してカリウムやリン，ナトリウムの調整を行う（例：1 mol塩化カリウムを補液1L当たり2～2.5 mL加える-これによりカリウム濃度は4～4.5 mEq/Lになる，補正用塩化ナトリウム液を10 mL加える-これによりナトリウム濃度は150 mEq/Lとなる）ことも有効である。また，病態によっても血液浄化療法の方法を考慮する必要がある。循環動態が不安定である場合や頭蓋内圧亢進がある場合などは持続血液（濾過）透析が特に推奨される[2]。

## 2. 急性肝不全
### 1）導入基準

　急性肝不全における急性血液浄化療法の役割は，時折併発するAKIを管理するとともに，肝性昏睡物質の除去，肝合成物質の補充を行うことである。特に他の治療法では，肝性昏睡物質の除去を行うことは困難である。したがって，導入の基準は，①肝性昏睡の出現，②出血の危険性が高まった時，になる。肝性昏睡の治療にはCHDF，出血傾向に対しては血漿交換（PE）を行う。

### 2）条件設定

　CHDFの場合，$Q_B$は2～5 mL/kg/分，$Q_D$は$Q_B$の0.4～2倍，

$Q_F$は$Q_B$の20〜33%くらいにする。アンモニアなどの小分子量物質の除去を目的とする場合，血液透析(HD)を施行するが，肝性昏睡物質は中分子量物質も多いので，モジュールは血液濾過器またはhigh-flux membraneを使用し，CHDFとする。$Q_F$を大量にかけるとモジュールが目詰まりを起こし寿命が短くなるので，$Q_F$を$Q_B$の25%以上にすることは(血漿水の割合を考えると)かなり困難である。PEは6〜10時間で施行するslow-PEか24時間連続施行を選択し，置換液は新鮮凍結血漿(FFP)，交換量は1回または1日につき1.5〜3血漿単位とする。

### 3) 注意点

　肝不全ではアルカローシスになることが多く，アルカローシスではアンモニアのblood-brain barrierの通過性が増すが，CHDFの補液は，前述したように慢性腎不全治療用の組成であり，重炭酸イオンが35 mEq/Lとアルカリになっている。このため，アルカローシスになりすぎないよう注意する必要がある(市販のアルカローシス治療薬は塩化アンモニウムなので使用できない)。また，PEでは大量のFFPを使用するが，FFPには抗凝固薬としてクエン酸が添加されており，クエン酸はカルシウムと結合して低カルシウム血症を引き起こす。クエン酸中毒を起こさないために，PEでFFPに置換された血液を透析してクエン酸を除去する必要がある。このため，CHDFと併用して施行することが必要で，PEの回路をCHDFの脱血側に設置する。また，CHDFと併用しても低カルシウム血症を完全には防止できないことも多いため，PE施行中はカルシウムをモニタリングし，必要があればカルシウムを静注し補正を行う。肝不全では凝固能の低下，血小板の減少による出血傾向があるため，抗凝固薬はナファモスタットメシル酸塩(NM)を用いるとともに，脳出血などに注意する。

**急性血液浄化療法の実際**

### 3. 先天代謝異常症
#### 1) 導入基準

　先天代謝異常症では，有機酸，アンモニアなどの有害物質が代謝されずに蓄積し，アシドーシス，脳浮腫などを引き起こす。先天代謝異常症における急性血液浄化療法の役割は，これら有害物質の速やかな除去にある。したがって，導入の基準は，①代謝性アシドーシスが進行し，他の治療ではコントロールできない時(pH＜7.2)，②アンモニアが上昇し(500 μmol/L以上)，他の内科的治療では低下させられない時，③昏睡が持続する時，になる。特にアンモニアは強力な神経毒性物質であり，急速に低下させないと，救命できても神経学的後遺症を残すので，透析以外の内科的治療を行ってもアンモニアが低下しない，また低下が不十分で500 μmol/Lに低下させられない場合には早急に導入する。先天代謝異常症における中枢神経障害にはアンモニア以外にもグルタミン酸などが関係するが，検査の簡便性，迅速性を考え導入基準としてはアンモニアを使用する。他には，昏睡の持続といった臨床所見を考え短期間で導入を決定する。特に新生児発症の場合には，基本的には全例が対象となると考え，患者が発生した段階で導入を準備する。

#### 2) 条件設定

　迅速に有害物質を除去することが目的となるので，$Q_B$はとれる限り最大，となる。バスキュラーアクセスは可能な限り太いものを用いる(本書別稿，急性血液浄化療法の実際-2 バスキュラーアクセスとカテーテル管理のコツを参照)。最低でも3 mL/kg/分，できれば新生児では20 mL/分以上必要である。方法は，アンモニアや有機酸の分子量は小さいのでCHDを選択し，$Q_D$は$Q_B$の2倍以上とする。$Q_B$が少ない時やアンモニアの低下が遅い時には血液濾過を併用する。

#### 3) 注意点

　CHDは濃度差を利用した拡散による除去原理なので，原因

## 1 病態別の導入基準，条件設定と注意点（モジュール選択を含めて）

物質が低下してくると濃度差が小さくなり除去効率が悪くなってくる。また，併用される安息香酸ナトリウムや，アルギニン，異化を抑えるための糖なども透析で除去されてしまう。特に透析の条件が高いので，投与された物質の除去が問題になってくる。アンモニアを最も強力に低下させる方法はHDであり，安息香酸ナトリウムなどは除去されても影響はほとんどないと考えてもよいが，十分なエネルギーの投与と異化亢進の防止のために糖質を中心に必要なカロリーを投与する。前述のAKIで述べた通り，high-flowで長時間の透析では電解質の問題が生じるため，透析液への添加などが必要となる。アンモニアは，いったん低下させても透析を中止し，経口を再開すると増加してくること（リバウンド）がある。このため，中止後もアンモニアの測定を頻回に行い，リバウンドがあれば透析を再開できるようにカテーテルを維持しておくことが必要である。

### 4. 敗血症/多臓器不全
#### 1) 導入基準

　敗血症/多臓器不全では多臓器不全のひとつとしての腎機能障害によるrenal indication，また，メディエーターの除去，肺酸素化能の改善や血圧の上昇などを目的としたnon-renal indicationの両方の目的で，急性血液浄化療法が施行される。導入基準は，renal indicationでは前述のAKIに準ずるが，敗血症/多臓器不全では治療のための水分負荷が多く，その結果，心不全，肺水腫が出現（あるいは増悪）すれば回復をさらに困難にするので，水分負荷による心不全や肺水腫の徴候がみられた段階で開始する。Non-renal indicationでは，心肺補助循環が必要であれば，それと同時に開始する。また，敗血症では炎症性サイトカインなどが侵襲において重要な因子と考えられており，エンドトキシン吸着やサイトカイン吸着も検討する。

**急性血液浄化療法の実際**

## 2)条件設定

CHDFを選択し，$Q_B$は2～5 mL/kg/分で$Q_D$は$Q_B$の30～100%，$Q_F$は$Q_B$の20%までとする。体外式膜型人工肺（ECMO），経皮的心肺補助（PCPS）を施行する場合には，そのラインを使用して施行する。ポリミキシンB固定化繊維（PMX）は$Q_B$ 8～12 mL/分（01R），20～40 mL/分（05R）で施行する。

## 3)注意点

### (1)抗菌薬など各種薬剤の使用量

抗菌薬など各種薬剤では腎排泄のものが多く，透析により除去されるために（実際，薬物中毒ではその目的で施行するが）投与量の設定に苦慮するが，普通はCHDFでは腎機能を完全には代替しない。血中濃度を測定可能な薬物については，血中濃度を頻回に測定して投与量を調節する。

### (2)開始時低血圧

開始時低血圧は血液浄化回路を接続し，脱血を開始した時に起こる一過性の血圧低下である。低体重の児ほど，また疾患が重篤なほど起こりやすくなる。特に心疾患の術後や敗血症/多臓器不全では起こりやすく，また，そのような患者では開始前の血圧も低値であることが多いので，開始後1時間くらいは注意して観察し，強心薬の増量や膠質液の負荷などを行う。

### (3)血小板の低下など凝固系の問題

敗血症/多臓器不全では播種性血管内凝固症候群（DIC）が起こっていることも多く，凝固系の問題が急性血液浄化療法開始前から存在している。また，急性血液浄化療法の開始後は回路内凝固を防ぐ目的で抗凝固薬を使用すること，また，回路内で消費されるために血小板低下が起こることなどから，新たに凝固障害が発生する。抗凝固薬を，ヘパリンに比して半減期が短く出血の危険が少ないNMとし，加えて血小板が低い場合には血小板輸血の準備をしておく。頻回の活性化凝

**1 病態別の導入基準，条件設定と注意点（モジュール選択を含めて）**

固時間（ACT）の測定などにより，適切な凝固能を維持する必要がある。

## 5．薬物中毒
### 1）導入条件

薬物中毒では原因薬物の除去が必要であるが，薬物の排泄経路として腎臓は重要な役割を果たしている。現在，薬物中毒のガイドラインでは透析を含めた急性血液浄化療法の役割は限定的だが，①薬物中毒の症状として肝障害，腎障害が生じ，もしくはすでに肝腎障害が存在し，薬物の代謝排泄経路が障害されている場合，②通常の代謝排泄経路のみでは薬物の消失速度が遅く，症状の悪化が懸念される場合，③全身状態が悪い場合，には導入する。

### 2）条件設定

急性血液浄化療法としては血液灌流（HP）とHDがある。HPの場合，現在使用できる吸着筒のプライミングボリュームが70 mLであり，回路と合わせると110 mL以上になるため，血液プライミングをしないとすると13～14 kg以上の患者に使用することになる。$Q_B$は2～5 mL/kg/分とするが，もともと$Q_B$100 mL程度で使用することが想定されているので，それに合わせて使用する。HDの場合，$Q_B$は2～5 mL/kg/分，$Q_D$は$Q_B$の2倍とし，血液濾過器またはhigh-performance membraneを使用する。薬物の分子量は数百のものが多く，high-performance membraneを用いれば，血中に遊離しているものは除去することができる。また，一般的にはHDは4時間程度の施行時間であるが，長時間透析することにより除去量は増加する。以前は多くの薬物がHDでは除去されないといわれてきたが，基本的には効率の問題であり，口径の大きいhigh-performance membraneの使用や長時間透析により，遊離した薬物についてはかなり効率的に除去することができる。薬物の透析性は分子量，分布容量，蛋白結合率によっ

**急性血液浄化療法の実際**

て決まるが，少なくとも遊離したfreeの薬物はHDにより除去することが可能であり，患者の状態を考えて必要であれば選択する。HPのほうが除去効率がよい薬物もあり，併用してもよい。

### 3）注意点

HPでは血小板の低下や低カルシウム血症，低血糖が起こることがあるので注意する。HDでは，前述のAKIでも述べた通り，長時間透析となると補液，透析液の組成からくる低カリウム血症，低リン血症にも注意が必要である。

## まとめ

小児に対する急性血液浄化療法は，実施可能な施設が限定されていること，成人に比し症例数が少ないことなどから導入のタイミングが遅い。早期の導入が救命率の向上につながる。本稿でAKIを始めとする各種病態についての導入基準と施行条件を示したので，適切なタイミングで急性血液浄化療法を導入してほしい。

### 文献

1) 稲垣徹史：病態別の導入基準，条件設定と注意点（含むモジュール選択）．伊藤秀一，他監修：小児急性血液浄化療法ハンドブック，東京医学社，35-46，2013
2) AKI（急性腎障害）診療ガイドライン作成委員会編：CQ9-4 小児AKIに対してどのような血液浄化療法を選択すべきか？ AKI（急性腎障害）診療ガイドライン2016，東京医学社，80-82，2016

（稲垣 徹史）

急性血液浄化療法の実際

## 2 バスキュラーアクセスとカテーテル管理のコツ

### ポイント

1. 体格・使用血管，治療期間を考慮した最適なカテーテルを選択し，熟練した医師が挿入する。
2. 感染と閉塞がバスキュラーアクセス喪失の2大原因である。刺入部の観察，固定の工夫，血液浄化療法中の静脈圧や凝固時間の変化などに細心の注意が必要である。

### はじめに

　安定したバスキュラーアクセスの確保が急性血液浄化療法の最初のstepであり，これが確立しない限り安定した治療が不可能である。そのため熟練した(小児)外科医か(小児)集中治療医，小児循環器医によるカテーテル挿入を勧める。

　治療の特性から，中心静脈栄養や通常の補液用に用いるヒックマンなどのカテーテルに比較し，短く径の太いカテーテルを用いるため，感染や閉塞などの頻度が高く，カテーテルの管理には細心の注意を要する。

### カテーテルの種類

　内腔の数によりシングルとダブル(一部トリプル)に分けることができる。ダブルルーメンカテーテルの内腔はブタ鼻のようにside by sideに配置したもの(ダブルアクシャル)と同軸状のもの(コアクシャル)があり，前者が主流である。

　先端位置が脱血側と送血側に差があり，送血側のほうが長くrecirculationを防ぐ構造になっている。

急性血液浄化療法の実際

## カテーテルの選択（表1[1]，図[2]，表2[1]）

短期間の血液浄化療法であれば，カフなしのカテーテルを通常用いる。カフがない場合には，カテーテルが不要になった場合に速やかに抜去することが可能である。3週間をすぎると刺入部からの感染症の頻度が高くなるため，治療期間が3～4週を越えるようであれば皮下トンネルをつくるカフ付きのカテーテルを選択する。この場合には，抜去にも全身麻酔が必要である点と，小さい体格に適したものが少ない点が

表1　ダブルルーメンカテーテルのサイズの目安

| 体重(kg) | カテーテルサイズ(Fr) |
|---|---|
| 2～10 | 6～8 |
| 10～20 | 8 |
| 20～40 | 10 |
| 40～ | 12 |

幡谷，2013[1]

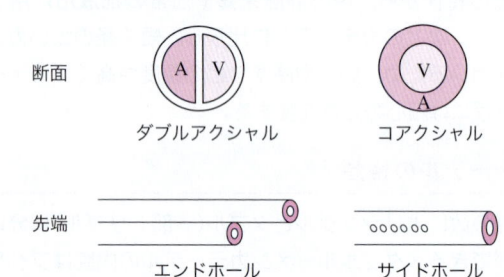

図　カテーテルの基本構造

先端がエンドホールのカテーテルは，脱血の安定性と送血圧の低さが保たれ，使いやすいため，当院では主にダブルアクシャルを選択している。

東京都立小児総合医療センター腎臓内科編：バスキュラーアクセス（カテーテル選択）．小児のCKD/AKI実践マニュアル―透析・移植まで―，診断と治療社，81-83，2013[2]より引用，一部改変

## 2 バスキュラーアクセスとカテーテル管理のコツ

### 表2 ダブルルーメンカテーテル一覧

#### カフなしタイプ（10Fr以下）

| 製品名 | 製造元 | 販売元 | 外径(Fr) | 長さ(cm) | メモ |
|---|---|---|---|---|---|
| ベビーフロー（ブラッドアクセスUK-カテーテルキット） | ニプロ | ニプロ | 6 | 10 | [*1, *3] |
| ツインエンドエンドホール型（ブラッドアクセスUK-カテーテルキット） | | | 8 | 13/15 | [*2, *3] |
| | | | 10 | 15/20 | [*2, *3] |
| トルネードフロー | コヴィディエンジャパン | コヴィディエンジャパン | 7 | 10 | [*2, *3] |
| GamCathカテーテルN | ガンブロ | バクスター | 6.5 | 10/12.5/15 | [*1, *3] |
| | | | 8 | 10/12.5/15 | [*1, *3] |
| デュオ・フロー・XTP・ダブルルーメンカテーテルセット | メドコンプ | 林寺メディノール | 7 | 10 | [*1, *4] |
| | | | 9 | 15/20 | [*1, *4] |

孔位置：[*1]サイドホール，[*2]エンドホール
構造：[*3]ダブルアクシャル，[*4]コアクシャル（同軸状）

#### カフありタイプ（12.5Fr以下）

| 製品名 | 製造元 | 販売元 | 外径(Fr) | 長さ(cm) | メモ |
|---|---|---|---|---|---|
| ヘモ・キャセ[*5] | メドコンプ | 林寺メディノール | 8 | 18/24 | [*2, *3] |
| | | | 12.5 | 28/32 | [*2, *3] |
| バスキャス | メディコン | メディコン | 12.5 | 12/19/23 | [*2, *3] |

[*5]素材がシリコンのため，劣化を避けるためにポビドンヨードを使用しない
他のものはポリウレタン
幡谷, 2013[1)]より引用，一部改変

### 急性血液浄化療法の実際

欠点である。

20 kg以上ではシングルルーメンカテーテルを2本使い，良好なカテーテル寿命を得た報告もあるが，幼少児では挿入血管に余裕がないことが多く，通常はダブルルーメンカテーテルを用いる。ダブルルーメンカテーテルが不可能でも（特に新生児では），動脈直接穿刺とシングルルーメンカテーテルを用いることも可能である。

体格を目安にカテーテルを選択するが，胸部単純X線撮影でカテーテル長を，超音波検査で血管径をあらかじめ確認する。カテーテルが必要以上に長いと血管抵抗となり脱返血不良の原因となり，径が太すぎるとカテーテル刺入部より末梢の静脈閉塞の原因となる。これはカテーテル抜去後にも閉塞が進行するため，可能であれば静脈径よりひとまわり細めのカテーテルを用いる。

## 留置血管の選択

内頸静脈，外頸静脈，鎖骨下静脈，大腿静脈が留置血管の候補となる。術前には必ず超音波検査で上記血管（特に頸部静脈系）の開通と動静脈の位置関係を確認する。内頸静脈など，乳幼児では動脈が静脈の下に走行している場合などがある。

内頸静脈で血液浄化に適しているのは，心房までの距離が短く直線的な右側である。

鎖骨下静脈は，鎖骨による外部からの圧迫による内腔狭窄を生じることがあり，また，血栓により将来，同側上肢に内シャントが作製できなくなる可能性がある。

大腿静脈は血栓による閉塞の可能性を考慮すると，将来の腎移植の血管吻合ができなくなる可能性があるため，将来腎移植を行う可能性がある場合には，特に右大腿静脈に長期間カテーテルを留置することは避ける。また，汚染や感染の可能性が他の部位に比べると多く，留置による歩行の制限によ

る生活の質(QOL)の低下も伴う。乳幼児では躯幹と下肢の抑制をしないと脱血不良をきたす。

## カテーテル挿入時の注意点

### 1. 先端位置

　血液浄化用カテーテルには側孔があるが，カテーテルが血管壁に張りついて機能せず，透析ができないことをしばしば経験する。そのため，成人では心房内留置は禁忌とされるが，小児，特に乳幼児ではカテーテル先端は心房内に留置しないと，透析が困難である。透視下で確認する際には，仮固定をした後に肩枕を取り外し，体位を水平に戻し，手の位置も戻す。

### 2. 術直後のカテーテル管理

　胸部単純X線撮影で，頸部の屈曲やカテーテル先端位置を確認するとともに，10～20 mLのシリンジを接続してpull-pushで脱血不良や抵抗などの血流を確認する。

　手術室で挿入した場合には帰室までに閉塞をきたすことがあるため，十分な流量(20 mL/時)で流すか，ヘパリン原液でロックする。

## カテーテルの管理

　カテーテル刺入部の包交時に感染徴候(発赤，排膿の有無)を確認する。消毒はポビドンヨードが好まれるが，創傷治癒には悪影響を及ぼすことが知られている。シリコン製カテーテル(ヘモ・キャセなど)ではカテーテルが劣化するため使用は避ける。

　グルコン酸クロルヘキシジンの消毒効果を得るには，1～2%の濃度が必要であり，現在，わが国ではアルコール含有のものしか販売されていない。アルコールによる皮膚への刺激があり，症例により使い分ける必要がある。

　刺入部の保護にはガーゼもしくはテガダーム™を用いる。

#### 急性血液浄化療法の実際

カテーテル接続部もガーゼで覆い，躯幹にテープでしっかり固定することで，刺入部に無用な力が加わらないようにするなど固定法に工夫が必要である。

## 閉塞予防

中心静脈栄養用のカテーテルと異なり，径の太い血液浄化用カテーテルでは閉塞する危険性が高い。特に高カロリー輸液にも使用する場合や，人工呼吸管理による胸腔内圧の上昇を認める場合には注意を要する。十分な流量(20 mL/時以上)が流れている場合には問題ないが，体格の小さい児や無尿症例では，十分な流量の輸液は通常不可能である。点滴内容にヘパリンを加え，2単位/mLの濃度で10 mL/時(ヘパリン20単位/時，各ルート)で輸液する。

輸液が不要，不可能な場合にはヘパリンによるカテーテルロックを行う。低濃度の場合には血栓を形成する危険があるため，ヘパリン原液(1,000単位/mL)を用いる。20単位/kg(10 kgの児で0.1 mLを脱血・送血2本分)も投与すれば，血液透析を数時間行うことができることを認識し，使用しているカテーテルの内腔容量を確認して必要最小量で充填する。

24時間持続血液浄化療法を行っている場合には不要であるが，間欠的血液浄化療法の場合には，輸液ルートとして使用していて問題がなくても，1日1回カテーテル内をpull-pushすることでカテーテル内の血栓形成がないかを確認する。また，川崎病や溶血性尿毒症症候群など炎症の強い病態では血栓がつくられやすいため，定期的に超音波で確認する。

### 1. pull-push
①2.5 mLか5 mLのシリンジで，カテーテル接続部から血液を勢いよく逆流させ，ガーゼに捨てて血栓の有無を確認する
②2.5〜5 mLの生理食塩液でpush(flash)して開通性の具合を確認する

③血液浄化療法前後とともに，治療のない日にも毎日確認する

## 閉塞時の対応

### 1. ウロキナーゼロック
①ウロキナーゼ(6万U/瓶)1瓶＋生理食塩液6 mL(1万単位/mL)で溶いて，ルート内＋0.2 mLでロックを行う
②30分〜1時間後に回収し，ヘパリン原液ロックを行う
　※回収時，効果が乏しい場合には，再度ウロキナーゼロックを行う

　血液浄化療法開始後に閉塞が判明した場合，患者の血液で充満している回路をrecirculationさせていると，白血球活性化のため，血液浄化療法再開時に患者の血圧が急激に低下することがあり注意する。

## カテーテル感染時の対応

　原因不明の発熱や，血液浄化療法後の繰り返す発熱時には，カテーテル感染を疑う。カテーテル感染が疑われる場合にはカテーテル抜去が望ましいが，代替のバスキュラーアクセスに苦慮することが多く，敗血症性ショックに陥っていない場合には，抗菌薬投与やエタノールロックを行って感染症に対処することが多い。血液培養は脱血側・送血側ともに検査する。
　抗菌薬治療は，broadに開始し，原因菌が判明したら感受性を検討して抗菌薬を選択し直す。

### 1. エタノールロック
①無水エタノール(5 mL/管)2 mL＋生理食塩液(20 mL/管)0.8 mLで70％エタノールを作製し，ルート内＋0.1〜0.2 mLでロックを行う
②4時間後に回収し，ヘパリン原液ロックを行う
　※ルート内の凝固が強い場合は，3時間後に回収でも可能で

## 急性血液浄化療法の実際

ある(4時間出ないと，真菌に対する効果がないので注意)
※上記を1日1回，5日間行う

### 文献

1) 幡谷浩史：バスキュラーアクセスとカテーテル管理のコツ．伊藤秀一，他監修：小児急性血液浄化療法ハンドブック，東京医学社，47-53，2013
2) 東京都立小児総合医療センター腎臓内科編：バスキュラーアクセス(カテーテル選択)．小児のCKD/AKI実践マニュアル—透析・移植まで—，診断と治療社，81-83，2013

(幡谷 浩史)

急性血液浄化療法の実際

# 3 小児血液浄化療法の透析装置，モジュール，周辺機器

### ポイント

小児の血液浄化療法を安全に施行するためには，
1. 治療法にあった装置，モジュールの選択
2. 大きさ，特性，材質を考慮したモジュールの選択
3. 必要な生体情報をモニターできる周辺機器の選択

が重要である。

## はじめに

　医療技術の進歩により医療機器の多様化，高度化が進んでいる。そのなかで，小児の血液浄化療法の技術は各医療従事者の努力，各施設独自の工夫により著しく進歩，普及してきた。しかしながら，ハード面の対応が追いついていないのが現状である。そのひとつとして，小児専用の血液浄化装置は存在せず，使用可能な装置も限られている。またモジュールの種類も少ない。本稿は，その状況で小児血液浄化を施行するために適した装置，モジュール，周辺モニタリング機器を自施設における経験を含め概説する。

## 血液浄化装置

　現状の小児血液浄化療法は，低充填量の回路（各装置・施設特注），低充填量のモジュール，多用途血液処理用装置をうまく組み合わせることにより施行することができる。ここでは，各メーカーの血液浄化装置の仕様・特徴を概説する。各装置の仕様は表1を参照のこと。

## 急性血液浄化療法の実際

### 表1 多用途血液処理用装置

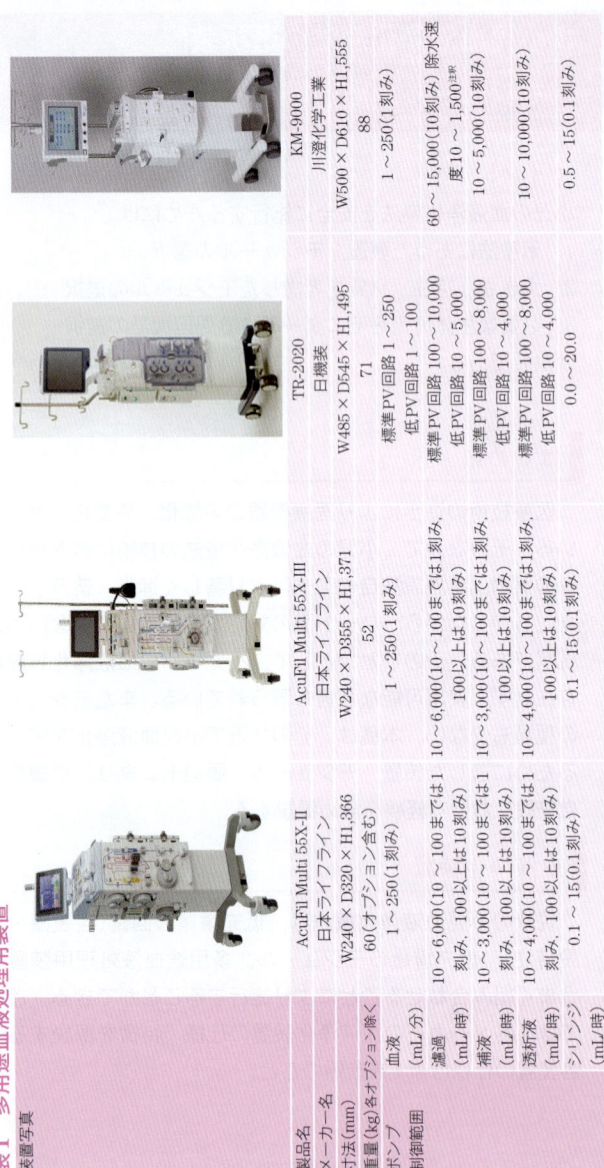

| 製品名 | AcuFil Multi 55X-II | AcuFil Multi 55X-III | TR-2020 | KM-9000 |
|---|---|---|---|---|
| メーカー名 | 日本ライフライン | 日本ライフライン | 日機装 | 川澄化学工業 |
| 寸法(mm) | W240 × D320 × H1,366 | W240 × D355 × H1,371 | W485 × D545 × H1,495 | W500 × D610 × H1,555 |
| 重量(kg)※オプション除く | 60(オプション含む) | 52 | 71 | 88 |
| ポンプ 血液 (mL/分) | 1〜250(1刻み) | 1〜250(1刻み) | 標準PV回路 1〜250<br>低PV回路 1〜100 | 1〜250(1刻み) |
| 制御範囲 濾過 (mL/時) | 10〜6,000(10〜100までは1刻み、100以上は10刻み) | 10〜6,000(10〜100までは1刻み、100以上は10刻み) | 標準PV回路 10〜10,000<br>低PV回路 10〜5,000 | 60〜15,000(10刻み) 除水速度 10〜1,500※注 |
| 補液 (mL/時) | 10〜3,000(10〜100までは1刻み、100以上は10刻み) | 10〜3,000(10〜100までは1刻み、100以上は10刻み) | 標準PV回路 100〜8,000<br>低PV回路 10〜4,000 | 10〜5,000(10刻み) |
| 透析液 (mL/時) | 10〜4,000(10〜100までは1刻み、100以上は10刻み) | 10〜4,000(10〜100までは1刻み、100以上は10刻み) | 標準PV回路 100〜8,000<br>低PV回路 10〜4,000 | 10〜10,000(10刻み) |
| シリンジ (mL/時) | 0.1〜15(0.1刻み) | 0.1〜15(0.1刻み) | 0〜20.0 | 0.5〜15(0.1刻み) |

## 3 小児血液浄化療法の透析装置,モジュール,周辺機器

| | | | | |
|---|---|---|---|---|
| シリンジサイズ | 20, 30, 50 mL(自動サイズ検出) | 20, 30, 50 mL(自動サイズ検出) | 20, 30, 50 mL | 20, 30, 50 mL |
| 専用血液回路 細径(小児用) | JCH-55X2-CHDF-S-1 35.2 mL<br>※他何種か回路あり | | N-CHDF-150P 37 mL | K-HP-90CPP 60 mL |
| プライミング量(血液側) 普通(成人用) | JCH-55X2-CHDF 70.9 mL<br>※他何種か回路あり | | N-CHDF-100A 70 mL | K-HP-90CF 76 mL |
| 計量方式 | チャンバー容量式 | チャンバー容量式 | 重量制御方式 | 重量バランス制御 |
| 適応療法 | CHDF, CHF, CHD, ECUM, PA, PE, DHP, DFPP, 個別運転 | CHDF, CHF, CHD, ECUM, PA, PE, DHP, DFPP, LCAP | CHDF, CHD, CHF, SCUF, HA, PE, PA, DHP | CHDF, CHF, CHD, HF, ECUM, DF, DFT, DFT, PE, PP, DHP, 腹水濃縮濾過 |
| 安全・特殊機能(カタログ抜粋) | 各圧力監視, 返血力警報自動設定, 気泡センサ, 陰圧センサー(ピロー方式), ポンプヘッドセンサ, 液切れセンサ, シリンジサイズ検知センサ, シリンジ閉塞センサ, シリンジ押子外れセンサ, シリンジ外筒外れセンサ, 漏血センサ, キーロック, ウォーマーセンサ, バーコードリーダー, 自己診断, イミングサポート, 返血サポート, 外部出力(USB) | 各圧力監視, 返血力警報自動設定, 気泡センサー, 陰圧センサー(ピロー方式), ポンプヘッドセンサ, 液切れセンサ, シリンジサイズ検知センサ, シリンジ閉塞センサ, シリンジ押子外れセンサ, シリンジ外筒外れセンサ, 漏血センサ, ウォーマーセンサ, キーロック, 自己診断, バーコードリーダー, プライミングサポート, 返血サポート, 外部出力(USB) | バーコード認識による血液浄化器と血液回路の確認記録, 動画による血液回路装着ガイダンス機能の搭載, 補液の前・後同時補液機能, 速液・透析液センサ, 補液回路のカラー表示, 操作者ワードに応じた画面操作の制限 | 圧力連動流量制御機能, 漏血検知機能, 返血ライン気泡ダブルチェック機能, 血液回路機能デスト機能, ローリングチューブ裂センサ, 両面加温チャンバー式加温器, チャンバー液面調節機能, 自動・手動操作切替可能, 外部出力(USBポート), DFT機能 |
| 消費電力(VA) | 450 | 450 | 1,500 | 350 |
| バッテリー | オプション | 標準装備 | 標準装備 | オプション |
| バッテリー駆動時間 | 血液・シリンジポンプを15分運転 | 血液・シリンジポンプを15分運転 | 体外循環部の動作と監視を30分運転 | 血液・シリンジポンプを15分運転 |

## 急性血液浄化療法の実際

### 表1 多用途血液処理用装置 つづき

| 製品名 | ACH-Σ | プラソート iQ21(販売終了) | プリズマフレックス | AcuFil Auto JC-01 |
|---|---|---|---|---|
| メーカー名 | 旭化成メディカル | 旭化成メディカル | バクスター | ジェイ・エム・エス |
| 寸法(mm) | W496×D547×H1,415 | W574×D644×H1,445 | W700×D700×H1,630 | W450×D590×H1,350 |
| 重量(kg)各種オプション除く | 64 | 70 | 78 | 65 |
| ポンプ制御範囲 | | | | |
| 血液(mL/分) | 1～250(1～30までは1刻み、30以上は5刻み) | 通常回路 5～250(5刻み)<br>小児回路 1～100(1刻み) | 大面積セット 0.80～450<br>小面積セット HF 120 0.20～100<br>ST 260 0.50～180 | 0.15～250 mL/分(5刻みのみ) |
| 濾過(mL/時) | 10～6,000(1刻み)※L/時表示切替可能(その場合は0.01刻み) | 10～12,000 通常回路10刻み、小児回路1刻み(最低10 mL/時) | 大面積セット HF 120 20～3,000<br>小面積セット 50～6,000 | 0.10～6,000 mL/時(10刻み) |
| 補液(mL/時) | 10～6,000(10刻み)※L/時表示切替可能(その場合は0.01刻み) | 10～12,000 通常回路10刻み、小児回路1刻み(マニュアルモード時<br>オートモード時は10～10,000(CHF、CHDF時) | 大面積セット HF 120 0.20～2,500<br>小面積セット HF 120 0.20～2,500<br>ST 260 0.50～4,000 | 0.10～5,000 mL/時(10刻み) |
| 透析液(mL/時) | 10～6,000(10刻み)※L/時表示切替可能(その場合は0.01刻み) | 10～12,000 通常回路10刻み、小児回路1刻み(マニュアルモード時<br>オートモード時は10～10,000(CHD、CHDF時) | 大面積セット HF 120 0.50～8,000<br>小面積セット HF 120 0.20～2,500<br>ST 260 0.50～4,000 | 0.10～6,000 mL/時(10刻み) |

## 3 小児血液浄化療法の透析装置，モジュール，周辺機器

| ポンプ制御範囲 | シリンジ (mL/時) | 0.1〜15(0.1刻み) | 0.1〜15(0.1刻み) | 0.5〜20.0(シリンジサイズにより異なる) | 0.0〜15.0 mL/時(0.1刻み) |
|---|---|---|---|---|---|
| シリンジサイズ | | 20, 30, 50 mL(自動サイズ検出) | 20, 30, 50 mL | 20, 50 mL | 20, 30, 50 mL |
| 専用血液回路プライミング量(血液側) | 細経(小児用) | CHDF-PSG 43 mL | CHDF-P21 44.7 mL | HF 120 58 mL, ST 260 97 mL* | JH-FKCRRT 65 mL |
| 代表的な回路 | 普通(成人用) | CHDF-FS 73.5 mL | CHDF-21 87.4 mL | ST 2100 155 mL, ST 2150 193 mL HF 11,000 162+H13 mL, HF 11400 184 mL* | |
| 流量計量方式 | | 旭バランス計量方式 | 旭バランス計量方式 | 重量制御方式 | 重量計量方式 |
| 適応療法 | | CHDF, CHDF, SCUF, HA, PE, PA, DFPP, LCAP, 腹水濾過濃縮 | CHDF, CHDF, SCUF, ECUM, HA, PE, PA, DFPP, LCAP, 腹水濾過濃縮 | CHDF, CHDF, CHF, SCUF, DHP, PE | CHDF, CHDF, CHF, SCUF, DHP, PE |
| 安全・特殊機能(カタログ抜粋) | | 圧力自動追従監視機能，エアフリー回路，シリンジサイズ検知・押子チャンバー，シリンジサイズ検知・押子検知，返血側気泡二重監視機能，キーロック機能，ガイダンス機能，始業点検機能，自動プライミング回収機能，血漿回収機能，外部出力(USB・LANポート) | 自動プライミング回収機能，LCDタッチパネル，マルチCPU，漏血検知器，外部出力 | 自動プライミング回収機能，トラブルシューティング表示，バーコード管理，液漏れ検知センサー，前後希釈，排液クロースドシステム，抗凝固システム(ディアプレーションチャンバー)，外部出力(USB・LAN・RS232)，スリーブ型加温システム | 圧力監視(入口圧，返血圧，濾過圧，各部検知器)，気泡監視(液面，漏血監視機能，滴下検知器)，シリンジポンプ(過負荷，押し子外れ，クランプ外れ，各検知器)，加温器(過昇温警報) |
| 消費電力(VA) | | 400 | 300 | 500〜600 | 400 |
| バッテリー | | 標準装備 | オプション | 標準装備 | オプション |
| バッテリー駆動時間 | | 血液ポンプを15分運転 | 血液ポンプを15分運転 | 全動作を10分運転 | 血液・シリンジポンプを15分運転 |

ST：セプザイリスセット，HF：HFセット
＊：腹上回路ガース一体型

CHDF：持続的血液透析濾過，CHF：持続的血液濾過，CHD：持続的血液透析，ECUM：体外限外濾過法，PA：PE持続血液濾過，DHP：直接血液潅流，DFPP：二重濾過血漿分離交換法，DF：持続緩徐式限外濾過，HA：血液吸着，LCAP：白血球除去療法，HF：血液濾過，DFT：加温式リサーキュレーション法．
注釈：ポンプ制御範囲とは，ポンプ運転回転時の最小流量を示す．除水設定は10〜1,500 mL/時が可能(体外限外濾過法(ECUM)時は60〜1,500 mL/時)

## 急性血液浄化療法の実際

### 1. 多用途血液処理用装置
#### 1) AcuFil Multi 55X-Ⅱ（日本ライフライン）（図1）
**特徴**
(1) 装置の側面を利用することで，装置が小さくコンパクトな設計である。
(2) 透析液・補液・濾液については，「容量フィードバック制御機構」を搭載し，それぞれ個別に流量をチャンバー式計量容器で実測し，設定流量が確保されるようフィードバック制御を行うことで，高い流量精度を実現させている。
(3) プライミング量35.2 mLの専用血液回路（ジェイ・エム・エス：JCH-55X2-CHDF-S-1，PE-S-1，他何種かあり）があり，乳幼児からの血液浄化に対応が可能である。
(4) プライミングがすべて手動であるため，血液充填，充填血液の電解質補正が容易に行える。
(5) 自動プライミング機能，ガイダンス機能は搭載していない。血液回路は一体型回路ではないが，テープで色分けすることで操作性の向上を図っている。
(6) 操作をすべて手動で行えるため，特殊な方法が多い小児の血液浄化では有用である。

#### 2) AcuFil Multi 55X-Ⅲ（日本ライフライン）
**特徴**
　TR55X-Ⅱの機能に加え，新たな機能を有している。
(1) 自己診断機能により，装置の状態把握を容易に行える。
(2) プライミングおよび返血のサポート機能を搭載しており，安全，簡単に治療準備，終了することが可能である。
(3) モジュール取り違え防止のため，モジュールバーコード読み取り機能を搭載している。

#### 3) TR-2020（日機装）（図2）
**特徴**
(1) 15インチLCD画面を搭載し，広範囲に可動，操作者の視点に合わせて向きを変えることができる。また画面表示

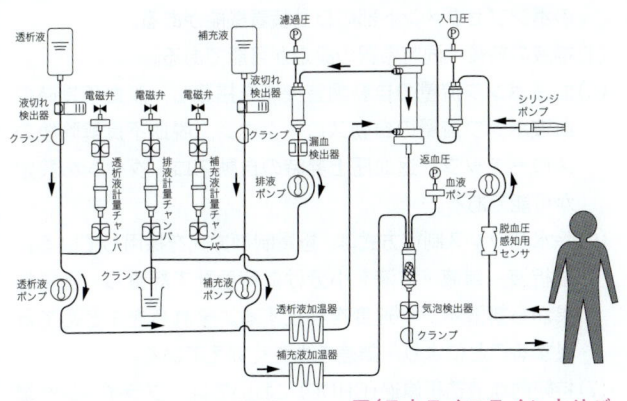

## 3 小児血液浄化療法の透析装置，モジュール，周辺機器

**図1  AcuFil Multi 55X-Ⅱ フロー図（日本ライフラインよりご提供）**

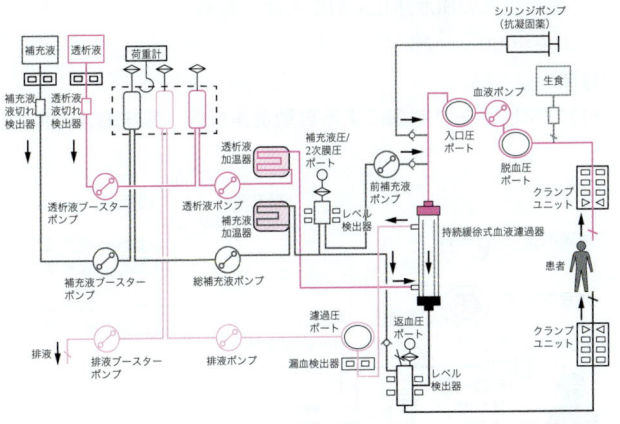

**図2  TR-2020 持続的腎代替療法（CRRT）フロー図（日機装よりご提供）**

　類のカスタマイズが可能である．
(2) 治療に必要な消耗品のバーコードを読み取ることにより，消耗品の確認と装置へ記録される．
(3) 回路装着作業を動画で確認しながら進められ，回路装着からプライミングまでの作業が標準化される．液系回路

**急性血液浄化療法の実際**

のポンプセグメント部の自動装着機能がある。
(4) 補液の前後,同時希釈の設定が可能である。
(5) 血液ポンプ流量の自動調整機能を搭載し,脱血不良時の血液ポンプ流量の自動スローダウン,脱血不良解除後のスローアップ,返血圧上昇時の自動スローダウンの設定が可能である。
(6) 除水バランス制御方式は,重量制御方式を採用している。透析液・補液・排液を小分けに荷重計で計量し,計量結果から排液ポンプ速度を補正する。それらをまとめて計量することにより,誤差を小さく抑えている。
(7) 持続的血液透析濾過(CHDF)においては,プライミング量37 mLの専用血液回路(N-CHDF-150P)を使用することにより小児の血液浄化に対応可能である。

### 4) KM-9000(川澄化学工業)(図3)[1]

**特徴**

(1) コンピュータ制御による自動洗浄機能,臨床および回収

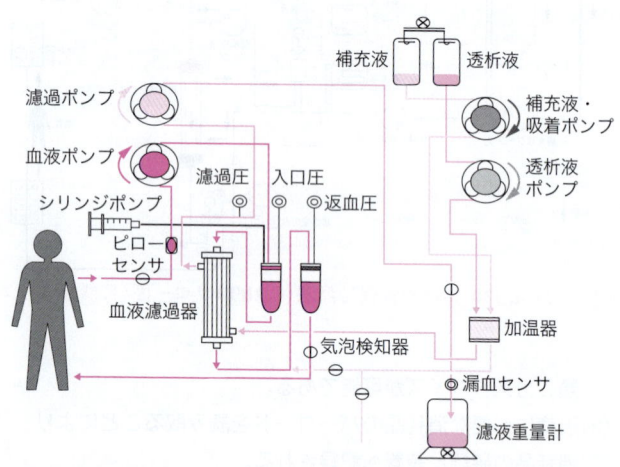

**図3 KM-9000 持続的腎代替療法(CRRT)フロー図(川澄化学工業よりご提供)**
大橋,2013[1]より引用,一部改変

時の支援機能などを備えており，基本的な操作はタッチパネル式カラーディスプレイに表示されるガイドに従うことでわかりやすくサポートしている。
(2) 専用血液回路の構成の一部を一体化することにより，装置への誤装着を防止している。
(3) プライミング量60 mL(チャンバー液面2/3)の専用血液回路(K-HP-90CFP)を使用することにより，小児の血液浄化に対応可能である。
(4) 自動，回避，手動モードがあり，その場に応じた選択が可能である。
(5) 回避モードを使用することにより血液充填，充填血液の電解質補正が容易に行える。
(6) 異常な状態〔脱血不良・膜間圧力差(TMP)上限異常など〕に応じ，各ポンプを自動制御する機能を搭載している。

## 5) ACH-Σ(旭化成メディカル)

持続的腎代替療法(CRRT)専用とマルチタイプがある(**図4**)[1]。

**特徴**
(1) 一体型パネル回路により短時間で血液回路の装着が可能で，誤接続を防止している。
(2) 各種自動制御機構を搭載し，ガイダンス機能を使用することにより，準備から回収までをわかりやすくサポートしている。
(3) 除水制御機構は，濾過と透析液，補液を一括して計量することで，除水量を直接計算している。そのため，従来の個別計量方式に比べて高い除水精度である。
(4) プライミング量43 mLの専用血液回路(CHDF-PSG)を使用することにより，小児の血液浄化に対応可能である。
(5) 治療モードにて血液充填，電解質補正を行うことが可能である。

## 急性血液浄化療法の実際

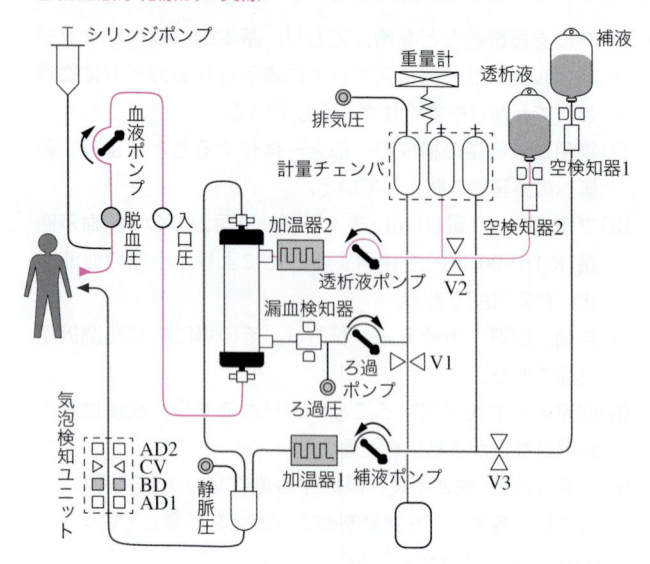

**図4 ACH-Σ 持続的腎代替療法(CRRT)フロー図(細径回路)(旭化成メディカルよりご提供)**

大橋, 2013[1]より引用, 一部改変

### 6)プリズマフレックス(バクスター)(図5)

**特徴**

(1)装置の簡易性を高めたシステムを採用しており, グラフィックユーザーインターフェイスによりプライミング手順が画面に表示され, 安全にプライミングの準備が可能。

(2)バーコードリーダーにより, 装置にて選択した治療モードとセットしようとしている消耗品が正しいか, 消耗品についているバーコードを装置が自動で読み込み, 認識することで誤装着を防止することが可能である。また, 濾過器と回路が完全に接続されているために, 接続や取り付けミスを防止している。

(3)重量計による流量をコントロールしており, 重量にて測定される実数と設定値の誤差があまりにも大きい場合は,

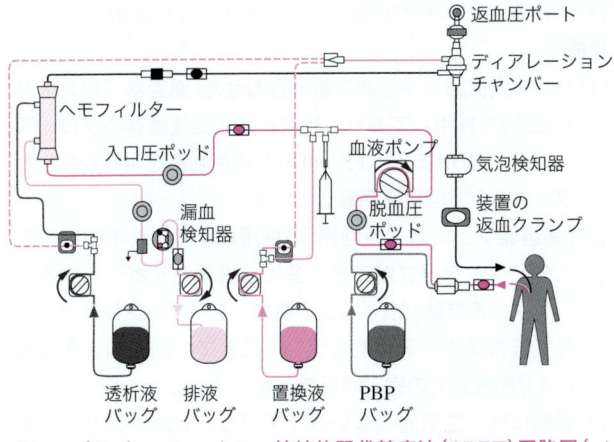

## 3 小児血液浄化療法の透析装置，モジュール，周辺機器

図5 プリズマフレックス 持続的腎代替療法(CRRT)回路図(バクスターよりご提供)

臨床使用をストップする安全機能を有している。
(4) 返血チャンバー内でメッシュを用いずに，空気と血液が触れない特殊形状の返血チャンバー(ディアレーションチャンバー)を採用しており，返血チャンバーでの凝固リスクを最小にしている。
(5) 膜と一体型専用血液回路で，プライミング量58 mLのHFセット20，プライミング量97 mLのST60セット(AN69ST)を使用することにより，小児の血液浄化に対応可能である。
(6) 治療モードにより回路を変更することなく，前希釈，後希釈，前後希釈の選択および変更が可能である。
(7) 血液加温機(プリズマコンフォート)は，バスキュラーアクセスから血液をプリズマフレックス装置の血液ポンプで脱血し，血液浄化を施行する際に，脱血による患者体温の下降を防ぐ目的でスリーブ型加温部(オートライン)を返血(戻り)ラインへ装填して，血液を加温して使用することにより温度の誤差を最小限にする。

急性血液浄化療法の実際

### 7）AcuFil Auto JC-01（ジェイ・エム・エス）（図6）
**特徴**
(1) パネル式回路と濾過器を組み合わせた「濾過器プレコネクト回路」を採用しており，持続緩徐式血液濾過器フロースター FS-04DP または FS-08DP と専用回路を組み合わせたプレコネクト回路を用意している。
(2)「濾過器プレコネクト回路」の採用により，効率的に装置へのセットアップができ，多忙な現場をサポートする。ワンタッチ自動プライミング機能，ユーザーフレンドリーな装着ガイダンス機能を用いることで，回路の装着時間は5分間程度での完了が可能となっている。
(3) 回路には，空気層のないダイアフラム式圧センサー方式であるエアレス圧センサを採用し，装置へのワンタッチ装着が可能である。

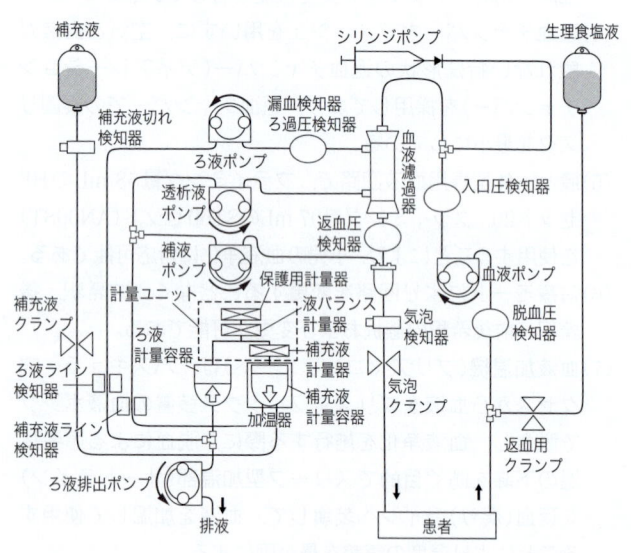

**図6 AcuFil Auto JC-01 持続的腎代替療法（CRRT）回路図（ジェイ・エム・エスよりご提供）**

### 3 小児血液浄化療法の透析装置，モジュール，周辺機器

(4) 計量誤差が小さく，高い液バランス精度を実現するために，除水量と補液量を同時に直接計量することを可能にした液バランス制御システムを採用している。
(5) 回路は2種類で，CRRT専用回路(JH-FKCRRT)か，PE専用血液回路(JH-FKPE-SC)のどちらかを使用する。

## 2. 一般の透析装置

体重6 kg以上でバイタルサインが安定しており，その他の合併症による障害がない場合は，一般透析で使用している装置を使用しての透析を自施設では行っている。除水の誤差が生じやすいため，生体モニター（心電図，パルスオキシメータなど），循環血液量測定装置（CRIT-LINE™など）を監視しながら施行する。

※各メーカー，血液回路の特注を行っており，各施設の要望に応じ作製することが可能であるが，通常の回路よりもコストは割高となる（使用個数にもよる）。

## 3. 特殊な透析方法

一般透析用装置が，除水誤差や除水率の問題から使用ができない小児に対して，自施設ではニプロ NDF-21（個人用透析装置）を使用し透析液を作製し，TRシリーズにその透析液を使用し，High Flow CHD（持続的血液透析）用（透析液流量：最大で4,000 mL/時）として使用している。市販の濾過型人工腎臓用補液を使用した場合，保険適用の範囲を大幅に超えてしまうためである。また，スタッフの液交換，排液処理（NDF排液に接続）にかかる労力を軽減できるメリットもある。水質管理は重要で，特殊な回路を用いなければ施行できないものの，治療方法としては有用である。

## モジュール

現在，各種モジュールはその治療目的に応じて，多種多様

**急性血液浄化療法の実際**

なものが市販されている。ここでは，各モジュールの最小サイズを紹介するとともに，国内で一般的に使用されているモジュールを概説する。また，自施設での使用方法を簡単に紹介する。

## 1. 最小モジュール
### 1）持続緩徐式血液濾過器（表2）
#### ①ダイアフィルター ヘモフィルター：HFジュニア（図7）

米国のメディベイターズ（Medivators）が製造し，テクノウッドが販売を行っているHFジュニアが最小の持続緩徐式のフィルターであり，膜面積0.09 m$^2$，充填量9 mLとなる。血液，液側回路の接続部はルアー方式（図4[1)]参照）になっておりコネクターを使用しないと接続が難しい。AcuFil Multi 55X-Ⅱ用の血液回路（ジェイ・エム・エス：JCH-55X2-CHDF-S-1，他，何種類かあり）には変換コネクターが同梱されており，HFジュニアとの接続が容易に行える。

#### ②UTフィルター®S：UT-01S eco（図8）

国内ではニプロのUTフィルター®S UT-01S ecoが膜面積0.1 m$^2$，充填量10 mLと最小のフィルターとなる。変換コネクターなどは必要なく接続をすることができる。自施設では体重5～7 kgの乳児に対する維持透析（無輸血）で使用し，透析効率，除水性能など問題なく施行することができた。各種仕様については表2を参照のこと。

血液透析を施行するに当たり，患者の体格，膜材質の適合性を考慮した選択をすることが重要である。

### 2）ダイアライザ
#### FB-30U eco

最小のダイアライザは，ニプロのFB-30U ecoで膜面積0.3m$^2$，充填量20 mLである。膜材質セルローストリアセテート，クリアランス（mL/分）は尿素129，クレアチニン110，リン97，除水速度（UFR）（mL/100 mmHg・時）は596である。

## 3 小児血液浄化療法の透析装置，モジュール，周辺機器

小児，特に乳児（10 kg以下）の無輸血での維持透析には有用である。

### 3）膜型血漿分離器（図9）
**プラズマフロー OP：OP-02D**

最小の血漿分離器は，旭化成メディカルの膜面積0.2 m$^2$，充填量：血液側25 mL，血漿側35 mLのものである。（製造は1社のみ）高い透過性と安定した濾過性能がある。各仕様は表3を参照のこと。

### 4）エンドトキシン吸着器
**トレミキシン®：PMX-01R（図10）**

エンドトキシン血症に伴う重症病態，あるいはグラム陰性菌感染症によると思われる重症病態の患者に対して使用される。充填量は8±2.5 mL，血流量は8～12 mL/分程度，洗浄量は0.5 Lで，その他の施行方法はPMX-20Rと変わりなくできる。保険適用条件に使用本数に関する注意がある。仕様については表4を参照のこと。

## 2．その他のモジュール

### 1）吸着器

各治療に応じた吸着器が何種類かある。吸着器に直接血液を還流させる方法（血液吸着：HA）と血液を血漿分離機で分離して血漿成分を吸着器に還流させる方法（血漿吸着：PA）がある。病因物質を選択的に吸着するため，吸着器を選択する場合は注意が必要である。体重が小さい小児の場合は充填量などの理由で治療の第一選択になることは少ないが（血液充填が必要など），学童（体重30 kg以上）であれば容易に使用は可能である。各吸着器の仕様は表4，5を参照のこと。

### 2）膜型血漿成分分離器

二重濾過血漿分離交換法（DFPP）で使用されるが，最小回路・一次膜を合わせた充填量は200 mLを超えるため，体重が小さい小児で使用することは少ない。自施設では重度血液

## 急性血液浄化療法の実際

**表2 持続緩徐式血液濾過器**

| 販売元 | 製造元 | 製品名 | 型式 | 膜素材 | 膜面積(m²) | 充填量(mL) | 限外濾過速度(mL/時) | 内径(μm) | 膜厚(μm) | 滅菌法 | 最大使用圧(mmHg) |
|---|---|---|---|---|---|---|---|---|---|---|---|
| テルモ/ノイパック | メディカイザース | ダイアフィルター・ヘモフィルター | HFジュニア | グリセリンリノールホン | 0.09 | 9 | 480～960 Ht32%, TP6.0 g/dL, TMP100mmHg, Qb100 mL/分, 37℃ | 200 | 70 | エチレンオキサイドガス(EOG) | 500 |
|  |  |  | D-20NR |  | 0.26 | 38 | 600～2,880 |  260 |  |  |  |
|  |  |  | D-30NR |  | 0.66 | 65 | 1,500～4,200 | 260 |  |  |  |
|  |  |  | D-50NR |  | 1.00 | 82 | 2,100～5,100 | 260 |  |  |  |
| ニプロ |  | UTフィルター® | UT-300 | セルローストリアセテート(CTA) | 0.3 | 20 | 1,320 TP6.5g/dL, TMP100 mmHg, Qb80 mL/分 | 200 | 15 | ガンマ線 | 500 |
|  |  |  | UT-500 |  | 0.5 | 35 | 1,380 |  |  |  |  |
|  |  |  | UT-700 |  | 0.7 | 45 | 1,590 |  |  |  |  |
|  |  |  | UT-1100 |  | 1.1 | 65 | 2,040 |  |  |  |  |
|  |  |  | UT-1500 |  | 1.5 | 90 | 2,530 |  |  |  |  |
|  |  |  | UT-2100 |  | 2.1 | 125 | 3,550 |  |  |  |  |
|  |  |  | UT-300S |  | 0.3 | 20 | 1,470 |  |  |  |  |
|  |  |  | UT-500S |  | 0.5 | 35 | 1,560 |  |  |  |  |
|  |  |  | UT-700S |  | 0.7 | 45 | 1,860 |  |  |  |  |
|  |  |  | UT-1100S |  | 1.1 | 65 | 2,490 |  |  |  |  |
|  |  |  | UT-1500S |  | 1.5 | 90 | 3,230 |  |  |  |  |
|  |  |  | UT-2100S |  | 2.1 | 125 | 4,880 |  |  |  |  |
|  |  | シュアフィルター® | PUT-03 eco | ポリエーテルスルホン(PES) | 0.3 | 23 | ※15 TP6.0±0.5 g/dL, Ht32±3%, Qb100 mL/分 | 200 | 40 | ガンマ線 | 500 |
|  |  |  | PUT-09 eco |  | 0.9 | 53 | ※24 |  |  |  |  |
|  |  |  | PUT-11 eco |  | 1.1 | 68 | ※25 |  |  |  |  |
|  |  |  | PUT-15 eco |  | 1.5 | 93 | ※31 |  |  |  |  |
|  |  |  | PUT-21 eco |  | 2.1 | 128 | ※34 |  |  |  |  |
|  |  |  | PUT-25 eco |  | 2.5 | 148 | ※36 |  |  |  |  |

## 3 小児血液浄化療法の透析装置，モジュール，周辺機器

| 会社 | 製品名 | 型式 | 膜素材 | 膜面積 | 内容量 | 条件 | クリアランス | UFR | 滅菌 | 包装 |
|---|---|---|---|---|---|---|---|---|---|---|
| ニプロ | UTフィルター®S | UT-01S eco | セルローストリアセテート (CTA) | 0.1 | 10 | Ht:32±2%,TP 6.0±0.5 g/dL, Qb 100 mL/分. TMP 40〜80 mmHg | *4 | 200 | 15 | ガンマ線 | 500 |
| | UTフィルター®A | AUT-11 eco | セルローストリアセテート (CTA) | 1.1 | 65 | TP 6.0±0.5 g/dL, Ht 32±3%,Temp.37±1℃, Qb 100 mL/分 | *25.1 | 200 | 25 | ガンマ線 | 500 |
| | | AUT-15 eco | | 1.5 | 90 | | *29.7 | | | | |
| | | AUT-21 eco | | 2.1 | 125 | | *35.7 | | | | |
| 旭化成メディカル | エクセルフロー | AEF-03 | ポリスルホン (PS) | 0.3 | 26 | Ht:30±3%,TP 6.5±0.5 g/dL, TMP 150 mmHg, 37℃ | 1,410 | 200±22 | 20〜75 | ガンマ線 | 500 |
| | | AEF-07 | | 0.7 | 52 | | 2,770 | | | | |
| | | AEF-10 | | 1.0 | 74 | | 3,020 | | | | |
| | | AEF-13 | | 1.3 | 97 | | 3,330 | | | | |
| 東レ | ヘモフィール®CH | CH-0.3W | ポリメチルメタクリレート (PMMA) | 0.3 | 24 | Ht:30±2%, TP 6 g/dL, TMP 100 mmHg, Qb 100 mL/分. 37℃ | 8* | 240 | 30 | ガンマ線 | 500 |
| | | CH-0.6W | | 0.6 | 47 | | *13 | | | | |
| | | CH-1.3W | | 1.3 | 101 | | *22 | | | | |
| | | CH-1.8W | | 1.8 | 138 | | *30 | | | | |
| | ヘモフィール®SNV | SNV-0.8 | ポリスルホン (PS) | 0.8 | 53 | Ht:30±3, TP 6.0±0.3 g/dL, TMP 100 mmHg,Qb 100 mL/分. 37℃ | *27 | 200 | 40 | ガンマ線 | 500 |
| | | SNV-1.0 | | 1.0 | 66 | | *39 | | | | |
| | | SMV-1.3 | | 1.3 | 85 | | *39 | | | | |
| 日本ライフライン | ジェイ・エム・エス | FS-04DP | ポリエーテルスルホン (PES) | 0.4 | 30 | Ht:30±2, TP 6.0±0.5 g/dL, TMP 100 mmHg,Qb 100 mL/分. 37℃ | 1,630 | 200 | 30 | エチレンオキサイドガス (EOG) | 500 |
| | | FS-08DP | | 0.8 | 45 | | 2,150 | | | | |
| | | FD-11DP | | 1.1 | 68 | | 2,360 | | | | |
| | | FD-15DP | | 1.5 | 88 | | 2,660 | | | | |

## 急性血液浄化療法の実際

表2 持続緩徐式血液濾過器 つづき

| バクスター | セプザイリス | セプザイリス60 | AN69ST(アクリロニトリル) | 0.6 | 47 | Ht 32%, TP 60 g/L, Q_B 100 mL/分, 37℃ | 2,340 | 240 | 50 | エチレンオキサイドガス(EOG) | 500 |
|---|---|---|---|---|---|---|---|---|---|---|---|
| | | セプザイリス100 | | 1.0 | 69 | | 2,700 | | | | |
| | | セプザイリス150 | | 1.5 | 107 | | 3,120 | | | | |
| | プリズマフレックス セプザイリスセット | セプザイリスセット60 | AN69ST(アクリロニトリル) | 0.6 | 97* | Ht 32%, TP 60 g/L, Q_B 100 mL/分, 37℃ | 2,340 | 240 | 50 | エチレンオキサイドガス(EOG) | 500 |
| | | セプザイリスセット100 | | 1.0 | 155* | | 2,700 | | | | |
| | | セプザイリスセット150 | | 1.5 | 193* | | 3,120 | | | | |
| | プリズマフレックス HFセット | HFセット20 | ポリアリルエーテルスルホン(PAES) | 0.2 | 58* | Ht 32%, TP 60g/L, Q_B 100 mL/分, 37℃ | 1,440 | 215 | 50 | エチレンオキサイドガス(EOG) | 500 |
| | | HFセット1000 | | 1.1 | 162* | | 2,640 | | | | |
| | | HF 1400 | | 1.4 | 184* | | 2,760 | | | | |

Ht:ヘマトクリット, TP:総タンパク濃度, TMP:膜間圧力差, Q_B:血流量
*限外濾過率
*膜と回路が一体型

## 3 小児血液浄化療法の透析装置, モジュール, 周辺機器

**図7　ダイアフィルター ヘモフィルター**
A：HFジュニア, B：変換コネクター

**図8　UT-01S eco**(ニプロよりご提供)

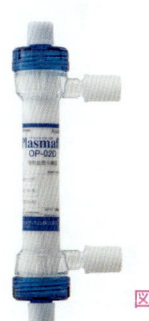

**図9　プラズマフロー OP：OP-02D**(写真提供：旭化成メディカルよりご提供)

型不適合妊娠の治療に使用している。各仕様は表3を参照のこと。

### 周辺機器

　言葉の話せない乳児, 意思疎通がうまくできない小児に血液浄化を安全に施行するには, 各種モニタリングをすることが必要不可欠である。ここでは日常的に使用している装置, 便利な装置を合わせて概説する。

**急性血液浄化療法の実際**

**表3 膜型血漿分離器・血漿成分分離器**

| 分類 | | 血漿分離器 | | | | 血漿成分分離器 | |
|---|---|---|---|---|---|---|---|
| 製品名 | | プラズマフロー OP/サルフラックス FP | | エバキュアー® | | プリズマフレックス PEセット | カスケードフロー |
| 型式 | | OP-02D/ OP-05D/ OP-08D/ FP-02D FP-02D FP-08D | | EC-2A10D | EC-4A10D | PEセット PEセット 1000 2000 | EC-20W、EC-30W、EC-40W、EC-50W |
| 製造販売 | | 旭化成メディカル | | 川澄化学工業 | | バクスター | 旭化成メディカル |
| 販売 | | 旭化成メディカル/カネカメディックス | | 旭化成メディカル | | バクスター | 旭化成メディカル |
| 中空糸 | 素材 | ポリエチレン(親水化剤：ポリエチレンビニルアルコール) | | エチレン・ビニルアルコール共重合体 | | ポリプロピレン ポリオキシエチレンポリオキシプロピレングリコール (親水化剤) | エチレン・ビニルアルコール共重合体 |
| | 内径 (μm) | 350±50 | | | | 330 | |
| | 膜厚 (μm) | 50±10 | | | | 150 | |
| | 膜面積 (m²) | 0.2 0.5 0.8 | | 1.0 | 1.0 | 0.15 0.35 | 175 |
| | 中空糸内側 | 25 55 80 | | 80 | 80 | 73* 127* | 40 |
| | 中空糸外側 | 35 75 105 | | - | - | - | 2.0 |
| 充填量 | | | | | | | 140 |
| 滅菌法 | | γ線滅菌 | | γ線滅菌 | | EOG滅菌 | γ線滅菌 |
| 充填液 | | 生理食塩液 | | | | なし(ドライ) | 注射用水 |

*膜と回路が一体型

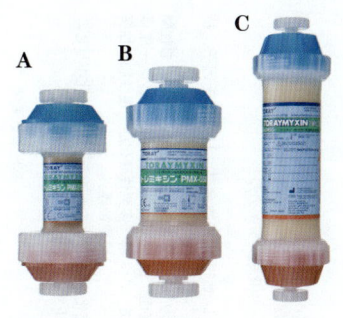

## 3 小児血液浄化療法の透析装置，モジュール，周辺機器

**図10　トレミキシン®（東レよりご提供）**
A：PMX-01R,
B：PMX-05R,
C：PMX-20R

### 1. 一般的な周辺機器
#### 1)心電図モニター
　胸部または四肢に電極を装着し，心臓の電位を連続的に計測し，波形としてモニター表示する装置である。循環血液量の低下による心拍数の上昇，電解質異常などがわかる。
#### 2)パルスオキシメータ
　プローブ(センサー)を指先などにつけて，経皮的動脈血酸素飽和度($SpO_2$)と脈拍数を連続的にモニター表示する装置である。非侵襲的に測定でき，心肺機能が正常であるかを知ることができる。
#### 3)血圧測定機器
　一般的にICUで小児の急性血液浄化を施行する場合は，血管内にカテーテルなどを挿入して，血圧を連続的に測定する方法を用いる(観血式血圧：Ａライン)。透析室では，マンシェットを用いてマノメータによる手動測定や生体情報モニタ・透析装置に内蔵の自動血圧計で測定する場合が多い(非観血式血圧)。

### 2. 循環血液量測定装置
　除水による血圧低下を未然に防ぐために有用なモニターとして，循環血液量を計測できる装置がある。ここでは何種類かの装置の原理・使用方法を概説する。

## 急性血液浄化療法の実際

### 表4 血液吸着器

| 製品名 | トレミキシン® | | | ヘモソーバCHS | | | リクセル | |
|---|---|---|---|---|---|---|---|---|
| 型式 | PMX-01R | PMX-05R | PMX-20R | CHS-350 | S-15 | S-25 | S-35 |
| 製造 | 東レ | | | 旭化成メディカル | | カネカ | |
| 販売 | 東レ・メディカル | | | | | カネカメディックス | |
| 対象吸着物質 | エンドトキシン | | | 薬物、肝性昏睡起因物質 | $\beta_2$-ミクログロブリン($\beta_2$MG) | | |
| 適用疾患 | 敗血症 | | | 薬物中毒、肝性昏睡 | 透析アミロイド症 | | |
| 吸着素材 | ポリミキシンB固定化ポリスチレン誘導体繊維 | | | ピーズ系活性炭 | ヘキサデシル基をリガンドとするセルロースビーズ | | |
| 充填量 (mL) | 8±2.5 | 40±3 | 135±5 | 70 | 150 | 250 | 350 |
| 滅菌法 | 高圧蒸気滅菌 | | | 高圧蒸気滅菌 | 高圧蒸気滅菌 | | |

| 製品名 | アダカラム | リポソーバー | セレソーブ | イムソーバ | |
|---|---|---|---|---|---|
| 型式 | アダカラム | LA-15/LA-40S | – | TR350 | PH350 |
| 製造 | JIMRO | カネカメディックス | カネカ | 旭化成メディカル | |
| 販売 | | | | | |
| 対象吸着物質 | 顆粒球・単球 | LDL、VLDL、LP(a) | 免疫複合体、抗DNA抗体、抗カルジオリピン抗体 | 抗アセチルコリンレセプター | 免疫複合体、リウマチ因子、抗DNA抗体 |
| 適用疾患 | 潰瘍性大腸炎、クローン病、膿疱性乾癬、関節症性乾癬 | 家族性高コレステロール、閉塞性動脈硬化症、巣状糸球体硬化症 | 全身性エリテマトーデス | 重症筋無力症、ギランバレー症候群、多発性硬化症、慢性炎症性多発性脱髄神経炎 | 全身性エリテマトーデス、慢性リウマチ、ギランバレー症候群、多発性硬化症、慢性脱髄性多発神経炎 |
| 吸着素材 | 酢酸セルロース製ピーズ | デキストラン硫酸を固定したセルロースゲル | デキストラン硫酸を固定したセルロースゲル | トリプトファン固定化ポリビニルアルコールゲル | フェニルアラニン固定化ポリビニルアルコールゲル |
| 充填量 (mL) | 130 | 140/350 | 140 | 300 | 300 |
| 滅菌法 | 高圧蒸気滅菌 | 高圧蒸気滅菌 | 高圧蒸気滅菌 | 高圧蒸気滅菌 | 高圧蒸気滅菌 |

### 表5 血漿吸着器

| 製品名 | プラソーバBRS |
|---|---|
| 型式 | BRS-350 |
| 製造 | 旭化成メディカル |
| 販売 | |
| 対象吸着物質 | ビリルビン、総胆汁酸 |
| 適用疾患 | 劇症肝炎、術後肝不全 |
| 吸着素材 | スチレン・ジビニルベンゼン共重合体樹脂 |
| 充填量 (mL) | 300 |
| 滅菌法 | 高圧蒸気滅菌 |

### 3 小児血液浄化療法の透析装置，モジュール，周辺機器

#### 1) CRIT-LINE™（図11）
**Hema Metrics　国内ジェイ・エム・エスが販売(現在販売終了)**

　血液透析中の血液のヘマトクリット値および酸素飽和度を光学的に連続して測定し，その変化を監視，記録する装置である．また，ヘマトクリット値の変化から血液量変化を算出する．動脈側血液回路とダイアライザとの接続部に専用のチャンバーを取り付け，本体からのセンサクリップをセットして測定を開始する．

　専用血液回路は必要とせず，専用チャンバーの容量も数mLと少ない．装置は小型で持ち運びが容易である．また，各種血液浄化装置と組み合わせて使用することができるため，小児の血液浄化のモニタリングとして有用である．

#### 2) BV計（製造・販売：日機装）
　日機装の透析装置に組み込みは可能であるが，単独での使用はできない．

　動脈，静脈側回路に2つのセンサーを取り付け，血液の流れる回路に近赤外線光を照射し，その反射光の強度を測定することにより連続的・非侵襲的に循環血液量を測定することができる．日機装の回路を使用することを推奨する．

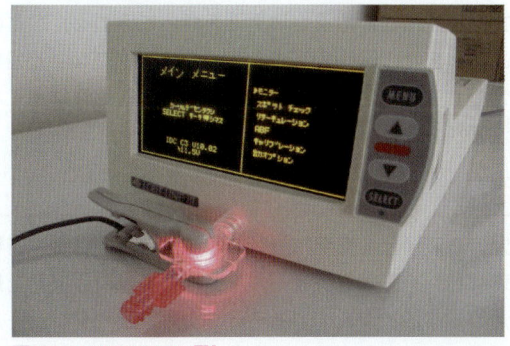

**図11　CRIT-LINE™**

### 3) 血液粘度変化率測定機能（製造・販売：東レ・メディカル）

東レ・メディカルの透析装置に組み込みは可能であるが，単独での使用はできない。

血液粘度変化率測定機能は，透析装置（ダイアライザ）血液入口圧（Pa）と静脈圧（Pb）の差圧を東レ独自の方法でモニタリングし，血液粘度変化率をリアルタイムで測定・監視することで循環血液量の変化をモニターすることができる機能である。静脈，血液入口圧を測定できる回路が必要となる。

## 3. 血液凝固測定装置

血液回路の凝血を防ぎ安全に体外循環を施行するためには，抗血液凝固薬を使用し，その使用量を適切に管理しなければならない。一般的なモニタリング方法は，活性化凝固時間（ACT）を測定する方法である。各種装置があるが，アボットジャパン販売のi-STATは，測定サンプル量40 μLと最少である。各仕様は表6を参照のこと。

## 4. 低体温対策

体温が下がりやすい小児に多用途血液処理用装置を使用し，High Flow CHDを施行する場合，装置付属の加温器機能が追いつかないことがある。その場合，血液加温器を使用して直接血液回路を温める，透析液をさらに温める，などの方法がある。また，回路をアルミホイルやラップなどで包む方法も合わせて使用すると効果的であるが，視認性は悪くなるため注意が必要となる。

## おわりに

小児の血液浄化を安全に施行するには装置の特徴，特性を十分理解し，適正なモジュールを選択して，周辺機器を最大限に活用することが大切である。また，装置やモジュールを過信せず，自身のもつ五感を最大限に活用し，患者の状態を

## 3 小児血液浄化療法の透析装置，モジュール，周辺機器

表6 血液凝固測定器

| メーカー名 | 製品名 | 最大測定値(秒) | 消耗品(品番) | サンプルボリューム(mL) |
|---|---|---|---|---|
| 平和物産 | ヘモクロンレスポンス | 1,500 | HRF*TCA510 | 2 |
|  |  |  | P214 | 0.4 |
|  | ヘモクロンJr.シグニチャー+ | 1,005 | JACT+ | 微量 50 µL |
|  | ヘモクロンJr.シグニチャーエリート | 1,005 | JACT-LR |  |
| メドトロニック | ACT Plus | 999 | LR ACT | 0.2 |
|  |  |  | HR ACT | 0.4 |
|  |  |  | HR HTC | 0.4 |
| トライテック | アクタライクミニⅡ | 1,500 | C-ACT | 2 |
|  |  |  | K-ACT | 2 |
|  |  |  | G-ACT | 0.4 |
|  |  |  | MAX-ACT | 0.5 |
| アベレ | CA-300 | 900 | AP-ACT-01 | 0.5〜0.7 |
| アボットジャパン | i-STAT | 1,000 | ACTk | 40 µL |
|  |  |  | ACTc | 40 µL |

観察・把握することが最も重要である。また，先に述べたように，現在小児専用装置は存在せず，モジュールの種類も少ない。小児の血液浄化がさらなる発展・飛躍(低出生体重児での使用など)を遂げるためには，各メーカーを始め各病院，関係スタッフが一丸となり，より優れた小児専用のハードウェアをつくり上げていくことが今後の課題であると考える。

### 引用文献

1) 大橋牧人：小児血液浄化療法の透析装置，モジュール，周辺機器．伊藤秀一，他監修：小児急性血液浄化療法ハンドブック，東京医学社，54-73，2013

### 参考文献

1) 伊藤克己監修，服部元史，他編：小児急性血液浄化療法マニュアル，医学図書出版，2002
2) 日本アフェレシス学会編：アフェレシスマニュアル(クリニカルエンジニアリング別冊)，改訂第3版，学研メディカル秀潤社，2010
3) 篠田俊雄，他編：透析のすべて―原理・技術・臨床―(クリニカルエンジニアリング別冊)，学研メディカル秀潤社，2011

〔大橋 牧人〕

急性血液浄化療法の実際

# 4 プライミングから開始まで

## ポイント

1. 患者の体格(体重・体表面積)から，至適な血液回路と血液浄化器を選択する。抗凝固薬は月齢や出血傾向の有無を考慮し決定する。
2. 急性血液浄化療法の血液・透析液・補液・濾液の流れを確認し，監視装置の警報の意味を理解する。
3. 血液回路の組み立ては清潔に行い，大きな圧力がかかる部位の装着はしっかり行う。プライミングは十分な気泡除去を行う。治療開始前には，治療条件・監視装置の警報設定確認の他に，血液回路の装着も再確認する。
4. 治療計画を立てる際，急性血液浄化療法の目的を明確にし，治療条件を決める。開始時は，さまざまな事故が起こりやすく，特に，患者のバイタルサインに注意する。

## はじめに

小児の急性血液浄化療法も基本的に成人と同様の原理だが，成人に比べ循環血液量が少なく，血液回路(以下，回路)や血液浄化器の選択，治療条件の設定，抗凝固薬の投与量など，多岐にわたる注意点があり，十分な理解が必要である。

本稿では，持続的血液透析(CHD)，持続的血液濾過(CHF)，持続的血液濾過透析(CHDF)，体外限外濾過法(ECUM)，血漿交換(PE)を行う際の物品・準備，回路の組み立て・プライミング，開始について，その具体的な手順と主な注意点を述べる。血液浄化装置は，AKI(急性腎障害)診療ガイドライン2016[1](以下，AKI診療ガイドライン)に掲載され，実臨床でも小児に適用されているACH-ΣとAcuFil Multi 55X-Ⅱ(旧

### 急性血液浄化療法の実際

TR55X/JUN55X シリーズ)とし，それぞれの装置で，各部位の呼称が異なるため，各用語表記は統一した[2]。

## 物品の選択と準備(表1)

急性血液浄化療法の開始には迅速さが求められ，事前の準備が大切である。特に，患者の体格(身長・体重・体表面積)と病状の把握，血液浄化器と回路の合計容量(PV)の確認，使用する抗凝固薬の決定が重要である。後述する血液プライミングが必要な場合，血液製剤の準備に最も時間がかかるため，

**表1 急性血液浄化に必要な物品**

血液浄化装置
血液浄化器
血液回路
透析液・補液用加温バッグ*
圧力測定・計量制御ポート用のロック式疎水性保護フィルター*, [a]
透析用チューブ鉗子(数本)
排液用容器
血液濾過用補液(透析液としても使用)
生理食塩液(プライミング用1,000 mL×2袋，回収用50〜500 mL×1袋)[b]
未分画ヘパリン(プライミング用ヘパリン加生理食塩液：2,000単位/L)
抗凝固薬(未分画ヘパリンかナファモスタットメシル酸塩)，シリンジ
回路接続時用のシリンジと三方活栓(それぞれ数本)
ガーゼ
消毒用クロルヘキシジングルコン酸塩含有アルコール
ディスポーザブルグローブ
プラスチックエプロン
サージカルマスク
ゴーグル

* AcuFil Multi 55X-Ⅱで必要な物品
[a] ロック式で外れないようにする。フィルターの水濡れを回避するためフィルターを2連結にする
[b] 返血を行わない場合も緊急時用にプライミングラインに接続する

## 4 プライミングから開始まで

**表2 小児用低容量血液浄化器・回路**

| 血液浄化器 | 膜面積($m^2$) | PV(mL) | 素材 | メーカー |
|---|---|---|---|---|
| HFジュニア | 0.09 | 9 | PS | メディベイターズ |
| UT-01S eco | 0.1 | 10 | CTA | ニプロ |
| CH-0.3W | 0.3 | 24 | PMMA | 東レ |
| AEF-03 | 0.3 | 26 | PS | 旭化成メディカル |

| 血液回路 | PV(mL) |
|---|---|
| ACH-Σ 小児用回路 | 43 |
| AcuFil Multi 55X-II 小児用回路 | 35.2 |

PV：プライミングボリューム，PS：ポリスルホン，CTA：セルロースアセテート，PMMA：ポリメチルメタクリレート

まず，血液型の確認と血液製剤のオーダーを行う。

### 1. 血液浄化器と回路の選択

患者の体表面積に近似した膜面積の血液浄化器の選択が目安で，AKI診療ガイドラインにも，体重に応じた膜面積の選択が示されている[1,3]。患者の循環血液量（新生児で85 mL/kg，小児で80 mL/kg）に対するPVの割合（%ECV）が10%未満であるか確認を行う[1,3]（表2）。わが国では，最小の組み合わせでもPVは40 mLを超え，体重6 kg（循環血液量480 mL）未満の児では，%ECVは10%を超える。その場合には，血液プライミングが推奨される（後述の血液プライミングの項を参照）。

抗凝固薬は主に未分画ヘパリン（UFH）かナファモスタットメシル酸塩（NM）が使用される[1]。新生児[4]，出血傾向がある児，手術前後の場合には，半減期が短く透析性のあるNMを選択する。

## 血液浄化装置・回路と血液の流れ（図1）[5]

### 1. 血液の流れ（すべての急性血液浄化療法で共通）

バスキュラーアクセス（VA）の脱血側（側管から抗凝固薬注入）→脱血圧検知器→血液ポンプ→入口圧検知器（エアート

## 急性血液浄化療法の実際

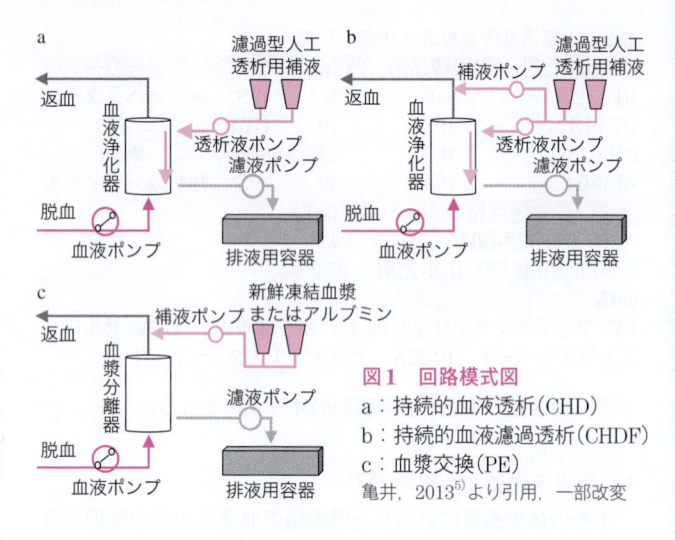

**図1　回路模式図**
a：持続的血液透析（CHD）
b：持続的血液濾過透析（CHDF）
c：血漿交換（PE）
亀井, 2013[5]より引用，一部改変

ラップチャンバー\*）→血液浄化器→返血圧検知器（エアートラップチャンバー）→気泡検知器/気泡クランプ→VAの返血側

### 2. 透析液の流れ（CHD, CHDF）

血液濾過用補液→透析液用計量容器（加温器）→透析液ポンプ→血液浄化器外腔

### 3. 補液の流れ（CHF, CHDF, PE）

血液濾過用補液（PEの場合はアルブミンや新鮮凍結血漿）→補液用計量容器（加温器）→補液ポンプ→返血側エアートラップチャンバー

### 4. 濾液の流れ（すべての急性血液浄化療法で共通）

血液浄化器外腔→排液ポンプ→（濾液チャンバー\*）→濾液用計量容器→排液容器

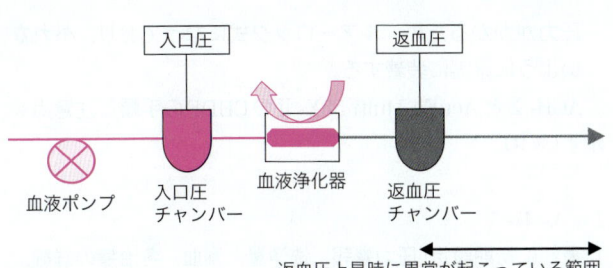

4 プライミングから開始まで

**図2 入口圧および返血圧上昇の考え方**
亀井, 2013[5]

### 5. 監視装置(すべての急性血液浄化療法で共通)

脱血・入口・返血・濾過圧の監視, 気泡検知, 漏血検知, 透析・補液の液切れの検知器がある(図2)[5]。

### 6. 透析・補液, 濾液・排液の計量

透析・補液, 濾液・排液の流量は, それぞれ, ポンプの回転数から計算される。ACH-Σでは重量を, AcuFil Multi 55X-Ⅱでは容量を計測し, ポンプの回転数を補正し, 精度管理を行っている。

*AcuFil Multi 55X-Ⅱの機構

## 回路の組み立てとプライミング

1) 回路の組み立てとプライミングは一貫して同一施行者が行うのが望ましい。血液浄化器や回路の装着前には手指衛生を行い, 未使用のディスポーザブル手袋を装着する[6]。
2) 回路装着の作業は清潔不潔概念をよく理解し行う(回路が地面に触れたり, 回路と血液浄化器の接続部に手や鉗子が触れたり, プライミング時に, 回路の脱・返血ラインの先端が排液容器内で汚染されたりしないよう注意する)。
3) 回路と血液浄化器の接続部, 各種圧検知器ポートは大きな

#### 急性血液浄化療法の実際

圧力がかかるため，ルアーロック式になっており，外れないように確実に装着する。

ACH-ΣとAcuFil Multi 55X-ⅡのCHDFの手順と注意点を示す（表3）。

## 1. ACH-Σ

1) 最初に初期設定（圧力警報，洗浄量，漏血，各治療の詳細，持続的腎代替療法（CRRT）治療画面，シリンジ校正など）を行う。一度，初期設定を行うと次回からは再設定不要であるが，治療開始後には変更できないため，注意が必要である。

　CRRT治療画面の設定では，流量単位をmL/時表示とする（成人患者に使用した後で，L/時表示のままで，mL/時表示と誤認し除水設定を行うと，除水過多で重篤な合併症を引き起こす。必ず，治療開始時に，流量単位を確認する）。

　シリンジ校正の設定では，抗凝固薬投与に用いるシリンジサイズを設定する。この際，使用するシリンジサイズ（20，30，50 mLが使用可），各シリンジにおける20 mL分の長さ，シリンジの外径，終了お知らせ位置の入力が必要である。

2) 電源を入れると，起動画面が表示され，始業点検スイッチを押すと，始業点検と自己診断が自動で行われる。

3) 自己診断終了後，治療法選択画面が表示され，CHDFを選択すると，準備品画面で必要物品が表示される。次の画面では，回路の装着手順が順に示され，ガイダンスに従いながら回路装着を行う。

4) 回路装着後，洗浄・置換画面で洗浄開始のスイッチを押すと，自動で洗浄が最後まで行われるが，途中，血液浄化器の種類（wetかdry膜か）の選択が必要となる。

5) 洗浄が終了すると治療準備画面が表示され，治療スイッチを押した際，液切れ検知器センサーの装着変更が指示され

## 4 プライミングから開始まで

### 表3 小児適用可能な血液浄化装置

| | ACH-Σ | AcuFil Multi 55X-II |
|---|---|---|
| ディスプレイ，液晶タッチパネル* | 始業点検，運転条件設定，各警報設定・表示，各ポンプ流量設定，回路装着・洗浄置換・回収操作のガイダンス，各積算量表示，各圧力測定表示 | 始業点検，運転条件設定，各警報設定・表示，各ポンプ流量設定，各積算量表示，水収支表示，各圧力測定表示 |
| 操作プレート，操作パネル* | 電源スイッチ，キーロック，血液ポンプ(スイッチ/流量設定) | キーロック，各ポンプの運転/停止・速度増減・連動キー，監視on/off，警報クリア/消音 |
| 抗凝固薬用シリンジポンプ | 0.1〜15.0 mL/時 | 0.1〜15.0 mL/時，押し子と外筒外れのダブルセンサー |
| 脱血圧検知器，陰圧検知器* | エアフリーチャンバー式圧力モニター | ピロー形状の変化検知(−230〜−270 mmHgの範囲) |
| 血液ポンプ | 1〜250 mL/分(脱血不良時減速・自動復帰機) | 1〜250 mL/分(15 mL/分以下から再始動) |
| 入口圧検知器 | エアフリーチャンバー式圧力モニター | ライン式圧力モニター |
| 血液浄化器 | CHD・CHF・CHDFでは持続緩徐式血液濾過器，血漿交換では膜型血漿分離器 | |
| 加温器 | 35〜40℃ | 30〜38℃ |
| 静脈圧検知器，返血圧検知器* | ライン式圧力モニター | |
| 気泡センサー | 2つの超音波透過型の気泡検知器(0.1 mLと0.01 mL以上を知知)($Q_B$ 100 mL/分の場合) | 超音波方式で0.02 mL以上を検知($Q_B$ 100 mL/分の場合) |
| 気泡クランプ | クランプバルブ | ロータリークランプ |
| 漏血検知器 | 赤血球濃度0.15%〜 | 0.5 vol% |
| 濾過圧検知器 | ライン式圧力モニター | |
| 補液ポンプ | 10〜6,000 mL/時 | 10〜3,000 mL/時 |
| 透析液ポンプ | 10〜6,000 mL/時 | 10〜4,000 mL/時 |
| 濾液ポンプ | 10〜6,000 mL/時 | 10〜6,000 mL/時 |
| 流量計量，制御機構 | 濾液・透析液・補液の一括重量測定で計測誤差低減 | チャンバー容量測定，ポンプ流量をフィードバック制御 |

\* AcuFil Multi 55X-IIの呼称
CHF：持続的血液濾過，$Q_B$：血流量

る。洗浄用の生理食塩液(生食)ラインについていた液切れ検知センサー1(青)は透析液ラインに，液切れ検知センサー2(緑)は補液ラインに装着する。また，抗凝固薬のシ

**急性血液浄化療法の実際**

リンジ流量の設定も画面上に指示されるので、忘れずに行う。

## 2. AcuFil Multi 55X-Ⅱ
### 1)起動と始業点検
　電源を入れ、液晶タッチパネルの起動画面で「点検・補正」をタッチし、始業点検を行う。この際、大気開放状態で各圧力表示が[0 mmHg]を示すことを確認する。
### 2)回路の装着
　回路、血液浄化器、加温バッグ(透析・補液用)を血液浄化装置に装着する。圧力測定・計量制御ポートには、ルアーロック式の疎水性保護フィルターを介し接続する。血液浄化器がwet膜の場合、気泡を混入させないよう、脱血側回路を生食で満たしてから接続を行う。
### 3)治療モードの選択
　起動画面の「運転」をタッチすると、メインメニューが表示される。このなかの「運転条件」をタッチし、治療モードで「CHDF」を選択後、「実行」をタッチする。
### 4)プライミング
(1)脱血・返血ライン先端が排液に浸からないように排液容器にセットする。
(2)洗浄用の生食ラインから脱血回路→血液浄化器→返血回路の順に、自然滴下で生食を流し、洗浄と気泡除去を行う。この際、各チャンバーの液面は、チャンバー下方につながるラインを鉗子でクランプし、各圧力検知ポートにつながる液面調整ラインの三方活栓から空気を逃がし、適正位置に形成する[5]。
(3)返血ラインまでの洗浄終了後、血液浄化器直下の返血ラインを鉗子で閉塞させ、血液浄化器の外腔から濾液回路と気泡除去を行う。
(4)透析液ラインに生食を接続し、透析液(加温バッグ含め)・

濾液回路の洗浄と気泡除去を行う。
(5) 補液ラインに生食を接続し、補液(加温バッグ含め)・返血回路の洗浄と気泡除去を行う。この際、補液チャンバーの液面調節も行う。
(6) 気泡の残留がないことを確認後、返血側アクセス部を鉗子でクランプする。

## 5) シリンジの装着

抗凝固薬の入ったシリンジをシリンジホルダーに装着し、抗凝固薬注入ライン内も抗凝固薬で満たす。脱血側アクセス部を鉗子でクランプする。

## 6) 透析・補液回路の血液濾過補液による置換

生食バッグが接続されていた透析・補液ラインに、血液濾過補液バッグを接続し、透析・補液回路を置換する。

## 7) 注意点

(1) プライミングは落差を利用し自然滴下で行うことができる。その後、血液ポンプを回転させ、各種アラームチェックも行う。プライミング中の入口・返血圧の上昇は、回路に閉塞部位があることを意味し、鉗子などによる回路の閉塞がないことを確認する。
(2) CHF・CHDF・PEの治療中、返血圧の上昇に伴い、返血側エアートラップチャンバーから補液側の加温バッグへ血液が逆流することがあり、逆流防止弁を挿入し、補液ラインを陽圧(50 mmHg程度)に保つようにしている(図3)[5]。
(3) チューブが、各ポンプに正しい方向・位置で装着されているかを確認する。
(4) 誤って透析・補液の加温装置の蓋を各ラインを挟んだまま閉じると、透析・補液が流れず過濾過になる危険性がある。濾過圧の低下の際は、透析・補液ラインの閉塞の有無を確認する必要がある。
(5) 各圧力ポートにつながる液面調整ラインの三方活栓の向

急性血液浄化療法の実際

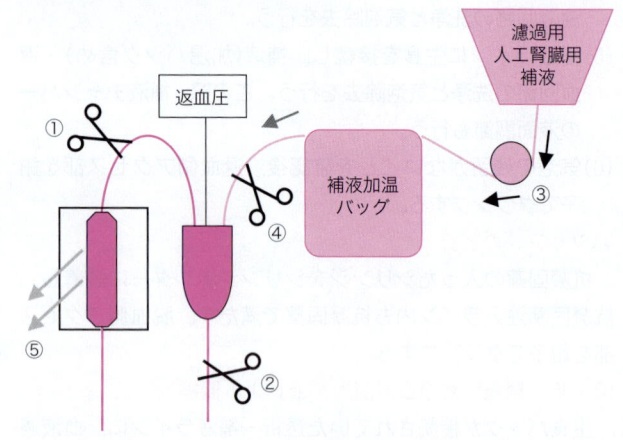

**図3 補液加温バッグへの血液逆流の予防(AcuFil Multi 55X-II)**

1. ①と②を鉗子でクランプする。
2. 返血圧が50 mmHgくらいに上昇するまで補液をポンプで流す(③)。
3. ④を鉗子でクランプして,①と②の鉗子を外して治療開始まで待機する(補液加温バッグ内の圧が50 mmHg前後になっている)。
4. 治療開始(③と⑤)とともに,④の鉗子を逆流がないことを確認しながらゆっくりと外す。

亀井,2013[5]より引用,一部改変

きを確認し,治療を開始する。三方活栓の向きが誤っていると正確な圧力モニタリングがされない。

## 血液プライミング

%ECVが10%を超える場合,血圧の低下や,回路内生食の体内への急速流入による血液希釈が懸念される。%ECVが大きい場合や,循環動態が不安定な患者で,より顕著である。このため,%ECVが10%以上の場合,血液プライミングが推奨される[3,7]。

血液プライミングの方法は各施設で異なるが,濃厚赤血球

と5%アルブミンの混合液で回路内を充填する方法などがある。濃厚赤血球は酸性・高カリウム・低カルシウムの状態を呈し、前処置なしに血液プライミングだけで治療を開始した場合、心停止をきたした新生児例の報告もあり注意が必要である。

このため、濃厚赤血球と5%アルブミン（3：2）の混合液を、清潔な血液バッグに貯留させ、太い注射針（18G以上）などを介し脱血側アクセス部をつなぐ。血液ポンプをまわし、返血側アクセス部から回路内の生食を廃棄して混合液で置換する。その後、返血側アクセス部も注射針などで血液バッグにつなぎ、閉鎖回路として30分間の血液濾過透析〔血流量（$Q_B$）50 mL/分、透析液流量（$Q_D$）1,500 mL/時、濾液流量（$Q_F$）500 mL/時〕を行う。これにより、混合液のpH・重炭酸イオン・ナトリウム・カリウム・イオン化カルシウム・乳酸・グルコースの補正、クエン酸とブラジキニンの除去が可能である[8]。この間に、加温器で加温された透析・補液を介し、混合液も加温され、治療開始後の低体温も低減できる[9]。また、この閉鎖回路に除水を行い、患者の状態に合わせ、混合液のヘマトクリット値の調節も可能である。

一方、濃厚赤血球とアルブミンの混合液で血液プライミングする場合、血小板減少や凝固異常症を呈することがあり、アルブミンの代わりに新鮮凍結血漿を用いる施設もある[4]。

1) 血液プライミングを行った場合、多血・溢水となるため、治療終了時に原則として返血は行わない。

2) 血液プライミングを行い、治療終了時に回路内血液を回収できた場合、これを新しい回路に充填すれば、感染を含む輸血関連の合併症を低減できる。血液浄化装置が2台ある場合、患者から外した血液浄化装置の回路の返血側アクセス部と、新しく用意した血液浄化装置の回路の脱血側アクセス部を三方活栓でつなぎ、患者から外した血液浄化装置の回路内血液で、新しい回路内を置換する[10]。血液浄化装

**急性血液浄化療法の実際**

置が1台の場合,血液バッグに患者から外した血液浄化装置の回路内の血液を回収してヘパリンを添加し,その間に新しい回路を組み直し,血液バッグ内の血液で回路内を置換する。血液バッグ内に回収した血液の長時間保存は,感染などの問題があり,推奨されない。

## 監視装置の設定

1) 脱血圧は,VAと$Q_B$によって規定される。小児では十分な$Q_B$が得られるVAの確保が難しく,目標$Q_B$を得ようと血液ポンプの速度を上げると,脱血圧が大きく陰圧に傾き,脱血不良となることもある。過大な脱血圧は赤血球破壊を伴う溶血を引き起こすため,実際には脱血圧-100 mmHg程度で,安定して血液ポンプが作動する$Q_B$で治療を行う。この時の脱血圧±50 mmHg前後で警報を設定する。

2) 入口圧は,血液の粘性,$Q_B$,回路の口径・長さ,血液浄化器の口径・長さで規定される。小児用低容量の血液浄化器・回路は,成人用に比し口径は細く,入口圧は上昇しやすい。実際には,入口圧は100 mmHg前後で施行される。安定した$Q_B$が得られた時の入口圧±50 mmHg前後に警報を設定する。

入口圧の上昇を認める時には,血液浄化器の入口以降の返血側の閉塞を考える。返血圧の上昇を伴わない入口圧の上昇は,血液浄化器入口部の凝血塊などによる閉塞を疑う(図2)[5]。

3) 返血圧は,入口圧より10〜20 mmHg程度低圧である。返血圧の上昇は,返血側エアートラップチャンバーの凝血塊や,返血側VAの閉塞の有無を確認する(図2)[5]。

返血圧下限設定は,回路外れによる失血回避のために10 mmHg以上とし,上限は安定した$Q_B$が得られた時の静脈圧+50 mmHgとする。

4) 膜間圧力差(TMP)は,血液浄化器の内外の圧力差を意味

し，[(入口圧＋返血圧)÷2－濾過圧)]で算出される。TMPの上限設定は，血液濾過器では150 mmHg，血漿分離器では30 mmHg程度とする。

　血液浄化器の膜の目詰まりの際は，TMP上昇，濾過圧低下，入口圧上昇，(返血圧正常)を示す。CHDF治療中にTMPの上昇を認めた場合，$Q_F$を減らしCHDへと切り替えることでTMPの上昇を抑制でき，溶質除去能の低下を伴うものの，姑息的に回路寿命を延ばせる。

5) 加温器の設定温度は，治療中の低体温を回避するため高めに設定する。小児の急性血液浄化療法では，$Q_B$が遅く％ECVが大きいため，回路内を循環中に，熱の放散で冷やされた血液が体内に戻り，容易に低体温が惹起される[9,11,12)]。透析・補液流量が早い場合，透析・補液が設定温度に達しないまま，体内に流入することもある。％ECVが大きい場合，室温にも注意する他，脱血・返血ラインの加温も考慮する。

## 1. ACH-Σ

1) 脱血・入口圧はダイアフラム膜を介し，血液が空気に触れない形(エアーフリーチャンバー式圧力モニター)で，圧力の変化を測定している。
2) 脱血不良時に，脱血圧下限値に達する以前に，血液ポンプが自動的に減速する機構があり，脱血圧が設定値に戻ると自動復帰する。5回以上自動復帰が行われると，解除スイッチを押さないと復帰できず，VAなどの異常の有無の確認が必要である。

## 2. AcuFil Multi 55X-Ⅱ

1) 脱血圧(陰圧)は，血液が空気に触れない状態でピローの形状変化(－230 ～－270 mmHgの範囲)で検知される。
2) 陰圧検出で血液ポンプは停止するが，$Q_B$ 15 mL/時から再始動が自動で1回行われる。これより低速で再始動すると

設定した場合，低速$Q_B$で運転中は，もとの$Q_B$設定値で再始動される。陰圧検知による血液ポンプ停止を繰り返す場合，VAなどの異常の有無の確認が必要である。

3) シリンジポンプの外筒と押し子外れを検知する2つのセンサーを備え，抗凝固薬の供給不良の回避と監視が可能である。

## 治療

1) 治療開始前に，治療条件（血流量＝$Q_B$，透析液流量＝$Q_D$，補液流量＝$Q_S$，濾液流量＝$Q_F$）・抗凝固薬速度・加温器設定温度を再確認する。個々の病態における治療条件の設定は，他稿を参照されたい。大切なのは，血液浄化療法の目的の明確化と，体液量管理（除水）計画の立案である。

2) 開始前に，必ず体重・体温測定，心拍・酸素飽和度・観血動脈圧モニターによるバイタルサインの評価を行う。

3) 血液浄化装置を可能な限り患者のVA近傍に設置する。

4) 回路の最終確認を行う。回路と血液浄化器の接続部・各種圧検知器ポートの緩みがないか，シリンジポンプが正しく装着されているか，鉗子などによる不要な回路閉塞がないかを確認する。また，脱血・返血側ラインがクランプされ，返血ラインに空気の残留がないかを確認する。

5) 洗浄用の生食ラインがしっかり閉じられていることを確認する。生食ラインが開放されたまま開始すると，患者へ生食が過注液され，%ECVが大きい場合，重大事故となる。血液ポンプを始動しても，脱血側アクセス部に血液が流入してこないことで気づかれることもある。

6) 手指衛生を行い，ディスポーザブルの非透水性プラスチックエプロン，サージカルマスク，ゴーグル，未使用の手袋を装着する[6]。

7) VA挿入部の観察を行い，感染徴候や出血の有無を確認する。VAに回路を接続する際，消毒液はVAカテーテルに適

## 4 プライミングから開始まで

合するもの（通常は0.5％を超える濃度のクロルヘキシジングルコン酸塩を含有するアルコール）を用いる[6]。

8) シリンジ（2.5〜5.0 mL程度）に三方活栓をつけたものを2本用意し，VAの脱・返血側アクセス部にそれぞれ装着し，抗凝固薬を含むVA内充填液を吸引破棄し，凝血塊の有無を確認する。別な新しいシリンジをVA側に残した三方活栓に装着し，手動でスムーズに脱・返血できるかを確認する。不能の場合，VA位置修正や入れ替えを考慮する。

9) 回路と接続後，患者の状態（バイタルサイン）を観察しながら，$Q_B$を漸増させる。開始時低血圧は，％ECVの大きい症例や循環動態が不安定な症例で，より多く観察される[7,11,12]。低血圧時，対処的に血管作動薬・膠質液（5％アルブミン）・晶質液（等張液など）が使用されるため，あらかじめ準備する。

10) 患者の状態（バイタルサイン）が安定し，$Q_B$が予定の速度まで到達したら，治療を開始する。この際，過去の積算がリセットされていることを確認する。

11) 脱・返血ラインをテープなどで固定する。

12) 低出生体重児では，低体温となりやすく，透析・補液を加温する他に，室温などにも配慮し保温に努める[9]。

13) 抗凝固薬のシリンジ交換時は，抗凝固薬注入ラインを鉗子などでクランプして交換し，抗凝固薬の回路内への引き込み・過量投与を回避する。

## 1. ACH-Σ

1) シリンジの流量設定が行われていないまま開始されると，抗凝固薬が注入されないまま治療が継続されるため，注意が必要である。

2) 治療中，洗浄用の生食ラインはクランプしておくが，誤ってクランプが外れた時には，生食が体内に流入する。このため，治療中，生食ラインに付属のクランプの他に，最低

もう1本鉗子をしっかりかけることが必要である。

## 2. AcuFil Multi 55X-Ⅱ

1)「運転条件設定」の画面で治療モードの選択とともに，「計量容器使用の選択」が，すべて「使用する」になっていることを確認する。
2)患者に回路を接続する前に，必ず「監視ON」になっているかを確認する。「準備」ではすべてのアラームが無視されるため，患者に接続中は「準備」にしてはならない。

## 抗凝固薬

AKI診療ガイドライン[1]では，小児急性血液浄化療法の抗凝固薬として，UFHとNMが提示されている。

UFHは安価であり，分子量(平均15,000Da)も大きく透析でほとんど除去されない。半減期が1～1.5時間と比較的長く，全身ヘパリン化の状態となる。回路の脱血側で，活性化凝固時間(ACT；基準値90～120秒)を測定し，ACTが1.5～2倍程度となるようUFHの投与量を調節する。一般的には，開始時にUFHを20～30単位/kgをボーラス投与し，その後10～20単位/kg/時で持続投与する[1]。UFH使用によるヘパリン起因性血小板減少症(HIT)があり，血液浄化療法施行中には血小板数の評価も必要である。

新生児[4]や出血傾向のある患者，手術前後の患者では，NMの使用が望ましい。NMの半減期は5～8分で，分子量(540Da)も小さく透析により除去され，主に回路内のみで抗凝固効果を発揮する。NMは生食で溶解すると白濁するため，5%ブドウ糖液を用い溶解する。NMは0.5～1.0 mg/kg/時の投与量で開始し，返血側でACT150～200秒を目標に投与量を調整する。小児では低$Q_B$で急性血液浄化療法が施行されるため，返血側エアートラップチャンバー内に凝血塊を形成することも多い。この場合，NMを返血側にも分けて投与したり，少

量のヘパリンを併用することもある。

　小児の急性血液浄化療法について，準備から開始までを概説した。筆者らも数多くの失敗を経験してきたが，大切なのは同じ失敗を繰り返さないように，他者への伝達・啓発である。

　なお，急性血液浄化療法では，機器にばかりに気をとられるのではなく，常に患者の全身状態の観察を行い，治療する姿勢が大切である。

## 文献

1) AKI（急性腎障害）診療ガイドライン作成委員会編：AKI（急性腎障害）診療ガイドライン2016．日腎会誌 59：419-533，2017
2) 日本臨床工学技士会透析関連安全委員会：持続的血液浄化療法 continuous blood purification therapy（CBP）の安全基準についての提言 Ver.2.00 https://www.ja-ces.or.jp/wordpress/wp-content/uploads/2018/06/f44133406224f6190659dbf59086e003.pdf 2020.6.15アクセス
3) Carl H, et al：Technical aspects of pediatric continuous renal replacemnt therapy. Ronco C, et al(eds)：Critical Care Nephrology, 2nd ed, Saunders, 1595-1600, 2009
4) 日本未熟児新生児学会医療の標準化検討委員会，他：体外循環による新生児急性血液浄化療法ガイドライン．日未熟児新生児会誌 25：89-97，2013
5) 亀井宏一：プライミングから開始まで．伊藤秀一，他監修：小児急性血液浄化療法ハンドブック，東京医学社，74-88，2013
6) 日本透析医会，他：透析施設における標準的な透析操作と感染予防に関するガイドライン（四訂版）．http://www.touseki-ikai.or.jp/htm/07_manual/doc/20150512_infection_guideline_ver4.pdf 2020.6.19アクセス
7) Askenazi D, et al：Neonatal critical care nephrology. Deep A, et al(eds)：Critical Care Nephrology and Renal Replacement Therapy in Children, Springer, 63-80, 2018
8) 佐々木 慎，他：ポリアクリロニトリル膜を使用した保存血プライミング回路におけるブラジキニンの動態―保存血浄化法の検討．日小児腎臓病会誌 24：47-52，2011
9) 石川 健：小児CHDF用回路とその保温対策．小児外科 40：

281–285, 2008
10) Eding DM, et al：Innovative techniques to decrease blood exposure and minimize interruptions in pediatric continuous renal replacement therapy. Crit Care Nurse 31：64–71, 2011
11) Santiago MJ, et al：Complications of continuous renal replacement therapy in critically ill children：a prospective observational evaluation study. Crit Care 13：R184, 2009
12) Nishimi S, et al：Complications during continuous renal replacement therapy in critically ill neonates. Blood Purif 47（Suppl）2：74–80, 2019

（石川 健）

急性血液浄化療法の実際

# 5 急性血液浄化療法中の薬剤の使用法と注意点

### ポイント

1. 小児における急性血液浄化療法の適応疾患としては,急性腎障害や急性肝不全,敗血症,代謝性疾患,術前術後管理,薬物中毒など多岐にわたる。急性血液浄化療法中に薬剤投与を計画した場合,小児の薬物動態とともに急性血液浄化療法特有の注意点を理解する必要がある。
2. 急性血液浄化療法施行の有無にかかわらず,可能な限り急性腎障害時には肝代謝型薬物を,急性肝不全時には腎排泄型薬物を選択し,かつ血中濃度モニタリング可能な薬物はこまめに評価を行い,投与量を決定することが重要である。
3. 肝機能障害がない場合の急性血液浄化療法中に肝代謝型薬物を使用する場合,急性血液浄化の影響をほぼ受けないので,原則として減量は不要であり,持続的腎代替療法導入による特別な投与量設定は不要である。
4. 持続的腎代替療法中の薬物動態は腎機能のなかでも特に糸球体濾過を代替していると考えられるため,腎排泄型薬物が受ける影響は強くなる。急性血液浄化療法中に腎排泄型薬物を使用する場合,残存腎機能がほぼ廃絶している成人と仮定すれば,薬物投与量は糸球体濾過量が10〜50 mL/分程度の患者に対する投与量に相当する場合が多い。小児の場合は,使用する置換液量を体表面積換算して持続的腎代替療法による薬剤のクリアランスを算出し,さらに残存腎機能がある場合や腎機能が正常な場合,持続的腎代替療法による薬剤のクリアランスに加え,患者の腎からのクリアランスを追加して投与量を決定していくことになる。また,海外のガイドラインを参照して薬

**急性血液浄化療法の実際**

物投与を行う場合，日本の保険適用内での持続的腎代替療法以上の浄化量が推奨されているため，常に過剰投与になる可能性を考慮する必要がある。さらに，残存腎機能や透析の条件によっては，糸球体濾過量が50 mL/分以上の患者に対する投与量と同等，もしくは正常の腎機能時よりも多い投与量が必要になる場合もある。

## はじめに

小児における急性血液浄化療法の適応疾患としては，急性腎障害（AKI）や急性肝不全，敗血症，代謝性疾患，術前術後管理，薬物中毒など多岐にわたる。急性血液浄化療法中に薬剤投与を計画した場合，小児の薬物動態とともに急性血液浄化療法特有の注意点を理解する必要がある。

## 薬物動態と小児

小児期は成人期と異なり，発達と成長の過程にある。薬物動態が大きく変化する生理的機能の発達の程度に合わせた，薬物投与量や投与方法の設定および薬物動態のモニタリングが必要となる。

### 1. 吸収

小児は成人と比べ，一般的に胃内容物排泄時間が延長する。腸管運動も弱いため，経口投与された薬剤の体内への吸収過程が遅延する傾向にある。

### 2. 分布

小児における薬物動態に最も影響を及ぼすのが，体水分量とその分布である。新生児の体水分量は体重の80%を占め，細胞外水分量は体重の40%である。その後の成長に伴い，それぞれの体重に占める割合は減少し，思春期頃には成人の値

（体水分量は体重の60%、細胞外水分量は体重の20%）に近づく[1]。

　分布容積とは、薬物が組織へ分布する指標として頻用され、体内に存在するすべての薬物が血漿中と同じ濃度で存在したと仮定した時の仮想的な容積のことを指す。上記のように成長に伴う体水分量の変化だけでも分布容積は大きく変化する。一般的に脂溶性薬物は筋肉や臓器などの組織にも比較的高濃度で分布することが多いため分布容積が大きくなり、逆に水溶性薬物は分布容積が小さくなる。小児期は、体脂肪率が低いため、脂溶性薬物の血中濃度が高くなりやすい。

　病態による変化の例として、AKI時は溢水によって増加した水分は細胞外液に貯留し、肝不全やネフローゼ症候群による低アルブミン血症によっても細胞外液量が増大する。このような場合、ほとんどが細胞外液に分布するようなアミノ配糖体系抗菌薬やβラクタム系抗菌薬などの水溶性薬物は分布容積が増大するため、投与量を増加しないと期待できる効果が薄れる可能性が生じる。

## 3. 蛋白結合率

　血漿中にはアルブミンやα1酸性糖蛋白が高濃度で存在し、薬物と結合することが知られている。新生児、未熟児における血清蛋白は低く、薬物との結合率が低下するため、成人の有効血中濃度をそのまま使用すると薬効が強く出る可能性がある。

## 4. 体内からの薬物消失経路

　薬剤が体内から消失する経路には大きく分けて2つあり、1つは肝における代謝および胆汁排泄であり、もう1つは腎排泄である。薬物の消失が肝臓における代謝に大きく依存していれば肝代謝型薬物、腎臓における排泄に大きく依存していれば腎排泄型薬物と呼ばれ、未変化体尿中排泄率（Ae）によっ

て定義される（Ae＜0.3：肝代謝型薬物，0.3＜Ae＜0.7：中間型薬物，Ae＞0.7：腎排泄型薬物）。AKIや急性肝不全時は薬物の消失遅延により中毒性の副作用が起こりやすくなる。

　小児は成人と比べ単位体重当たりのクリアランスは大きくなり，消失半減期は短くなる。また，水溶性薬物はほとんど代謝を受けることなく腎臓から排泄され，糸球体濾過量や尿細管における分泌能などの影響を受ける。新生児の体表面積当たりの糸球体濾過率は成人の30％ほどしかなく，1歳をすぎて成人に近づくため[2]，新生児，乳児の薬物投与量は過剰投与にならないように注意が必要となる。

## 5. 急性腎障害（AKI）

　薬物の吸収，分布，代謝，排泄のうち，AKI時に最も影響を受けるのは腎排泄型薬物における排泄である。一方，吸収，代謝は腎機能正常時と比べ顕著な差はない。

　AKIでは，水溶性薬物のうちAeが高い薬剤，もしくは活性代謝物の尿中排泄率が高い薬物は，排泄遅延により薬物が蓄積し中毒性の副作用をきたしやすい。添付文書に書かれている尿中排泄率は代謝物を含めたものを示すこともあるが，この場合の尿中排泄率は尿中回収率を意味するものであり，腎不全患者の投与設計には役に立たない。活性のない代謝物がいくら蓄積しても中毒性副作用を起こすことはないからである。

## 6. 急性肝不全

　肝不全の薬物動態に最も影響を与えるのは肝血流量の減少，肝の代謝酵素活性の低下である。肝不全時には蛋白結合率の低下や，分布容積の増大傾向にあり，また，肝不全に伴う高アンモニア血症や肝性脳症によって中枢神経作動薬などの効果が増強することがある。薬物の結合蛋白に競合する内因性ビリルビンや遊離脂肪酸は，年長児に比べ新生児で高く，

特にビリルビンが高値である場合は，核黄疸や薬効が強く出ることがある。

代謝に関し，多くの薬剤は肝の中でチトクロームP-450（CYP）によって酸化，還元，あるいは加水分解を受けるが，薬剤によっては，代謝能力の非常に弱いpoor metabolizerから非常に早いultrarapid metabolizerまでさまざまな遺伝子多型によって代謝能力が異なることが知られている。ただし肝代謝能力を正確に表すパラメーターはないため，肝代謝型薬物を肝不全患者に対し安全かつ有効に投与するには低用量から開始する必要がある。

## 急性血液浄化療法中の薬剤の使用法と注意点

急性血液浄化療法施行の有無にかかわらず，可能な限りAKI時には肝代謝型薬物を，急性肝不全時には腎排泄型薬物を選択し，かつ血中濃度モニタリング可能な薬物はこまめに評価を行い，投与量を決定することが重要である。

急性血液浄化療法特有の性質として以下のものがあげられる。

1) 低分子量の薬物は除去されやすい。
2) 蛋白結合した薬物は透析や限外濾過による除去を受けず，遊離型薬物のみが透析膜を通過する（蛋白結合率の大きい薬物では血液浄化による除去を受ける割合は小さく，蛋白結合率の小さい薬物では透析性が高くなる）。ICU患者では炎症や低栄養などで低アルブミン血症を呈している頻度が高く，薬物の非蛋白結合率が上昇するため，薬物が除去されやすくなる。
3) 分布容積が小さい薬物，つまり血漿中に多く存在する薬物は除去されやすい（分布容積が血漿量と同程度：0.04 L/kgであればほとんどの薬物は血漿中に存在することを意味する）。
4) 重度のAKIなどに対して適応される持続的血液透析（CHD）

### 急性血液浄化療法の実際

や持続的血液濾過(CHF)，持続的血液濾過透析(CHDF)などは，持続的腎代替療法(CRRT)と呼ばれるが，CRRT中の薬物動態は腎機能のなかでも特に糸球体濾過を代替していると考えられるため，腎排泄型薬物が受ける影響は強くなる。

つまり，低分子量や低分布容積，低蛋白結合率，腎排泄型の薬物は，CRRT中の影響を受けやすくなる。肝機能が正常であれば，肝代謝型薬物は急性血液浄化の影響をほぼ受けないので，原則として減量は不要であり，CRRT導入による特別な投与量設定は不要である。では，CRRT施行時に腎排泄型薬物を投与する場合，どのように薬物投与量を決定すればよいのだろうか。ここでは残存腎機能がほぼ廃絶した状態を仮定して説明する。

CRRTによる薬剤のクリアランス(CLCRRT)は原則として透析排液流量(Qoutflow)と薬剤の蛋白非結合型分率(fu)の積で表されると考えられる[3]。

$$CLCRRT = fu \times Qoutflow = fu \times (Q_D + Q_F)$$

ここで$Q_D$は透析液流量，$Q_F$は濾過流量を示す。使用する置換液量とQoutflowはほぼ一致するので，成人で考えるとわが国の保険上の制約から標準的な条件ではQoutflowは約10〜20 mL/分となり，fuが1とすると10〜20 mL/分に相当する糸球体濾過量をまかなうと考えられる。つまり，AKI時に腎排泄型薬物をCRRT下で投与する場合，腎機能が中等度に低下した患者〔クレアチニンクリアランス(Ccr)で10〜50 mL/分程度〕と同等の投与量でよいと思われる。実際に海外の成書(成人)では[4,5]，多くの薬剤についてCRRT導入時の投与量は腎機能が10〜50 mL/分程度の患者に対する投与量と同等とされている。上記はあくまで一定のCRRT条件下の成人での理論であるが，実践性を考慮し，代表的な薬剤の使用法を表に示した。表を見てわかる通り，感染症治療にかかわる薬物の多くが投与量設定の必要があることにな

## 5 急性血液浄化療法中の薬剤の使用法と注意点

### 表 小児で使用される主な薬剤の腎不全投与量一覧（成人量）

| 一般名 | 常用量（成人） | CRRT時 | Ccr(mL/分) >50 | Ccr(mL/分) 10〜50 | Ccr(mL/分) <10 または透析 | 透析除去性 | 未変化体尿中排泄率(%) | 蛋白結合率(%) | 分布容積(L/kg) |
|---|---|---|---|---|---|---|---|---|---|
| 催眠鎮静剤導入剤 ミダゾラム | 添付文書参照 | ↑ | ↑ | ↑ | ↑ | なし | 0.03以下 | 93〜96 | 1.0〜6.6 |
| マイナートランキライザー ジアゼパム | 10 mg, 3〜4時間 | ↑ | ↑ | ↑ | 常用量の半分 | 少ない | 5以下 | 47 | 1.5〜4.5 |
| 抗てんかん薬 フェニトイン | 添付文書参照 | ↑ | ↑ | ↑ | ↑ | なし | 0.4 | 90 | 1 |
| 強心配糖体 ジゴキシン | 0.25〜0.5 mg, 1日1回 | ◎ | ↑ | 0.125 mg, 1日1回 | 0.125 mg, 週3〜4回 | 少ない | 50〜85 | 20〜30 | 5.0〜8.0 |
| カテコラミン ドパミン塩酸塩 | 1〜5 µg/kg/分 | ↑ | ↑ | ↑ | ↑ | 少ない | 3 | 5.0〜15 | 0.89〜0.93 |
| ドブタミン塩酸塩 | 1〜5 µg/kg/分 | ↑ | ↑ | ↑ | ↑ | 多い | 1 | 38.2 | 0.25 |
| カルシウム拮抗薬 ニカルジピン塩酸塩 | 2〜10 µg/kg/分 | ↑ | ↑ | ↑ | ↑ | なし | 1以下 | 98〜99 | 0.8 |
| ループ利尿薬 フロセミド | 20 mg, 1日1回 | ↑ | ↑ | ↑ | ↑ | なし | 67〜75 | 95 | 0.07〜0.2 |
| H2受容体拮抗薬 ファモチジン | 20 mg, 1日1〜2回 | ◎ | 10 mg, 1日1〜2回 | 5 mg, 1日1〜2回 | 5 mg, 1日1〜2回 | 多い | 70〜80 | 15〜22 | 0.8〜1.4 |
| PPI オメプラゾール | 20 mg, 1日2回 | ↑ | ↑ | ↑ | 5以下 | なし | 5以下 | 96 | 0.31〜0.34 |
| 蛋白分解酵素阻害剤 ガベキサートメシル酸塩 | 1 mg/kg/時 | ↑ | ↑ | ↑ | ↑ | あり | 31〜43 | 未知 | 未知 |
| ナファモスタットメシル酸塩 | 0.06〜0.2 mg/kg/時 | ↑ | ↑ | ↑ | ↑ | あり | 未知 | 未知 | 未知 |
| 副腎皮質ホルモン ヒドロコルチゾンコハク酸エステルナトリウム | 50〜100 mg, 1日1〜3回 | ↑ | ↑ | ↑ | ↑ | 未知 | 1 | 未知 | 未知 |
| プレドニゾロン | 添付文書参照 | ↑ | ↑ | ↑ | ↑ | 少ない | 5〜20 | 0 | 2.2 |

## 急性血液浄化療法の実際

### 表 小児で使用される主な薬剤の腎不全投与量一覧（成人量）つづき

| | 一般名 | 常用量（成人） | CRRT時 | >50 | Ccr(mL/分) 10～50 | <10または透析 | 透析除去 | 未変化体尿中排泄率(%) | 蛋白結合率(%) | 分布容積(L/kg) |
|---|---|---|---|---|---|---|---|---|---|---|
| 副腎皮質ホルモン | メチルプレドニゾロン | 添付文書参照 | ↑ | ↑ | | | 多い | 10 | 40～60 | 1.2～1.5 |
| | リン酸デキサメタゾンナトリウム | 添付文書参照 | | | | | 少ない | 6以下 | 70 | 0.8～1.0 |
| 血液凝固阻止剤 | ヘパリンナトリウム | 添付文書参照 | | | | | なし | | >90 | 0.06～0.1 |
| 抗ウイルス薬 | アシクロビル | 5～12.5 mg/kg, 1日3回 | 5～10 mg/kg, 1日1回 | ↑ | 5～12.5 mg/kg, 1日1～2回 | 2.5～6.25 mg/kg, 1日1回 | 多い | 76 | 9～33 | 0.7 |
| 合成ペニシリン系抗菌薬 | アンピシリン(ABPC) | 1～2 g, 1日3～4回 | ◎ | ↑ | 1～2 g, 1日2～3回 | 1～2 g, 1日2回 | あり | 73～90 | 20 | 0.17～0.31 |
| | ピペラシリン(PIPC) | 3.3～4.5 g, 1日3～4回 | | ↑ | 2.25 g, 1日3～4回 | 2.25 g, 1日3回 | あり | 74 | 30 | 0.18～0.3 |
| | アンピシリン/スルバクタム(ABPC/SBT) | 3 g, 1日4回 | 3 g, 1日2回 | ↑ | 3 g, 1日2～3回 | 3 g, 1日1回 | あり | | 28/38 | 0.28 |
| | ピペラシリン/タゾバクタム(PIPC/TAZ) | 3.375 g, 1日4回 | ◎ | | 2.25 g, 1日4回 | 2.25 g, 1日3回 | あり | 69.3/70.8 | 16/38 | 0.24/0.4 |
| | セファゾリン | 1～2 g, 1日3回 | ◎ | ↑ | 1～2 g, 1日2回 | 1～2 g, 1日2回ごと | あり | 89 | 80 | 0.13～0.22 |
| セフェム系抗菌薬 | セフメタゾール(CMZ) | 1～2 g, 1日2回 | ◎ | 1 g, 1日2回 | 0.5 g, 1日2回 | 0.5 g, 1日1回 | あり | | 75 | 0.18 |
| | セフォタキシム(CTX) | 2 g, 1日3回 | | 2 g, 1日2～3回 | 2 g, 1日1～2回 | 2 g, 1日1回 | 多い | 90 | 37 | 0.15～0.55 |
| | セフトリアキソン(CTRX) | 1～2 g, 1日1～2回 | ↑ | | | ↑ | 少ない | 55 | 90 | 0.12～0.18 |
| | セフタジジム(CAZ) | 2 g, 1日3回 | 1～2 g, 1日1～2回 | 2 g, 1日1～2回 | 2 g, 1日1～2回 | 2 g, 1日2回ごと | 多い | 93 | 17 | 0.28～0.4 |

## 5 急性血液浄化療法中の薬剤の使用法と注意点

| | | | | | | | | |
|---|---|---|---|---|---|---|---|---|
| カルバペネム系抗菌薬 | イミペネム(IPM/CS) | 0.5 g, 1日4回 | 0.25〜0.5 g, 1日3〜4回 | 0.25 g, 1日2〜3回 | 0.125〜0.25 g, 1日2回 | 多い | 48 | 13〜21 | 0.17〜0.3 |
| | パニペネム/ベタミプロン(PAPM/BP) | 0.5 g, 1日2回 | ◎ | ↑ | 0.5 g, 1日1回 | 未知 | 21.5/91.5 | 7/30.8 | 11.1〜20 L/月, 30 L/月 |
| | メロペネム(MEPM) | 1 g, 1日3回 | ◎ | 1 g, 1日1〜2回 | 0.5 g, 1日1回 | 多い | 65 | 2.4 | 0.3〜0.4 |
| アミノ配糖体系抗菌薬 | アミカシン(AMK) | 7.5 mg/kg, 1日2回 | ◎ | 7.5 mg/kg, 1日1回 | 7.5 mg/kg, 2日ごと | 多い | 72.6 | <5 | 0.22〜0.29 |
| | ゲンタマイシン(GM) | 1.7〜2.0 mg/kg, 1日3回 | ◎ | 1.7〜2.0 mg/kg, 1日1回〜2日ごと | 1.7〜2.0 mg/kg, 2日ごと | 多い | 90以上 | 0〜10 | 0.26 |
| グリコペプチド系抗菌薬 | バンコマイシン(VCM) | 15〜30 mg/kg, 1日2回 | 0.5 g, 1〜2日に1回 | ↑ | 15 mg/kg, 2〜3日ごと | 少ない | >90 | 10〜50 | 0.47〜1.1 |
| テトラサイクリン系抗菌薬 | ミノサイクリン(MINO) | 初回200 mg, その後100 mg, 1日2回 | ↑ | ↑ | 7.5 mg/kg, 1〜4日ごと | 少ない | 5〜11 | 70 | 1.0〜1.5 |
| その他の抗菌薬 | リネゾリド(LZD) | 600 mg, 1日2回 | ↑ | ↑ | ↑ | なし | 2〜5 | 31 | 40〜50 L/月 |
| 抗真菌薬 | アムホテリシンB | 添付文書参照 | | | | 多い | 77.3〜82 | 90 | 4 |
| | フルコナゾール | 100〜400 mg, 1日1回 | 200〜400 mg, 1日1回 | 50〜200 mg, 1日1回 | ↑ | | | 12 | 0.7 |

↑：腎機能正常者と同量．◎：Ccr(クレアチニンクリアランス)10〜50 mL/分の場合と同用量．CRRT：持続的腎代替療法

Aronoff GR, et al : Drug Prescribing in Renal Failure : Dosing Guidelines for adults and Children, 5th ed, American College of Physicians, 2007[a]/David NG, et al (eds) : The Sanford Guide to Antimicrobial Therapy 2019 : 50Years : 1969-2019, Antimicrobial Therapy, 2019[b]/Bennett WM(ed) : Clinical Pharmacokinetics Drug Data handbook, 3rd ed, Adis International, 1998[c]/平田純生 他編生 : 透析患者への投薬ガイドブックー慢性腎臓病(CKD)の薬物治療 改訂2版．じほう，2009[7]/平田純生 : 腎不全時の薬物投与一覧．腎不全の薬の使い方 なるほど，じほう，531-597，2005[8]/山本武人．他 : 持続的腎機能代替療法(CRRT)導入時の薬剤投与量調節の考え方．臨床透析 26 : 1371-1377，2010[9]をもとに著者作成

## 急性血液浄化療法の実際

る。小児の場合，その血液浄化療法中の薬剤の使用法に関する成書は存在しないため，使用する置換液量を体表面積換算してCLCRRTを算出し，さらに残存腎機能がある場合や腎機能が正常な場合は，CLCRRTに加え患者の腎からのクリアランスを追加して投与量を決定していくことになる。注意点として，

1) 初回投与量は分布容積に依存するため，腎機能が悪化していても減量の必要はない。
2) 昨今の大規模臨床試験の知見から，KDIGO(Kidney Disease Improving Global Outcomes)ガイドラインでの推奨浄化量は20〜25 mL/kg/時と設定されている[10]。このため表のような海外のガイドラインはわが国の低用量のCRRTとは条件が異なるので，日本で同じ投与量を投与した場合，過剰投与になる可能性がある。
3) 小児の体格で，成人の保険適用上限量でのCRRTやhigh flowでの$Q_B$設定，ハイパフォーマンス膜の使用，高用量のon-line HDFなどではさらにクリアランスが増加し，Ccrが50 mL/分以上に相当した使用量，もしくは正常腎機能量よりも多い投与量が必要になる場合もある。

急性血液浄化療法中の重症患者に対して，治療に必要な腎排泄型薬物を投与する場合，その副作用を危惧するあまりunder-dosingになって予後を悪化させてはならない。このため，上記のことを正しく理解したうえで薬物投与量を決定していく必要がある。

### 引用文献

1) Behman RE, et al : Nelson Textbook of Pediatirics, 17th ed, Saunders, 2003
2) Melmon KL, et al : Neirenberg D, et al(eds) : Melmon and Morrelli's Clinical Pharmacology : Basic Principles of Therapeutics, Subsequent ed, McGraw-Hill, 1992
3) 山本武人，他：クリアランス理論に基づく持続的腎代替療法

## 5 急性血液浄化療法中の薬剤の使用法と注意点

(CRRT)施行時の薬物投与設計の考え方. 日腎臓病薬物療会誌 3：3-19, 2014
4) Aronoff GR, et al：Drug Prescribing in Renal Failure：Dosing Guidelines for adults and Children, 5th ed, American College of Physicians, 2007
5) David NG, et al(eds)：The Sanford Guide to Antimicrobial Therapy 2019：50Years：1969-2019, Antimicrobial Therapy, 2019
6) Bennet WM(ed)：Clinical Pharmacokinetics Drug Data handbook, 3rd ed, Adis International, 1998
7) 平田純生, 他編著：透析患者への投薬ガイドブック―慢性腎臓病(CKD)の薬物治療, 改訂2版, じほう, 2009
8) 平田純生：腎不全時の薬物投与一覧. 腎不全の薬の使い方Q＆A, じほう, 531-597, 2005
9) 山本武人, 他：持続的腎機能代替療法(CRRT)導入時の薬剤投与量調節の考え方. 臨床透析 26：1371-1377, 2010
10) Khwaja A：KDIGO Clinical Practice Guidelines for Acute Kidney Injury. Nephron Clin Pract 120：c179-c184, 2012

### 参考文献

1) 山田拓司：急性血液浄化療法中の薬剤の使用法と注意点. 伊藤秀一, 他監修：小児急性血液浄化療法ハンドブック, 東京医学社, 89-98, 2013

（山田 拓司）

急性腎障害(AKI)と急性血液浄化療法

# 1 急性腎障害(AKI)

**ポイント**

1. KDIGOよるAKIの診断：①48時間以内の血清クレアチニン値0.3 mg/dL以上の上昇，②7日以内に血清クレアチニン値が既知あるいは推定されたベースライン値の1.5倍以上に上昇，③尿量0.5 mL/kg/時未満が6時間を越えて持続，いずれかのひとつを満たせばAKIと診断される。
2. AKIの病因：腎前性，腎性，腎後性の鑑別を行う。
3. AKIの予防・治療
   1) 腎前性AKIでは生理食塩液などの晶質液(20 mL/kg)を反復投与し，血行動態を最適化する。低血圧が持続する場合には，昇圧薬の投与を行う。
   2) AKIの予防や治療目的に，ループ利尿薬や低用量ドパミンを投与しないことを推奨する。心房性ナトリウム利尿ペプチドは，AKIの予防や治療に関してエビデンスは不十分であり，推奨されない。
4. 腎代替療法導入基準：KDIGOのAKIステージ2になれば，腎代替療法の準備をし，保存療法に抵抗性の①溢水・肺水腫，②高カリウム血症，③代謝性アシドーシス，④尿毒症症状(心外膜炎，意識障害などの中枢神経症状)があれば腎代替療法を導入する。また小児では10～15%以上の体液過剰で，腎代替療法の導入が勧められる。
5. 腎代替療法の種類：腹膜透析，間欠的血液透析，持続的腎代替療法の3法がある。過度の体液過剰，乳酸アシドーシス，低血圧などを伴う重症患者では，輸血，薬剤や十分な栄養投与下での適切な体液バランスが必要とされ，急性血液浄化療法として持続的腎代替療法が管理しやすい。

6. 持続的腎代替療法の条件：血流量は2〜5 mL/kg/分，透析液流量は血流量の0.2〜0.5倍（25〜50 mL/kg），濾過流量は血流量の0〜5％とし，多臓器不全の時は，透析液流量は血流量の0.3〜1.0倍，濾過流量は血流量の0〜20％とする。

## 定義，概念

小児急性腎障害（AKI）の診断基準としては，2007年にAcute Kidney Injury Network（AKIN）よりAKIN分類[1]が，さらに同年Risk, Injury, Failure, Loss, End-stage renal failure（RIFLE）分類[2]を一部修正して，小児を対象としたPediatric RIFLE（pRIFLE）分類[3]が報告された。その後2012年，これらの分類をまとめて，Kidney Disease Improving Global Outcomes（KDIGO）より以下のAKIの診断基準とステージ分類（表1）[4]が示された。①48時間以内の血清クレアチニン値0.3 mg/dL以上の上昇，②7日以内に血清クレアチニン値が既知あるいは推定されたベースライン値の1.5倍以上に上昇，③尿量0.5 mL/kg/時未満が6時間を越えて持続，いずれかのひとつを満たせばAKIと診断される。さらにAKIの重症度を

表1 AKIのステージ分類

| ステージ | 血清クレアチニン | 尿量 |
|---|---|---|
| 1 | ベースライン値の1.5〜1.9倍または0.3 mg/dL以上の増加 | 0.5 mL/kg/時未満が6〜12時間 |
| 2 | ベースライン値の2.0〜2.9倍 | 0.5 mL/kg/時未満が12時間以上持続 |
| 3 | ベースライン値の3.0倍または血清クレアチニン値が4.0 mg/dL以上または腎代替療法の開始，18歳未満ではeGFR＜35 mL/分/1.73 m$^2$の低下 | 0.3 mL/kg/時未満が24時間以上持続あるいは12時間以上持続する無尿 |

Kidney Injury Work Group：KDIGO Clinical Practice Guideline for Acute Kidney Injury. Kidney Int（Suppl）2：1–138, 2012[4]より引用，一部改変

**急性腎障害（AKI）と急性血液浄化療法**

ステージ1～3に分類した[4]。これらの基準は，その後の後ろ向き観察研究で，小児AKIの診断と重症度評価に有用であることが示され，3カ月以上の年齢で利用可能である[5,6]。血清クレアチニンのベースライン値は，AKI診断3カ月以内の最低値を用いるが，血清クレアチニンの既知の値が不明な場合にはベースライン値を推定することになる。わが国の年齢・性別の血清クレアチニンの基準値をベースライン値として利用する方法や身長からの小児クリアランスを利用してベースライン値を推定する方法などがあるが，現時点では特定のベースライン値の推測法は存在しない。新生児領域に対しては，新生児修正KDIGO診断基準とステージ分類が示され，最近新生児の病態に則して改変が行われた[7]（本書別稿，急性腎障害（AKI）と急性血液浄化療法-3 新生児・低出生体重児への急性血液浄化療法を参照）。

## 頻度，原因とhigh risk群

小児AKIの頻度は，小児3次施設の一般病棟では約5％[8]，PICUでは27％に発生し，12％はKDIGOステージ2と3であったと報告されている[5]。原因疾患は，医療の進歩とともに変化し，先天性心疾患の開心術後，骨髄移植・臓器移植，悪性腫瘍の化学療法に伴うAKIの頻度が増加している。またKDIGO[4]では，敗血症，ショック，熱傷，外傷，心疾患術後，腎毒性薬剤や造影剤の使用，中毒，脱水，慢性腎臓病，慢性心・肺・肝疾患，糖尿病，癌，貧血などをAKIのhigh risk群とした。

## 病因，病態

AKIと診断されたら，まず詳細な病歴（経口摂取量の変化，尿量の変化，腎障害を有する薬剤の服用歴など）を聴取し，循環動態や体液量を評価するために，身体所見（血圧，脈拍，意識レベル，呼吸数，浮腫・皮膚ツルゴール，毛細血管再充

満時間，体重の変化など)をとることである。血液検査(CBC,BUN, クレアチニン，電解質，動脈血ガス分析)，尿検査(一般検尿，沈渣，電解質，クレアチニン，NAG, $\beta_2$MG)，心電図，胸部X線検査を施行する。また腹部超音波検査を行い，腎盂，腎杯拡大の有無を評価する。これによって腎後性AKIの多くは診断できる。腎後性AKIが否定されたら，腎前性か腎性かを鑑別する(表2)[9]。また腹部超音波検査時，先天性腎尿路異常などの慢性腎臓病の存在も見落とさないようにする。

## 1. 腎前性AKI

1) 外傷や手術による出血，下痢・嘔吐・熱傷などによる体液の喪失により血液量の減少から腎血流量が減少する。
2) 心不全，ショックなどにより有効動脈圧/有効循環血液量の減少から，腎血流量の減少により起こる。

1)や2)が重度の場合や，持続する場合には，腎障害が引き起こる。障害された腎臓は，血圧変動があっても腎血流量を一定に保つ自動調節能を失い，腎虚血になって，急性尿細管壊死(腎性AKI)へと進行していく。

### 表2 腎前性・腎性AKIの鑑別

|  | 腎前性 | 腎性 |
| --- | --- | --- |
| 尿所見 | 軽微 | 蛋白尿，血尿，円柱 |
| 尿比重 | >1.020 | ~1.010 |
| 尿浸透圧(mOsm/kg H$_2$O) | >500 | <350 |
| 尿中ナトリウム(mEq/L) | <20 | >40 |
| Fractional excretion |  |  |
| ナトリウム(%) | <1 | >2 |
| 尿素窒素(%) | <35 | >50 |
| 尿酸(%) | <7 | >15 |
| 尿中$\beta_2$MG | 低値 | 高値 |

① ループ利尿薬使用下ではfractional excretion of Na(FENa)は高値をとる
② 尿細管機能が保たれている糸球体性AKIでは，しばしばFENaは低値をとる

田中，2013[9]より引用，一部改変

**急性腎障害(AKI)と急性血液浄化療法**

## 2. 腎性AKI

急性尿細管壊死,急性尿細管間質性腎炎,感染後急性糸球体腎炎,急速進行性糸球体腎炎,血栓性微小血管障害(血栓性血小板減少性紫斑病/溶血性尿毒症症候群など),膠原病による腎障害などで起こる。

## 3. 腎後性AKI

尿路の閉塞あるいは強い狭窄によって起こる。小児では,先天性水腎症,後部尿道弁,膀胱・後腹膜腫瘍による尿路圧迫などがある。また乳幼児で,主にロタウイルスによる急性胃腸炎後の酸性尿酸アンモニウムによる両側尿管結石例が散見され,注意が必要である[10]。

# 治療

## 1. 腎前性と腎性AKIの治療

腎前性と腎性の鑑別は,表2[9]による。また循環血液量の評価を行い,脱水か溢水かの鑑別を行う。循環血液量の評価には,体重の変化,血圧,脈拍数,胸部X線での心胸郭比や肺野透過性,中心静脈圧,心臓超音波検査による呼気終末時の下大静脈径および呼吸性変動を参考にする。腎前性AKIと診断されたら,生理食塩水などの晶質液(20 mL/kg)を反応をみながら20〜30分かけて反復投与し,体液不足を是正し,血行動態を最適化する。十分な輸液投与が行われ,有効循環血液量が最適化されてもなお低血圧が持続する場合には,病態に応じた昇圧薬(ノルエピネフリン,ドパミン,バソプレシンなど)を投与する。特に敗血症性ショックの患者に対しては,日本版敗血症診療ガイドライン2016に示されている,小児敗血症性ショック初期治療アルゴリズムに沿って管理する[11]。しかし,体液過剰(FO)は死亡率を増加させるので,血行動態のモニタリングは重要である。腎性AKIの場合には,さらに原因検索を進め,可能であるなら腎生検などにより確

定診断を行い，原因に対する適切な治療を行う。また可能なら，尿細管障害を引き起こすアミノグリコシド系抗菌薬やアムホテリシンB，輸出細動脈を拡張させるアンジオテンシン変換酵素阻害薬，アンジオテンシン受容体拮抗薬，輸入細動脈を収縮させるカルシニューリン阻害薬，プロスタグランジン阻害薬などの腎毒性薬剤をすべて中止する。また，できるだけ造影剤の使用を控える。溢水，肺水腫に対してはループ利尿薬投与，高カリウム血症に対しては$\beta_2$刺激薬の吸入，カルシウム薬，イオン交換樹脂薬投与，グルコース・インスリン療法，代謝性アシドーシスに対しては重曹の投与を行う。

## 2. AKIの予防や治療に関する薬剤について

1) ループ利尿薬は，体液バランス，高カリウム血症に対する治療薬となるが，AKIの予防や治療目的にループ利尿薬を投与しないことを推奨する[6]。
2) AKIの予防や治療目的に低用量ドパミンを投与しないことを推奨する[6]。
3) うっ血性心不全治療薬である心房性ナトリウム利尿ペプチドは，低用量でAKIの予防における有効性が示唆されているが，予防，治療ともにエビデンスは不十分であり，推奨されない[6]。
4) トルバプタンは，心不全合併時に他の利尿薬と併用して用いられるが，AKIの予防や治療に有効とのエビデンスはない。

## 3. AKIに対する腎代替療法（RRT）の適応について
### 1) 腎代替療法をいつ開始するか（導入基準）

KDIGOのAKIステージ2になれば，腎代替療法（RRT）の準備を開始する。RRTの適応として，①保存療法に抵抗性の溢水・肺水腫，高血圧，②保存療法に抵抗性の高カリウム血症〔6.0 mEq/L以上（特に心電図上T波増高を認める時）〕，③保存療法に抵抗性の代謝性アシドーシス（pH＜7.15），④尿毒

## 急性腎障害（AKI）と急性血液浄化療法

症症状（心膜炎，意識障害などの中枢神経障害）があげられる。しかし，実際RRTの開始時期は，各施設により異なり，患者の年齢/体格，原疾患，合併症など全身状態をみながら決定される。特に小児では，FOがRRTを必要とするAKIの患者の死亡率と強く関係することが報告されている[12,13]。UpToDate[14]では15%以上のFO，あるいは，FOが10%を超える患者に大量の輸液や血液製剤を使用する場合には，RRTの導入を勧めている。

$$\%FO = \frac{fluid\ in(L) - fluid\ out(L)}{入院時の体重(kg)} \times 100(\%)$$

しかし早期のRRT導入が，生存率あるいは腎機能回復率を改善させるかについては，十分なエビデンスがない。RRTによるAKI治療の目的は，①体液，電解質，酸塩基，溶質のホメオスタシスを維持する，②腎臓に対するさらなる傷害を予防する，③腎臓回復を可能にする，④他の支持療法（抗菌薬，栄養療法）の制限のない施行を可能にすることである。

### 2）腎代替療法の種類

腹膜透析（PD），間欠的血液透析（IHD），持続的腎代替療法（CRRT）の3法がある。小児AKIに対するRRTとして，以前はPD療法が第一選択となることが多かった。しかし，医療技術の進歩とともにCRRTが選択されることが多くなっている。

PDは濾過と拡散により，持続的かつ緩徐に水分および溶質の除去を行い，患者の循環動態に与える影響が少なく，また抗凝固薬の使用を必要とせず，新生児や乳児に対して技術的に施行しやすいといった利点があった。しかしながら，過度のFO，乳酸アシドーシス，低血圧などを伴う重症患者では，輸血，薬剤や十分な栄養投与下での正確な体液バランスが必要とされ，CRRTのほうが管理しやすいと考えられる。一方PDは，開心術後の新生児の虚血性AKIや年少児の原発性腎疾患のAKIに対して施行されることが多い。

## 1 急性腎障害（AKI）

### 3）腎代替療法の実際
ここではIHDとCRRTについて述べる。

### (1) 間欠的血液透析
血流量（$Q_B$）は3〜5 mL/kg/分（成人200 mL/分），透析液流量（$Q_D$）は500 mL/分，透析時間は通常4時間で行われる。生命を脅かす電解質異常（高カリウム血症），薬物中毒，腫瘍崩壊症候群，高度の高アンモニア血症を伴うAKIが適応となる。

### (2) 持続的腎代替療法
$Q_B$は2〜5 mL/kg/分（成人100 mL/分以上），$Q_D$は$Q_B$の0.2〜0.5倍（25〜50 mL/kg），濾過流量（$Q_F$）は$Q_B$の0〜5%とし，多臓器不全の時は，$Q_D$は$Q_B$の0.3〜1.0倍，$Q_F$は$Q_B$の0〜20%としている。CRRTは専用のコンソールがあれば，特別な設備を必要としないため利便性が高い。また血行動態が不安定，急性脳障害・頭蓋内圧亢進の危険のある患者ではCRRTのほうが適している。AKIに対するCRRTの$Q_D$，$Q_F$に関する研究では，少なくとも$Q_D + Q_F$（あるいは補液流量）が20 mL/kg/時以上の範囲では，これを増加させても予後との関連がみられないことより，成人では20〜25 mL/kg/時の浄化量が推奨されている。しかしながら，小児の浄化量についてのエビデンスはなく，また小児では保険適用内で，増量も可能である。一方，急速な除水は循環動態を不安定にさせるため，除水速度は，10 mL/kg/時を超えないようにする。CRIT-LINE™モニターなどにより，循環血液量をモニタリングすることは有用である。CRRT時の合併症として，低カリウム血症は心臓興奮の増大による不整脈・突然死の原因となる。また，低リン血症は呼吸筋への影響から人工呼吸器離脱遷延につながることもある。電解質のモニタリングを行い，塩化カリウムやリン酸ナトリウムを透析液/補液に入れて補正する。

### 4）腎代替療法をいつ中止するか
RRTの中止時期に関して，人工呼吸器からの離脱時のような基準があるわけではなく，腎機能が十分なレベルに改善し

**急性腎障害（AKI）と急性血液浄化療法**

たが，RRTがもはや治療の目的〔①体液，電解質，酸塩基，溶質のホメオスタシスを維持すること，②他の支持療法（抗菌薬，栄養療法）の制限のない施行を可能にすること〕とならなくなった時である[4]。実際には臨床データの改善と尿量を目安にする。成人では透析離脱時に利尿薬なしで，尿量が約450 mL/日（約20 mL/時）あれば成功の可能性が高いとの報告がある[15]。RRTの中止過程では，CRRTからIHDへの変更やRRTの期間，回数の減少を考えるが，決まった方法はない。また腎機能の改善，RRTの期間や回数の減少を目的とした利尿薬の投与は効果がない。また，AKIからの回復時には尿細管機能障害が残存するため，水・電解質異常を生じやすい点に注意し，必要に応じて尿・血液検査を行う。

## AKIの薬物動態

AKIは薬物の体内分布容積とクリアランスに影響を及ぼし，薬物の毒性を増加させたり，その効果を減弱させたりする。腎機能障害の程度により，使用する薬剤の投与量と投与間隔を変更する必要がある。また，いったんRRTが施行されると薬物は透析により除去されるが，それぞれの薬物についてその動態は十分には解明されていない。基本的には薬物動態は，蛋白への結合性，クリアランス，体内の分布容積で決まる。個々の患者ごとに設定された薬動力学に基づいた投与法が必要となる（本書別稿，急性血液浄化療法の実際-5急性血液浄化療法中の薬剤の使用法と注意点を参照）。

## AKIの栄養と食事療法

熱量とタンパク質の摂取が不十分になると，体蛋白の異化亢進が起こる。また熱量とタンパク質摂取不足はAKIの死亡率と関与している。

# 1 急性腎障害(AKI)

### 表3 基礎代謝量

| 年齢 | 基礎代謝基準値(kcal/kg/日) |
|---|---|
| 1～2歳 | 60 |
| 3～5歳 | 50～55 |
| 6～9歳 | 40 |
| 10～11歳 | 35 |
| 12～14歳 | 30 |
| 15～17歳 | 25 |

厚生労働省：日本人の食事摂取基準(2020年版)「日本人の食事摂取基準」策定検討会報告書, 2019 https://www.mhlw.go.jp/content/10904750/000586553.pdf 2020.6.25アクセス[16]より引用, 一部改変

## 1. 熱量

KDIGO[4]では, AKIのあらゆるステージで成人では20～30 kcal/kg/日, 小児では各年齢の基礎代謝量の100～130%の熱量投与を勧めている。特に敗血症や多臓器不全例では, 基礎代謝量の120～130%の熱量が必要である。表3[16]に日本人の食事摂取基準(2020年版)で採用された小児の基礎代謝基準値の改変を示す。これを参考に熱量を決定する。

## 2. タンパク質・アミノ酸

RRT施行によるアミノ酸喪失を考慮して, タンパク質・アミノ酸摂取量は, 成人では, 異化亢進のない状態では0.8～1.0 g/kg/日, 血液浄化療法中では1.0～1.5 g/kg/日, CRRT中では最高1.7 g/kg/日としている[4]。一方PICU入室中の重症患者では, 0～2歳では2～3 g/kg/日, 2～13歳では1.5～2 g/kg/日, 13～18歳では1.5 g/kg/日のタンパク質の摂取が推奨されており[17], RRT下では, さらに10～20%の増量が推奨される[18]。

## 3. 脂質

脂肪製剤は必須脂肪酸を補給する目的で必要である。AKIでは, 高トリグリセリド血症が生じやすく, KDIGO[4]では

## 急性腎障害（AKI）と急性血液浄化療法

0.8〜1.0 g/kg/日（成人）投与が勧められている。実際の投与量はさらに少ないと考えられる。

### 4. ビタミンと微量元素

水溶性ビタミンは，RRTにより取り除かれるが，脂溶性ビタミンはRRTでは除去されず，体内に蓄積される可能性がある。経静脈栄養では水溶性・脂溶性ビタミンをともに含有する総合ビタミン薬を使用することが多いため，RRTが長期に及ぶ時には，留意を要する。一方，AKIでの微量元素の必要量やRRTが微量元素に及ぼす影響については，未だ不明な点が多く，現時点では経静脈栄養を受けている患者に関しては，標準的な補充を行う。

### 5. 栄養投与ルート

栄養投与の基本は，AKIの患者でも腸管が利用できる場合は，腸管を利用することである。経口摂取が不可能なら，経管による経腸栄養を施行する。AKIの患者では，消化管運動の低下と腸管浮腫による吸収障害がみられるため，経腸栄養が困難なことがあるが，経腸栄養は，bacterial translocationやストレスによる消化管出血の予防にもなるので，可能な限り施行する。

## AKIの治療戦略

最後にAKIのステージに基づく治療指針を示す（表4）[4]。High risk患者に対しては，AKI発症前より早期に介入することが重要であり，AKIステージ1と診断されれば諸検査を施行し，原因に応じた治療を行う。さらにステージ2に進行すれば，RRT導入を考慮し，PICUへ入室させる。RRTが可能な専門施設への搬送に際しては，より早い段階で考慮する。ステージ3に進行すれば，RRT施行のため右内頸静脈を第一選択として，透析用カテーテル挿入を行う。また，電子媒体

# 1 急性腎障害（AKI）

### 表4　AKIステージに基づく治療指針

| AKIステージ | | | |
|---|---|---|---|
| High Risk | 1 | 2 | 3 |
| 可能ならすべての腎毒性薬剤の中止 ||||
| 体液状態と灌流圧の適正化 ||||
| 血行動態のモニタリング ||||
| 血清クレアチニンと尿量のモニタリング ||||
| 造影剤の使用を控える ||||
| AKIアラートシステムの導入（全患者） ||||
| | 原因検索のための非侵襲的診断検査を行う |||
| | 原因検索のための侵襲的診断検査を考える |||
| | | 薬剤投与量の変更を確認 ||
| | | 腎代替療法導入を考える ||
| | | ICU入室を考える ||
| | | | 右内頚静脈へカテーテルを挿入 |

Kidney Disease：Improving Global Outcomes（KDIGO）Acute Kidney Injury Work Group：KDIGO Clinical Practice Guideline for Acute Kidney Injury. Kidney Int（Suppl）2：1-138, 2012[4]より引用，改変

の情報システムを利用したAKIアラートシステムを導入することで，入院患者の見逃されていたAKIの早期診断・早期介入を可能にする。

## 文献

1) Mehta RL, et al：Acute kidney Injury Network：report of an initiative to improve outcomes in acute kidney injury. Crit Care 11：R31, 2007
2) Bellomo R, et al：Acute renal failure − definition, outcome measures, animal models, fluid therapy and information technology needs：the Second International Consensus Conference of the Acute Dialysis Quality Initiative（ADQI）Group. Crit Care 8：R204-212, 2004
3) Akcan-Arikan A, et al：Modified RIFLE criteria in critically ill children with acute kidney injury. Kidney Int 71：1028-1035, 2007
4) Kidney Disease：Improving Global Outcomes（KDIGO）Acute Kidney Injury Work Group：KDIGO Clinical Practice Guideline for Acute Kidney Injury. Kidney Int（Suppl）2：1-138, 2012

5) Kaddourah A, et al : Epidemiology of acute kidney injury in critically ill children and young adults. N Engl J Med 376 : 11–20, 2017
6) Doi K, et al : The Japanese clinical practice guideline for acute kidney injury 2016. Clin Exp Nephrol 22 : 985–1045, 2018
7) Zappitelli M, et al : Developing a neonatal acute kidney injury research definition : a report from the NIDDK neonatal AKI workshop. Pediatr Res 82 : 569–573, 2017
8) McGregor TL, et al : Acute kidney injury incidence in noncritically ill hospitalized children, adolescents, and young adults : A retrospective observational study. Am J kidney Dis 67 : 384–390, 2016
9) 田中亮二郎：急性腎障害（AKI）．伊藤秀一，他監修：小児急性血液浄化療法ハンドブック，東京医学社，99–113，2013
10) Fujita T, et al : Acute renal failure due to obstructive uric acid stones associated with acute gastroenteritis. Pediatr Nephrol 12 : 2467–2469, 2009
11) 西田 修，他：小児敗血症性ショック初期治療アルゴリズム 2016．日集中医誌 24（Suppl）：S224，2017
12) Goldstein SL, et al : Pediatric patients with multi-organ dysfunction syndrome receiving continuous renal replacement therapy. Kidney Int 67 : 653–658, 2005
13) Sutherland SM, et al : Fluid overload and mortality in children receiving continuous renal replacement therapy : the prospective pediatric continuous renal replacement therapy registry. Am J Kidney Dis 55 : 316–325, 2010
14) Brophy PD, et al : Pediatric acute kidney injury(AKI) : Indications, timing, and choice of modality for renal replacement therapy(RRT). UpToDate, 2019
15) Uchino S, et al : Discontinuation of continuous renal replacement therapy : a post hoc analysis of a prospective multicenter observational study. Crit Care Med 37 : 2576–2582, 2009
16) 厚生労働省：日本人の食事摂取基準（2020年版）「日本人の食事摂取基準」策定検討会報告書．2019 https://www.mhlw.go.jp/content/10904750/000586553.pdf 2020.6.25アクセス
17) Mehta NM, et al : A.S.P.E.N Clinical Guidelines : nutrition support of the critically ill child. J Parenter Enteral Nutr 33 : 260–276, 2009

18) Sethi SK, et al：Nutritional management in the critically ill child with acute kidney injury：a review. Pediatr Nephrol 32：589-601, 2017

〔田中 亮二郎〕

急性腎障害(AKI)と急性血液浄化療法

# 2 急性腎障害(AKI)とバイオマーカー

## ポイント

1. AKIのバイオマーカーは，診断，重症度評価，治療介入関連の評価，予後について有用性が報告されている。
2. 今まで行ってきた適正な(ガイドラインなどに沿った)基本的診療や臨床情報(renal angina indexやその他さまざまな情報)が重要で，これらと組み合わせてバイオマーカーを利用すると診断精度などが向上する。ただし，AKIバイオマーカーを過信せず，偽陽性が多いことに注意する。
3. Damage biomarkerによる早期診断治療(管理)にかかわるAKIの概念と，functional biomarkerであるクレアチニン，尿量とdamage biomarkerの2軸から病態を把握する方法の理解は重要である。
4. Damage biomarkerには，2011年AKI(急性期に数回)と慢性腎臓病(3カ月に1回)に対して保険収載されたLiver-type fatty acid-binding protein(L-FABP)と，2017年にAKI(急性期に数回)に保険収載されたneutrophil gelatinase-associated lipocalin(NGAL)が存在する。
5. 小児では報告が少なくexpert opinionレベルであるが，NGALは300 ng/mL以上，L-FABPは500 μg/gCr以上では，重症度の高いAKIの病態に注意を払い，適正な管理が必要となる可能性がある。偽陽性が多いため，数値に振りまわされすぎず全体を俯瞰して，AKIの病態に注意して管理することが重要である。新生児のL-FABPは，小児とは異なり高値をとる可能性があり注意が必要である。今後，各施設からの症例の積み重ねから，年齢ごとの真のカットオフ値が確立されることが期待される。

## バイオマーカーの定義，概念

現在，さまざまな医療分野でバイオマーカー（以下，BM）が探索され，実臨床に応用されている。

すでに実臨床で用いられているBMは，循環器領域や悪性腫瘍で利用されている腫瘍マーカーなどである。急性心筋梗塞では1960年代から新しいBMが開発され，LDH，CPK，CK-MB，Troponin T，Troponin Iなど5種類以上が存在する。とりわけTroponin T/Iの有用性については言うまでもない。

BMは，「正常な生物学的反応，病態生理学的な反応，治療介入に対する薬理学的な反応などの指標として，客観的に測定された値で，評価されることが可能な特性」と，米国の国立衛生研究所に定義されている[1]。また，biomarkerはbiological markerの造語で，患者の医学的状態の客観的な指標であり，正確で再現性のある測定可能なものと記載[2]されている。

総論的には疾患の重症度の評価，早期診断，質的診断（鑑別診断），治療介入にかかわる反応性評価，予後予測などがBMの役割として期待されている（表1）。

実臨床においては，新しいBMを過信せず，今まで行ってきた基本的診療が重要であることを理解して利用する必要がある。そして，BMだけでなくさまざまな因子を統合し，総合的に評価して，真の病態生理を把握することで，本当に必要な医療を提供することが重要である。

### 表1 バイオマーカーの役割：総論，各論AKI

| 総論 | 各論：AKI |
| --- | --- |
| 診断 | 早期診断，簡易診断，鑑別診断 |
| 重症度 | AKI予測，ステージ評価予測 |
| 治療介入の評価 | 透析導入，回復，透析離脱 |
| 予後 | 腎予後，生命予後 |

# 急性腎障害(AKI)と急性血液浄化療法

## AKIとバイオマーカーの基本的事項

　まず,急性腎障害(AKI)は,さまざまな病態からAKIを呈する症候群である。そのため,さまざまなタイプ(疾患別:敗血症,先天性心疾患術後,血液腫瘍疾患,さまざまな移植医療,腎疾患,その他)のAKIが存在することになる。

　AKIの病期について,敗血症(sepsis)によるAKIを例に説明する。①感染症に罹患した初期段階〔クレアチニンの上昇なし,neutrophil gelatinase-associated lipocalin(NGAL),Liver-type fatty acid-binding protein(L-FABP)(＝damage biomarker：DBM)などのバイオマーカーの上昇もなし〕,②感染症罹患から全身性炎症反応症候群(SIRS),sepsisへと進展してリスクが高まる段階(クレアチニンの上昇なし,DBMの上昇あり),③sepsisが進展して臓器障害が確認できる段階(クレアチニンの上昇あり,DBMの上昇あり)(Septic AKI,敗血症性AKI),④AKIステージ3,腎不全の段階(クレアチニンの上昇あり,DBMの上昇あり,透析適応あり),⑤腎不全,多臓器不全から危惧される段階,⑥臓器障害が改善・回復していく段階,と①から⑥の病期を考えることができる。これはそのままAKIの概念[3]と一致する(図1)[4]。

　また,クレアチニンと尿量をfunctional biomarker(FBM)として,L-FABPやNGALをDBMとする。FBMを縦軸,DBMを横軸として各エリアがAKIの病態を表す図が,AKIの病態理解に有用である(図2)[5]。最近ではBM,2種類のFBM,DBMに加えて,stress biomarker(SBM)という尿細管細胞の細胞周期の停止という側面から病態を捉えた,SBMが海外では実臨床で利用され始めている(SBMについては後述)。

　AKIの概念においては,早期にAKIに気づき,良好なAKIの管理と予後を得ることが目的となる。いわゆる早期診断・早期治療(早期管理)が重要である。厳密には,AKIに対する特異的な治療薬は現在のところなく,水・電解質・酸塩基平衡

## 2 急性腎障害(AKI)とバイオマーカー

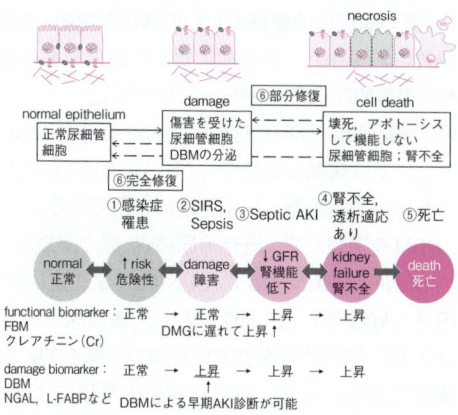

### 図1 AKIの概念とバイオマーカー(BM)

SIRS：全身性炎症反応症候群，GFR：糸球体濾過量，
NGAL：neutrophil gelatinase-associated lipocalin,
L-FABP：Liver-type fatty acid-binding protein

Cerdá J, et al：Epidemiology of acute kidney injury. Clin J Am Nephrol 3：881-886, 2008[4]より引用，一部改変

|  | 尿細管上皮細胞の障害の有無：damage biomarkerの上昇の有無 | |
|---|---|---|
| 腎機能障害の有無：functional biomarker：クレアチニン上昇（尿減少） | （−〜軽度） | （＋中・高度） |
| (−) | 尿細管上皮細胞障害なし 腎機能障害なし<br><br>正常な状態 | 尿細管上皮細胞障害あり 腎機能障害なし 例えば，SIRSから敗血症へ進展すると，敗血症性腎不全，腎障害を伴った下の段へ進展する<br><br>非乏尿性，AKI前段階 |
| (+) | 尿細管上皮細胞障害なし〜軽度腎機能障害あり<br><br>脱水症：腎前性腎不全 | 尿細管上皮細胞障害あり 腎機能障害あり<br><br>敗血症性腎不全など |

### 図2 Damage biomarkerの上昇の有無とfunctional biomarkerの上昇の有無の関係

Basu RK, et al：Combining functional and tubular damage biomarkers improves diagnostic precision for acute kidney injury after cardiac surgery. J Am Coll Cardiol 64：2753-2762, 2014[5]より引用，一部改変

### 急性腎障害(AKI)と急性血液浄化療法

の管理，腎臓の灌流圧の維持のための適正な呼吸・循環管理，腎毒性物質の減量中止，腎機能に対する適正な薬剤投与量の調整などの保存的な管理が治療の主体となる。

その際，早期診断・早期管理の一助になるのがDBMとなる。クレアチニンでは病期③で気づくが，AKIBMでは病期②で確認可能であり，早期診断・早期管理に有用である。

一方，DBMを過信せず，既存の尿検査(尿の浸透圧，比重，Na，Cr，FENa，FEUN，RFI，BUN/Cr，尿沈査(尿細管上皮細胞，円柱，好酸球)，$\beta_2$MG，NAG，蛋白尿，アルブミン尿など)(表2)，臨床情報を参考にしつつ，総合的に評価することが重要である。今後，新たな知見の蓄積により，BMの有用性を確立していく必要がある。

また，腎前性，腎性，腎後性などの鑑別も管理治療するうえで重要である(表3)。

## AKIの各バイオマーカー

### 1. Neutrophil gelatinase-associated lipocalin (NGAL)：damage biomarker

分子量25kDaの低分子蛋白であり，ヒトの好中球のgelatinaseに結合している。細菌感染などで活性化した好中

表2 AKIの鑑別診断

|  | 腎前性 | 腎性 |
|---|---|---|
| 尿浸透圧 | ＞500 | ＜350 |
| 比重 | ＞1.020 | ＜1.010 |
| 尿中ナトリウム | ＜20 | ＞40 |
| FENa | ＜1 | ＞2 |
| RFI | ＜1 | ＞2 |
| FEUN | ＜35 | ＞50 |
| 上皮細胞 | なし | あり |
| 顆粒円柱 | なし | あり |
| クレアチニン | 上昇 | 上昇 |
| NGAL | かつ | かつ |
|  | 軽度上昇 | 高度上昇 |

腎後性の鑑別は，超音波検査で水腎水尿管などから診断する。

## 2 急性腎障害(AKI)とバイオマーカー

表3 新たなバイオマーカー

| バイオマーカー | 検体 | 保険収載 AKI | 保険収載 CKD | 注意 | 単位 | クレアチニン補正 | 単位 補正なし | 成人:基準値単位 | 小児:正常値 | 心疾患術後AKI | 由来 | 生理学的役割 |
|---|---|---|---|---|---|---|---|---|---|---|---|---|
| NGAL<br>damage biomarker | 尿 | ○ | × | 急性期に数回まで | μg/gCr | ng/mL=<br>ng/μg/L<br>mgCr | 21.7 μg/gCr未満 | 21.7 μg/gCr未満 | カットオフ値:(C)/有意な上昇:(S) | (C):50 μg/2時間 L | 好中球 | 鉄輸送 細胞の生存を促進 |
| L-FABP<br>damage biomarker | 尿 | ○ | ○ | 急性期に数回まで | μg/gCr | ng/mL=<br>ng/μg/L<br>mgCr | 8.4 μg/gCr未満 | 8.4 μg/gCr未満 | (C)486 ng/4時間 mgCr | 近位尿細管 | 抗酸化剤 腎保護的 |
| シスタチンC | 血液 | △ | ○ | 3カ月に1回 | mg/L | | 男性:0.63〜0.95 mg/L、女性:0.56〜0.87 | 2〜11歳、0.61〜0.87 | (S)1.16 mg/12時間後 L | 核 | |
| TIMP-2, IGFBP7<br>stress biomarker | 尿 | × 北米○ | × | 日本では未承認 | (ng/mL)2/1,000 | | 2個の値をかけ合わせて、0.3 (ng/mL)2/1,000以上をAKIリスク | — | — | 近位尿細管細胞 | 損傷細胞の増殖制限 |

TIMP-2 : tissue inhibitor of metalloproteinase-2, IGFBP7 : insulin-like growth factor binding protein 7

121

## 急性腎障害（AKI）と急性血液浄化療法

球から分泌され、AKI時に遠位尿細管にも発現する。NGALは、①血液由来のものが近位尿細管での再吸収低下、②遠位尿細管での産生増加、③血中濃度の上昇により糸球体から濾過される量が増加、3つの機序で、尿中への排泄が増加する。生体内での機能として、胎児期の腎分化誘導、腎保護効果、抗菌効果などが知られ、AKIの早期診断の報告[6]が多くある。海外では以前から臨床で利用されていたが、日本では2017年に保険収載された。

AKI（急性腎障害）診療ガイドライン2016（以下、AKIガイドライン）[7]によると、成人ではAKIの早期診断、重症度評価、生命予後、腎性と腎前性の鑑別診断の有用性から測定することを提案するとされている。小児では、報告が増えているものの、その有用性は限定的である。

先天性心疾患術後に70％程度がAKIを発症することから、術後にNGALを経時的に測定して、AKI群と非AKI群を比較すると、AKI群では2時間後にNGALの有意な上昇があり、48時間後にクレアチニンが上昇することから、AKI早期診断のBMとして報告[8]された。同様に先天性心疾患術後の報告で、L-FABP、IL-18、kidney injury molecule-1（KIM-1）などのDBMが、それぞれ術後4、6、12時間後に有意な上昇が認められることが報告[9]されている。1つのDBMだけでなく、いくつかのBMを組み合わせたパネル化[10]によって、さらに正確な病態、病期の把握が可能となる。さらに、renal angina index（RAI）と呼ばれる臨床情報〔ICU入室、骨髄移植、人工呼吸器と強心薬を各1、3、5点として、推算糸球体濾過量（eGFR）か体液過剰率（％FO）を層別化して、1、2、4、8点としてかけ合わせて1〜40点とする〕と組み合わせて、AKI診断の精度が向上するとの報告[11]もある。

NGALのカットオフ値は、北米の小児AKI、持続的腎代替療法（CRRT）の中心的な施設から、institutional opinion/expert opinionレベルで報告されている（表3）。単位につい

## 2 急性腎障害(AKI)とバイオマーカー

てはクレアチニン補正されることもあるが、ng/mLでクレアチニン補正されていない値を採用している。NGALが300 ng/mL以上で重度腎障害,予後の悪化が予測され(表4)[12],一方,偽陽性も多いことに注意し,AKIの病態に注意して管理することが重要である。しかしながらDMBの有用性は小児では未確立であり,今後の症例の積み重ねが期待される。

主に成人領域(一部小児を含む)の報告でも、①AKIの予後予測にかかわる報告が多いが、②透析の必要性、③生命予後にかかわる報告も多数ある。メタ解析の論文では、19論文、2,538人のデータから、統計学的処理をしたカットオフ値を、おのおの④193.2、⑤278.3、⑥212.0 ng/mLと報告[13](表5)されており、前述した小児の表3のイメージと大きく異なることはない。ただ,特に小児のデータは少ないため、症例の積み重ねと継続した検討が必要である。

成人領域では,救急外来で多くの症例に対して、尿中DBM

### 表4 NGALの測定値と予測・対応

| AKI risk | NGAL(ng/mL) | 予測・対応 |
|---|---|---|
| Low | <50 | 否定できず<br>必要時再検 |
| Equivocal | 50〜149 | 必要時再検 |
| Moderate | 150〜300 | 腎障害が予測 |
| High | >300 | 重症腎障害,悪い予後 |

Varnell CD Jr., et al：Impact of near real-time urine neutrophil gelatinase-associated lipocalin assessment on clinical practice. Kidney Int Rep 2：1243-1249, 2017[12]より引用,一部改変

### 表5 小児・成人のメタ解析・NGALカットオフ値

|  | NGALカットオフ値 | 感度 | 特異度 | odds ratio |
|---|---|---|---|---|
| AKI予測 | 193.2(123.7〜405.7)ng/mL | 77.8 | 84.3 | 18.6 |
| 腎代替療法導入必要性 | 278.3(141.9〜381.6)ng/mL | 76 | 80.3 | 12.9 |
| 死亡予後予測 | 212.0(121.8〜506.7)ng/mL | 65 | 82.6 | 8.8 |

**急性腎障害(AKI)と急性血液浄化療法**

を測定し、NGALのAKIに対する有用性が報告[14]されているが、陽性的中率が23%と低く偽陽性が多いことが指摘されている。小児領域でも偽陽性の問題が出てくる可能性があり、注意が必要である。

## 2. Liver-type fatty acid-binding protein(L-FABP)：damage biomarker

分子量14 kDaの低分子蛋白であり、ヒトの近位尿細管細胞に発現し、肝臓、小腸にも発現している。生体内での機能としては、AKIなどの原因で尿細管周囲の血流障害が生じた際に、腎保護的に作用する。血流障害・虚血再灌流障害時に、酸化ストレスで遊離脂肪酸は、過酸化脂質へ変換される。この毒性脂質である過酸化脂質を、L-FABPが細胞外へ排泄し、腎障害を改善させる方向に作用する。尿細管周囲の血流と相関し、虚血・酸化ストレスマーカーとして、AKI[7]・慢性腎臓病(CKD)[7]に関連した報告があり、日本発のDBMである。

成人では、AKIの早期診断への有用性が示されており、AKIの評価のために測定することが提案[7]されているが、AKIの重症度評価、生命予後、腎性と腎前性の鑑別診断に対しては報告が少なく、有用性は不明とされている。今後の症例の積み重ねから、有用性が明らかになることが望まれる。小児ではNGAL同様、有用性は限定的[7]とされている。

小児での報告は前述のように、先天性心疾患術後の症例で、AKIの早期診断の有用性[9]が明らかとなり、日本では2013年に保険収載された。

L-FABPのカットオフ値については、主に成人領域(一部小児を含む)のメタ解析の報告[10]がある。NGAL同様、①AKIの予測にかかわる報告が多いが、②透析の必要性、③生命予後にかかわる報告がある。23論文、3,415人の解析からカットオフ値を、おのおの④中央値49.5(25～3,452)、⑤中央値414(393～24,897)、⑥中央値461.5(45～1,800)ng/mgCrと

## 2 急性腎障害（AKI）とバイオマーカー

報告[15]（表5）されている。ばらつきが大きいのは対象となる疾患が一定でないためで，肝移植後AKIでは，特に高い値となっている。いずれにしても，今後症例を蓄積して対象疾患を限定し，検討する必要がある。

L-FABPについては，静岡県立こども病院におけるデータ（AKIで腎臓内科コンサルトがあり，L-FABPを測定して透析導入群と非透析導入群の比較）では，小児（41症例）が500以上，新生児（14症例）が10,000以上で感度，特異度が80％以上であった（表6）。

このデータは腎臓内科コンサルト症例のみであるため，腎臓内科コンサルトのなかった同一疾患で検討していく必要がある。おそらく，偽陽性の症例が多く存在することが明らかになると推測される。今後症例数を増やして，小児，新生児のカットオフ値を検討していく必要がある。

### 3. その他のバイオマーカー

AKIに対して，重要なBMとしての役割を担ってきたクレアチニンと尿量は，DBMと対比してFBMであり，AKIのステージを定義する重要なBMである。尿量については，in（点滴など）/out（尿など）バランスを定量化した％FO（％FO＝ICU入院中in－入院中out/ICU入院時体重，例えば体重10 kgで，in補液1,000 mLでout無尿0 mLの場合は10％となる）とい

**表6 小児・成人のメタ解析とL-FABPカットオフ値（静岡県立こども病院のデータ）**

|  | L-FABPカットオフ値 | 感度 | 特異度 |
|---|---|---|---|
| AKI予測 | 49.5（25～3,452）ng/mgCr | 75.6 | 73.7 |
| 腎代替療法導入必要性 | 414（393～24,897）ng/mgCr | 90 | 47.3 |
| 死亡予後予測 | 461.5（45～1,800）ng/mgCr | 88.1 | 74.6 |
| 小児腎代替療法導入必要性 | 500 ng/mgCr | 93.3 | 80 |
| 新生児腎代替療法導入必要性 | 10,000 ng/mgCr | 85.7 | 85.7 |

## 急性腎障害(AKI)と急性血液浄化療法

う概念について,多くの報告[16]がある。%FOの上昇とともに死亡率が上昇し,死亡率に対して有意差があり,AKIガイドライン[17]や敗血症ガイドラインでも引用されている(詳細はAKIガイドライン[17]などを参照されたい)。%FOが10%を超えると,さらにAKIの病態に注意して管理することが推奨されている。

以前からある尿検査〔浸透圧,比重,Na,Cr,FENa,FEUN,RFI,BUN/Cr,尿沈査(尿細管上皮細胞,円柱,好酸球,$\beta_2$MG,NAG,蛋白尿,アルブミン尿など)〕も重要で,一部は腎前性か腎性かの鑑別(表3)に利用されてきた。また,尿沈渣の尿細管上皮細胞と顆粒円柱の所見をスコアー化した指標が(表7)AKIの評価への有用性を報告[18]されており,尿沈渣の重要性が見直されている。

近年,SBMという新しいBMが,北米では利用可能となっている。これまでのBMとは異なり,尿細管上皮細胞の細胞周期の停止(アポトーシス)に関連するBMである。insulin-like growth factor binding protein 7(IGFBP7)とtissue inhibitor of metalloproteinase-2(TIMP-2)が,Nephrocheck®として商品化されている。カットオフ値が,IGFBP7とTIMP-2がかけ合わされたもので,0.3$(ng/mL)^2$/1,000と高感度カットオフ値の2.0$(ng/mL)^2$/1,000[19]がある。2.0以上の値では,中等度,重度のAKI症例を特定可能で,臨床的決断を補助するBMであると結論している。今後,さらなる有用性の報告と日本での利用が可能となることが期待される。

### 表7 AKIの尿沈渣のスコアー

| 尿細管上皮細胞(HPF) | 顆粒円柱(LPF) 0/LPF | 1〜5/LPF | <6/LPF |
|---|---|---|---|
| 0/HPF | 0 | 1 | 2 |
| 1〜5/HPF | 1 | 2 | 3 |
| <6/HPF | 2 | 3 | 4 |

## おわりに

　近年，AKIのDBMとしてNGAL，L-FABPが保険収載され，実臨床で利用可能になった。特にAKI早期診断で有用である。AKI診療において，今まで行ってきた適正な（ガイドラインなどに沿った）基本的診療や臨床情報（renal angina indexやその他さまざまな情報）が重要であることは，これまでとは変わらない。目安となるカットオフ値は存在するが，偽陽性が多い可能性があることを理解して利用していく必要がある。新生児・小児のデータは少なく，これから症例を積み重ねてエビデンスを構築していく必要がある。

**文献**

1) Biomarkers Definition Working Group：Biomarkers and surrogate endpoints：preferred definitions and conceptual framework. Clin Pharmacol Ther 69：89–95, 2001
2) Strimbu K, et al：What are biomarkers? Curr Opin HIV AIDS 5：463–466, 2010
3) Devarajan P：Neutrophil gelatinase-associated lipocalin：a promising biomarker for human acute kidney injury. Biomark Med 4：265–280, 2010
4) Cerdá J, et al：Epidemiology of acute kidney injury. Clin J Am Nephrol 3：881–886, 2008
5) Basu RK, et al：Combining functional and tubular damage biomarkers improves diagnostic precision for acute kidney injury after cardiac surgery. J Am Coll Cardiol 64：2753–2762, 2014
6) Zhang A, et al：Diagnosis and prognosis of neutrophil gelatinase-associated lipocalin for acute kidney injury with sepsis：a systematic review and meta-analysis. Crit Care 20：41, 2016
7) AKI（急性腎障害）診療ガイドライン作成委員会編：AKI（急性腎障害）診療ガイドライン2016．日腎会誌 59：419–533，2017
8) Zappitelli M, et al：Urine neutrophil gelatinase-associated lipocalin is an early marker of acute kidney injury in critically ill children：a prospective cohort study. Crit Care 11：R84, 2007

9) Portilla D, et al：Liver fatty acid-binding protein as a biomarker of acute kidney injury after cardiac surgery. Kidney Int 73：465–472, 2008

10) Krawczeski CD, et al：Temporal relationship and predictive value of urinary acute kidney injury biomarkers after pediatric cardiopulmonary bypass. J Am Coll Cardiol 58：2301–2309, 2012

11) Menon S, et al：Urinary biomarker incorporation into the renal angina index early in intensive care unit admission optimizes acute kidney injury prediction in critically ill children：a prospective cohort study. Nephrol Dial Transplant 31：586–594, 2016

12) Varnell CD Jr., et al：Impact of near real-time urine neutrophil gelatinase–associated lipocalin assessment on clinical practice. Kidney Int Rep 2：1243–1249, 2017

13) Haase M, et al：Accuracy of neutrophil gelatinase-associated lipocalin(NGAL)in diagnosis and prognosis in acute kidney injury：a systematic review and meta-analysis. Am J Kidney Dis 54：1012–1024, 2009

14) Nickolas TL, et al：Diagnostic and prognostic stratification in the emergency department using urinary biomarkers of nephron damage：a multicenter prospective cohort study. J Am Coll Cardiol 59：246–255, 2012

15) Susantitaphong P, et al：Performance of urinary liver-type fatty acid–binding protein in acute kidney injury：a meta-analysis. Am J Kidney Dis 61：430–439, 2013

16) Sutherland SM, et al：Fluid overload and mortality in children receiving continuous renal replacement therapy：the prospective pediatric continuous renal replacement therapy registry. Am J Kidney Dis 55：316–325, 2010

17) 北山浩嗣：小児のAKI・CKD管理に有用な尿中バイオマーカーL型脂肪酸結合蛋白：L-FABP. 日小児腎臓病会誌 30(Suppl)：93, 2017

18) Perazella MA, et al：Urine microscopy is associated with severity and worsening of acute kidney injury in hospitalized patients. Clin J Am Soc Nephrol 5：402–408, 2010

19) Liu C, et al：The diagnostic accuracy of urinary [TIMP-2]・[IGFBP7] for acute kidney injury in adults：A PRISMA—compliant meta-analysis. Medicine (Baltimore) 96：e7484, 2017

〈北山 浩嗣〉

急性腎障害(AKI)と急性血液浄化療法

## 3 新生児・低出生体重児への急性血液浄化療法

### ポイント

1. 「体外循環による新生児急性血液浄化療法ガイドライン」「体外循環による新生児急性血液浄化療法マニュアル」が発刊され，国内外で新生児血液浄化療法が増加している。
2. 新生児血液浄化療法の適応は，急性腎障害，体液過剰，電解質異常，代謝性アシドーシス，急性肝不全，敗血症性ショック，先天代謝異常症に対する高アンモニア血症などである。
3. 早期新生児では，バスキュラーアクセスとして臍動静脈も使用可能である。
4. 新生児特有の留意点として，回路内血液充填，透析液の調整，抗凝固薬の調整，開始時血圧低下への対応，体温管理などがある。

### はじめに

　新生児・低出生体重児への血液浄化療法は，特別な機器や困難なバスキュラーアクセスを必要としない腹膜透析(PD)が主に行われてきた。しかし，機器・器具の進歩や除去効率の点から，2010年以降，新生児や低出生体重児への体外循環による血液浄化療法が増加しており，わが国では日本未熟児新生児学会から「体外循環による新生児急性血液浄化療法ガイドライン」[1]が公表された。続いて，血液浄化療法施行に関する詳細な管理方法や疾患別の症例を提示した「体外循環による新生児急性血液浄化療法マニュアル」[2]が発刊された。新生児集中治療および血液浄化療法のデバイスや管理方法の進歩により，新生児においても急性血液浄化療法が積極的に導

129

## 急性腎障害（AKI）と急性血液浄化療法

入されるようになってきた[3~6]。本稿では，新生児に施行可能な治療法と，特有の管理方法について述べる。

## 適応と選択

体外循環を用いた急性血液浄化療法の最小体重は，国内で500 g未満，国外で800 gと報告されている。しかし，体重2,000 g未満，特に1,000 g未満の極低出生体重児への急性血液浄化療法は，経験と労力を要する。すべてのNICUで急性血液浄化療法を行う必要はなく，適切な時期に導入できるよう準備・搬送を考慮しておくことが望ましい。

新生児においても，成人・小児同様，ほぼすべての血液浄化療法が可能ではあるが，間欠的血液透析は困難である。新生児で実施されることの多い急性血液浄化療法には，持続的血液濾過透析（CHDF），PD，血漿交換（PE），ポリミキシンB固定化繊維を用いた直接血液灌流法（PMX-DHP）の4つがある（表1）。腎代替療法（RRT）としては，CHDFとPDの2つがあり，各施設・各症例で適した治療法を選択する。急性期の治療としてはCHDFが有用である。PDの場合，PDカテーテル留置術2週間以内はカテーテル周囲の透析液の漏れが問題となり，十分な除水および治療量の透析を行うことが困難なためである。特に体液過剰（FO）に対する除水，保存的治療でコントロール困難な電解質異常・代謝性アシドーシス，および先天代謝異常症による高アンモニア血症などに対しては，CHDFを選択する。一方で，体重1 kg未満や，循環動態の極めて不安定な児，慢性腎不全の児では，PDを選択する場合が多い。肝不全，血液腫瘍疾患，多臓器不全を伴う急性脳症，難治性川崎病などでは，PEを施行する。保存的治療に反応の乏しい敗血症性ショックには，PMX-DHPを施行する。これらの治療法の詳細は，各稿に譲る。

## 3 新生児・低出生体重児への急性血液浄化療法

### 表1 新生児に実施可能な急性血液浄化療法

|  | CHDF | PD | PE | PMX-DHP |
|---|---|---|---|---|
| 適応 | 急性腎障害, 体液過剰, 高カリウム血症, 高アンモニア血症 | 体重1kg未満, 体液過剰, 慢性腎不全 | 急性肝不全 | 敗血症性ショック |
| 効果 |  |  |  |  |
| 除水能 | +++ | + | − |  |
| 溶質除去能 | +++ | + | − |  |
| 小分子除去能(アンモニア, 電解質) | +++ | + |  |  |
| 循環動態安定の必要性 | ++ | + | ++ | ++ |
| 抗凝固薬 | 必要 | 不要 | 必要 | 必要 |
| 合併症 |  |  |  |  |
| 高血糖 | − | + | − | − |
| 呼吸状態悪化 | − | + | − | − |
| 腹膜炎 | − | + | − | − |
| 不均衡症候群 | + | − | − | + |

CHDF：持続的血液濾過透析, PD：腹膜透析, PE：血漿交換, PMX-DHP：ポリミキシンB固定化繊維を用いた直接血液灌流法

### 1. 腎代替療法(RRT)の適応

急速な腎機能低下に対する治療は, 腎機能が低下している原因を突き止めてその原因を取り除くことにある。加えて, 水・電解質・酸塩基の管理, 呼吸循環動態の安定化, 腎毒性物質の回避などの保存的治療を行う。これらの管理を行っても管理困難な以下の病態では, 時機を逸することなくRRT(CHDF・PD)を導入する。

#### 1) 急性腎障害(AKI)

急性腎障害(AKI)とは, 腎機能低下を早期診断・早期治療し, 予後を改善させるコンセプトで提唱された概念である[7]。AKIガイドラインに, 小児および新生児のAKIの定義が示されている。ただし, 生後1週間以内の新生児にこの基準を用いると, 出生直後の生理的乏尿をAKIと診断するおそれもある。そのため, 生後1週間までの早期新生児においては, 以

### 急性腎障害（AKI）と急性血液浄化療法

前から使用されている定義を用いる場合もある。以前から使用されていた新生児腎不全の定義は，①生後48時間の無尿，あるいは尿量1.0 mL/kg/時に低下傾向，②生後48時間以内の血清クレアチニン（SCr）> 1.5 mg/dL，②生後48時間以降，SCr 0.2 ～ 0.3 mg/dLずつ連日上昇傾向，である。臨床的には以前から使用されている定義を参考にする場合も多いが，近年AKIの定義を用いた報告が増えてきた。新生児AKIの発症率は14.8%，体重の少ない児ほどAKI発症率は高い[8]。その要因は，未熟性，腎障害性薬物であるインドメタシンの投与，血圧低下時に使用するステロイド投与のある児など，未熟性と循環動態の不安定さが主な要因である。小児・成人と同様に，AKI患者の死亡率は高く，AKIを発症した集中治療を要する新生児の管理は重要である。

近年，成人ではAKIのステージとRRT導入のタイミングを検討したランダム化比較試験[9,10]が報告され，さらに大規模ランダム化比較試験が進行中である。現在のところ，AKIに対して早期のRRT開始が予後を改善するエビデンスは乏しく，臨床症状や病態を広く考慮して開始の時期を決定すべき，との見解が主流である[7]。

### 2）体液過剰（FO）

FOとは，適切な水・ナトリウム調整によっても細胞外液が過剰な状態であり，その程度を体液過剰率（%FO）で示す。

$$\%FO = \frac{（ICU入院後の投与水分量[L]）-（ICU入院後の体外排泄量[L]）}{ICU入室時の体重[kg]} \times 100[\%]$$

ICU入室後，RRT実施までの水分バランスをICU入室時の体重で除した数値を100倍した値である[11]。AKIでは，腎血流低下や低血圧によるレニン・アンジオテンシン系の亢進による腎血管抵抗の上昇によって，尿量が低下する。逆に，AKIでは中心静脈圧の上昇による腎灌流圧の低下でAKIを増悪させる。FOは，AKIの結果でもあり増悪因子である。論文

## 3 新生児・低出生体重児への急性血液浄化療法

によって，%FOのカットオフ値は異なるが，おおむね10〜20%を超えると死亡率は上昇する。新生児期の%FOとRRT適応についての研究は少なく今後の検討を要するが，RRT適応にFOの評価を勘案すべきである[7]。加えて，肺水腫や高血圧なども従来どおり血液浄化療法の適応である。

**3）尿毒素物質の過剰蓄積**
尿毒症性脳症，BUN > 100 mg/dL，心膜炎など
**4）保存的治療に不応性の電解質異常（低ナトリウム血症，高カリウム血症など）**
**5）保存的治療に不応性の酸塩基平衡異常（代謝性アシドーシスなど）**
**6）先天代謝疾患による高アンモニア血症・高乳酸血症**

RRTを要するAKIは最重症患者群である。まず，輸液管理を含む保存的治療を行い，治療抵抗性，進行性のFO状態の場合は，時機を逸することなくRRTの導入を行うべきである。その治療戦略は，全身状態安定化と臓器保護戦略からなる。個々の症例で病態は異なり，個別化された治療戦略を立てることが重要である。

## 2. 新生児用デバイス

表2〜4に示す。

## 持続的血液濾過透析（CHDF）施行方法

小児・成人の施行方法と基本的には同じである。体重が少ないため，体重当たりの血流量を多く設定する必要がある。一方で，保険診療で認められた1日当たりの透析液は20 Lと成人と同じである。そのため，CHDFであっても間欠的血液透析と同等の透析効率を確保することができるのが，新生児CHDFの臨床的な利点となる。透析液流量と濾過流量の和である血液浄化量の設定は，議論されている。新生児における適切な血液浄化量の報告はなく，今後の研究が待たれる。国

## 急性腎障害(AKI)と急性血液浄化療法

### 表2 新生児のバスキュラーアクセス

| |
|---|
| 1. ダブルルーメンカテーテルを使用する場合 |
| ・カテーテル：太さ6〜7Fr，長さ10〜15 cm<br>　低出生体重児では，中心静脈用カテーテル15〜17Gなどを代用する場合もある<br>・挿入部位：右内頸静脈または大腿静脈 |
| 2. 臍血管が使用可能な場合 |
| ・カテーテル：アンビリカル ベッセル カテーテル3.5Fr，5Fr，中心静脈用カテーテル15〜17Fr<br>・挿入部位<br>　a) 臍動脈-臍静脈<br>　b) 臍静脈-臍静脈<br>　c) 臍動脈-末梢静脈<br>　d) 末梢動脈-臍静脈 |
| 3. 末梢動脈・末梢静脈を使用する場合 |
| ・カテーテル：可能な限り太い留置針(22G，24G)<br>・挿入部位：末梢動脈-末梢静脈 |

日本未熟児新生児学会 医療の標準化検討委員会：体外循環による新生児急性血液浄化療法ガイドライン．日未熟児新生児会誌 25：89-97，2013[1]より引用，一部改変

内においては，抗凝固薬の第一選択薬はナファモスタットメシル酸塩である．海外ではクエン酸が使用されることが多いが，低カルシウム血症や血圧低下を誘発するため，新生児での使用には不向きである．

一般的な開始時の施行条件を以下に示す．

・血流量：1〜5 mL/kg/分(体重2,000 g未満では5 mL/kg/分〜)
・透析液流量：血流量の2倍が最も効率がよい，病態に応じて調整する
・濾過流量：血流量の0〜20%
・抗凝固薬：ナファモスタットメシル酸塩0.1〜1.0 mg/kg/時
・活性化凝固時間(ACT)：採取部位 回路の返血側，至適範囲150〜200秒程度

## 3 新生児・低出生体重児への急性血液浄化療法

### 表3 透析用カテーテル

| 製造元 | 販売元 | 製品名 | 外径(Fr) | 挿入長(cm) | 形状 | 材質 |
|---|---|---|---|---|---|---|
| ニプロ | ニプロ | ベビーフロー(ブラッドアクセス UK-カテーテルキット) | 6 | 10 | サイドホール、サイドバイサイド | ポリウレタン |
| ニプロ | ニプロ | ツインエンドエンドホール型(ブラッドアクセス UK-カテーテルキット) | 8 | 13/15 | サイドホール、サイドバイサイド | ポリウレタン |
| メディキット | メディキット | 留置カニューレキット | 7 | 10 | サイドホール、サイドバイサイド | ポリウレタン |
| コヴィディエン ジャパン | コヴィディエン ジャパン | ブラッドアクセスカテーテル ダブルルーメン、Argyle™ | 7 | 10 | サイドホール、サイドバイサイド | ポリウレタン |
| バクスター | バクスター | GamCathカテーテルN | 6.5 | 10 | サイドホール、サイドバイサイド | ポリウレタン |
| メドコンプ | 林寺メディノール | デュオ・フロー・XTP・ダブルルーメンカテーテルセット | 7 | 10 | サイドホール、コアキシャル | ポリウレタン |

### 表4 低容量血液浄化膜

| | メーカー | 製品名 | 膜面積(m²) | PV(mL) | 膜材質 |
|---|---|---|---|---|---|
| 透析膜 | 旭化成メディカル | エクセルフロー AEF-03 | 0.3 | 26 | PS |
| | 東レ | ヘモフィール®CH CH-03W | 0.3 | 24 | PMMA |
| | ニプロ | UTフィルター®S UT-01S eco | 0.1 | 10 | CTA |
| | | UTフィルター® UT-300/300S | 0.3 | 20 | CTA |
| 血漿分離器 | 旭化成メディカル | プラズマフロー OP-02D | 0.2 | 25 | PE |
| エンドトキシン吸着膜 | 東レ | トレミキシン® PMX-01R | 0.1 | 8.0±2.5 | — |

PS:ポリスルホン、PMMA:ポリメチルメタクリレート、CTA:セルローストリアセテート、PE:ポリエチレン

急性腎障害(AKI)と急性血液浄化療法

# 新生児の留意点

　新生児は体格が小さく，小児用よりサイズの小さいデバイスを使用する必要がある。血流量が少なく，プライミングボリューム(PV)，回路内凝固が問題となる。また適切な管理を行っていても，開始時血圧低下や頭蓋内出血などの出血性合併症をきたすことがあるため，注意を要する。

## 1. 回路内血液充填

　PVが循環血液量の10%を超えると，治療開始時の血圧低下や急速な血液希釈による合併症を引き起こす。そのため，患者の循環血液量の10%以内が望ましい[12]。しかし，小児用デバイスを使用してもPVは50 mL程度となり，循環血液量の10%以内に抑えることは困難である。10%を超える場合，赤血球製剤と5%アルブミンなどを1：1(〜3)で混合し，回路内充填を行う。ただし，赤血球製剤はカリウム濃度10〜20 mEq/L，Hct 70%，抗凝固薬としてクエン酸を含有しており，赤血球製剤をそのまま回路内充填液として使用することはできない。特に，クエン酸が体内に入ると低カルシウム血症による不整脈の誘発や，開始時血圧低下を誘発するため留意を要する。補正方法として，回路内透析と薬剤での調整の2つがある。

### 1) 回路内透析

　血流量40〜50 mL/分，透析液流量1,000〜2,000 mL/時，補正時間5〜20分を行い，血液ガス分析にて確認する[13]。

### 2) 薬剤での調整

　カリウム吸着フィルターを用いて，赤血球製剤のカリウム濃度1.0 mEq/L程度に低下させ，新鮮凍結血漿(FFP)もしくは5%アルブミン液などと混合する。混合血液100 mL当たりメイロン®5〜10 mL，カルチコール5〜10 mLで補正し，血液ガス分析にて確認する。

## 2. 透析液の調整

　市販の血液濾過用透析液の電解質濃度は，ナトリウム140 mEq/L，カリウム2.0 mEq/L，カルシウム3.5 mEq/L，リン0 mEq/L，マグネシウム1.0 mEq/L程度である。成人の腎不全患者を対象に作製された透析液であり，これをそのまま新生児に用いた場合，低カリウム血症，低リン血症，低マグネシウム血症をきたすリスクが高く，静脈内投与による補正では不十分な場合も多く経験する。患者の血中電解質濃度を定期的に確認し，透析液内の濃度を，カリウム4.0 mEq/L，リン4.0 mEq/L，マグネシウム2.0 mEq/Lに調整すると，簡便に補正可能である[14]。

## 3. 抗凝固薬の調整

　新生児における血液浄化療法の特徴として，体重当たりのPVが大きい，血流量が小さく血液の回路内滞留時間が長い，脱血不良などをきたし，回路内血流が停滞する時間が生じやすい，成人と比し抗凝固薬の効果が弱い，などがあげられる。そのため，体重当たりの抗凝固薬の増量，脱血側，返血側の2カ所から投与する，ナファモスタットメシル酸塩とヘパリンを併用するなどの対応を要する。抗凝固薬の投与量は，ナファモスタットメシル酸塩0.1〜1.0 mg/kg/時，ヘパリン開始時20〜50単位/kg，持続10〜25単位/kg（最大50単位/kg）である。また，回路内凝固がみられる症例では，その凝固部位に応じて投与部位や量の変更，患者へのアンチトロンビンⅢ，凝固第ⅩⅢ因子，トロンボモジュリン投与などを必要に応じて行う。一方で，脳血管の脆弱性や播種性血管内凝固症候群（DIC）の合併などのため，新生児，特に早産児は，頭蓋内出血のハイリスク患者である。抗凝固薬の投与の際は，凝固機能の評価と頭部超音波による頭蓋内出血の評価，ACT200秒程度になるよう抗凝固薬の投与量を調整する。ACT用の検体を採取する際，使用している抗凝固薬の種類に

## 急性腎障害（AKI）と急性血液浄化療法

より採取部位が異なり，注意を要する。抗凝固療法で調整困難な凝固障害やDICを併発した場合などは，FFPの投与や新生児期にはビタミンKの静注も考慮する。

### 4. 開始時血圧低下への対応

より体重の少ない新生児，重症，開始時の血圧が低い患者ほど，開始時の血圧低下の頻度は高い。開始前の電解質異常や不整脈，PVが全血液量の5〜10％以上，過度の除水などが開始時血圧低下の要因である。対処法として，血液やアルブミン溶液で回路内を充填する，PVを減らす，開始時に血液ポンプの流量を10分以上かけてゆっくり流速を上げる，除水は血行動態安定後に開始する，補液負荷，昇圧薬，電解質管理などを行う[15]。開始前に血圧低下に対する対応を準備しておくとよい。

### 5. 体温管理

新生児は体重当たりの体表面積が大きく，熱喪失量が大きい，皮下脂肪が少なく体温保持能力が低い，皮膚が薄く未熟なため不感蒸泄が多い，体重当たりの体外循環量が多く，体外循環による血液温度の低下の影響を強く受ける。これらの理由により体温が低下すると，血圧低下，末梢循環不全，徐脈などをきたし，体外循環を維持することが困難となる。新生児にとって体温管理は重要である。保温方法は，血液回路の保温，透析液・補液の加温，インファントウォーマーや閉鎖型保育器の加温調整などを行う。

### 6. 体液管理

新生児では，わずかな体液の増減が循環動態に大きく影響する。そのため，除水量の微調整，電解質の調整，酸塩基の調整に細心の注意を払う。特に水分バランスの調整は，インアウトバランスや除水量のみならず，頻回な体重測定や，皮

## 3 新生児・低出生体重児への急性血液浄化療法

下浮腫の程度，血管内容量・末梢循環の評価など多角的な評価を要する。

### おわりに

新生児における急性血液浄化療法は，集中治療および血液浄化療法管理の発展とデバイスの開発によって，症例数が増えてきている。一方で，十分な経験と労力を要する治療法でもある。今後の新生児急性血液浄化療法症例の蓄積や検討が必要である。

### 引用文献

1) 日本未熟児新生児学会 医療の標準化検討委員会：体外循環による新生児急性血液浄化療法ガイドライン．日未熟児新生児会誌 25：89-97, 2013
2) 茨 聡編著：体外循環による新生児急性血液浄化療法マニュアル，メディカ出版，2014
3) 伊藤秀一，他：わが国の小児急性血液浄化療法の実態調査．日小児腎不全会誌 32：231-232, 2012
4) 澤田真理子，他：小児科で施行した血液浄化療法112件の臨床的検討．日急性血浄化会誌 5：57-61, 2014
5) Vidal E, et al：Continuous veno-venous hemodialysis using the cardio-renal pediatric dialysis emergency machineTM：first clinical experiences. Blood Purif 47：149-155, 2019
6) Riley AA, et al：Pediatric continuous renal replacement therapy：have practice changes changed outcomes？ A large single-center ten-year retrospective evaluation. BMC Nephrol 19：268, 2018
7) AKI（急性腎障害）診療ガイドライン作成委員会編：AKI（急性腎障害）診療ガイドライン2016，東京医学社，2016
8) 澤田真理子，他：未熟児・新生児の急性腎障害の発症率と予後の検討．日急性血浄化会誌 7：51-57, 2016
9) Gaudry S, et al：Initiation strategies for renal-replacement therapy in the intensive care unit. N Engl J Med 375：122-133, 2016
10) Zarbock A, et al：Effect of early vs delayed initiation of renal replacement therapy on mortality in critically Ill patients with

acute kidney injury : the ELAIN randomized clinical trial. JAMA 315 : 2190-2199, 2016
11) Selewski DT, et al : The role of fluid overload in the prediction of outcome in acute kidney injury. Pediatr Nephrol 33 : 13-24, 2018
12) 服部元史：小児急性血液浄化療法の歩みとその実際．Clin Eng 17：964-973，2006
13) 河内 充，他：2kg以下の新生児に対するエンドトキシン吸着療法施行時のプライミング方法・充填血液補正法に関する当院の工夫．日急性血浄化会誌 5：156-159，2014
14) 澤田真理子，他：小児持続血液濾過透析(CHDF)における透析液へのP, Mg製剤添加の意義と問題点．日小児腎不全会誌 27：95-97，2007
15) Fernández S, et al : Hemodynamic impact of the connection to continuous renal replacement therapy in critically ill children. Pediatr Nephrol 34 : 163-168, 2019

## 参考文献

1) 和田尚弘：新生児・低出生体重児への血液浄化療法．伊藤秀一，他監修：小児急性血液浄化療法ハンドブック，東京医学社，204-212，2013

〈澤田 真理子，和田 尚弘〉

急性腎障害(AKI)と急性血液浄化療法

# 4 長期予後とフォローアップ

### ポイント

1. 急性腎障害(AKI)の長期生命予後・腎予後は必ずしも良好ではない。
2. 急性腎障害のためのKDIGO診療ガイドラインやわが国のAKI(急性腎障害)診療ガイドライン2016では,AKIを発症した患者の長期的な全身状態のフォローアップの必要性が強調されている。
3. AKI後のフォローアップのタイミングは,慢性腎臓病への移行有無を確認する理由で,少なくとも発症3カ月の時点で,全身状態や合併症の有無を含めて評価することが推奨されている。
4. 小児におけるAKIは,年齢によって原因疾患が大きく異なるのが特徴で,乳幼児期以降では溶血性尿毒症症候群が主な原因である。
5. 溶血性尿毒症症候群の診療・治療ガイドラインでは,少なくとも5年間,また,急性期に透析をした患者,無尿期間が7日以上の患者,2歳未満で急性期血清クレアチニンの最高値が1.5 mg/dL以上の患者では15年間以上,経過観察中に腎後遺症を合併した患者は,生涯のフォローアップが推奨されている。

## AKIの長期予後

　急激な腎機能の低下をきたし,体液恒常性維持が困難となった状態を,かつては急性腎不全(ARF)と定義していた。しかし,早期の腎機能低下段階でも予後に多大な影響を与えることが明らかとなり,治療介入を早期に行うべきであると

**急性腎障害（AKI）と急性血液浄化療法**

いう観点から，急性腎障害（AKI）という概念が提唱された。AKIの定義についてはRIFLE基準[1]，AKIN基準[2]が知られていたが，2012年にRIFLE基準とAKIN基準を統合したKDIGO診断基準[3]が提唱され，さらに生命予後を反映する指標として，現在推奨されている。

AKIの概念が世界的に広まるにつれ複数の臨床研究が行われ，AKIの長期生命予後・腎予後が不良である可能性や，ICUにおけるAKIの重症度分類と死亡率が相関する可能性が示され，AKIの予後に関する考え方は変わりつつある。2015年にSawhneyらによるシステマティック・レビューが報告され，AKI発症後の長期生命予後と腎予後は，いずれも不良であることが示されている[4]。また，2019年にSeeらによるシステマティック・レビューで，観察期間中央値2.9年で，AKI患者は非AKI患者に比し，死亡のリスク，慢性腎臓病（CKD）リスク，末期腎不全（ESKD）リスクが有意に高いことが示されている[5]。

2016年，わが国において，日本腎臓学会，日本集中治療医学会，日本透析医学会，日本急性血液浄化学会，日本小児腎臓病学会の5学会からAKI（急性腎障害）診療ガイドライン2016が作成された[6]。これによりAKIの診療の質が向上し，患者予後の改善につながることが期待されている。

## 小児におけるAKI

小児におけるAKIは，年齢によって原因疾患が大きく異なることが特徴である。新生児期では腎虚血（仮死や呼吸窮迫症候群など）や先天性腎尿路異常，新生児期から乳幼児期にかけては，感染症（敗血症）や脱水症，乳幼児期以降では溶血性尿毒症症候群（HUS）が主な原因となる[7]。

小児においても，AKIの長期予後は必ずしも良好ではないことが報告されている。Selewskiらは2,415例を対象に，小児ICUでのAKIの転帰について検討し，非AKI患者に比べ，

AKI患者では有意に人工呼吸器装着期間，ICU滞在期間，入院日数，死亡率が高いことを報告している[8]。Koralkarらは出生体重500〜1,500 g，在胎36週未満で出生した極低出生体重児229例を対象に，AKIと死亡率について検討し，AKIの極低出生体重児は，非AKI極低出生体重児と比べて有意に死亡率が高いことを報告している[9]。

HUSについては溶血性尿毒症症候群の診断・治療ガイドラインが作成され，その長期フォローアップの重要性が強調されており[10]，その内容について概説する。

## 溶血性尿毒症症候群（HUS）の長期予後

HUSは小児におけるAKIの主な原因である。HUS患者の約40％は急性期に無尿を呈し，その約40〜60％が急性透析療法を必要とする。急性期に透析療法を必要とした患者のほとんどが透析療法から離脱可能であるが，長期的にはHUS患者の約20〜40％がCKDに移行する。

2003年にGargらがシステマティック・レビューを報告し，HUSによる死亡が9％，ESKDは3％であった。そのうち，1年以上経過観察し得た生存者の25％が腎後遺症を合併し，その症状と頻度は，腎機能障害15.8％〔糸球体濾過量（GFR）：60〜80 mL/分/1.73 m$^2$：8％，30〜59 mL/分/1.73 m$^2$：6％，5〜29 mL/分/1.73 m$^2$：1.8％〕，蛋白尿15％，高血圧10％であった[11]。これにより，HUS患者の長期腎予後は必ずしも良好ではないことが明らかとなった。

腎後遺症の危険因子は，急性期の乏尿・無尿期間や透析期間である。無尿期間が7〜10日を越えると，蛋白尿，腎機能低下，高血圧などの腎後遺症が増加すること，5週間以上の透析を必要とした患者では，完全な腎機能の回復は望めないことが報告されている。また，急性期回復後に腎機能が正常であっても，経過観察中に11〜16％の患者が腎機能低下（GFR：80 mL/分/1.73 m$^2$未満）を示した[11]。さらに，発症年

## 急性腎障害（AKI）と急性血液浄化療法

齢の平均が13.8カ月（3〜58カ月）と低年齢の患者において，急性期の血清クレアチニンの最高値が1.5 mg/dLを超える場合には，発症5年以降に蛋白尿や腎機能障害を発症したとの報告がある[12]。したがって，溶血性尿毒症症候群の診断・治療ガイドラインでは，以下のように，アルブミン尿，蛋白尿，腎機能，血圧などを定期的に評価することを推奨している[10]。

1) 急性期に透析をした患者と無尿期間が7日以上の患者では少なくとも15年間
2) 2歳未満で急性期血清クレアチニンの最高値が1.5 mg/dL以上の患者では，少なくとも15年間
3) 経過観察中にアルブミン尿，蛋白尿，腎機能低下，高血圧などの腎後遺症を合併した患者は生涯
4) 上記以外の患者は，腎後遺症がなければ発症後5年間

## AKIのフォローアップ

AKIを発症した患者においては，長期的な全身状態のフォローアップが必要である。急性腎障害のためのKDIGO診療ガイドライン[3]やわが国のAKI（急性腎障害）診療ガイドライン2016[6]では，フォローアップのタイミングは，CKDへの移行有無を確認する理由で，少なくとも発症3カ月の時点で全身状態や合併症の有無を含めて評価することを推奨している。

AKIの長期予後は必ずしも良好ではなく，その予後を改善させるために，AKIの根本的な治療法の確立，CKDへの進行抑制，長期フォローアップの確立が望まれる。

### 文献

1) Bellomo R, et al：Acute renal failure - definition, outcome measures, animal models, fluid therapy and information technology needs：the Second International Consensus Conference of the Acute Dialysis Quality Initiative（ADQI）Group. Crit Care 8：R204–212, 2004
2) Mehta RL, et al；Acute Kidney Injury Network：Acute Kidney

## 4 長期予後とフォローアップ

Injury Network：report of an initiative to improve outcomes in acute kidney injury. Crit Care 11：R31, 2007
3) Kidney Disease：Improving Global Outcomes(KDIGO)Acute Kidney Injury Work Group：KDIGO Clinical Practice Guideline for Acute Kidney Injury. Kidney Int Suppl 2：1–138, 2012
4) Sawhney S, et al：Long-term prognosis after acute kidney injury(AKI)：what is the role of baseline kidney function and recovery？A systematic review. BMJ Open 5：e006497, 2015
5) See EJ, et al：Long-term risk of adverse outcomes after acute kidney injury：a systematic review and meta-analysis of cohort studies using consensus definitions of exposure. Kidney Int 95：160–172, 2019
6) AKI(急性腎障害)診療ガイドライン作成委員会編：AKI(急性腎障害)診療ガイドライン2016，東京医学社，2016
7) Flynn JT：Choice of dialysis modality for management of pediatric acute renal failure. Pediatr Nephrol 17：61–69, 2002
8) Selewski DT, et al：Validation of the KDIGO acute kidney injury criteria in a pediatric critical care population. Intensive Care Med 40：1481–1488, 2014
9) Koralkar R, et al：Acute kidney injury reduces survival in very low birth weight infants. Pediatr Res 69：354–358, 2011
10) 溶血性尿毒症症候群の診断・治療ガイドライン作成班編：溶血性尿毒症症候群の診断・治療ガイドライン，東京医学社，2014
11) Garg AX, et al：Long-term renal prognosis of diarrhea-associated hemolytic uremic syndrome：A systematic review, meta-analysis, and meta-regression. JAMA 290：1360–1370, 2003
12) Cobeñas CJ, et al：Long-term follow-up of Argentinean patients with hemolytic uremic syndrome who had not undergone dialysis. Pediatr Nephrol 22：1343–1347, 2007

〔佐藤 舞〕

その他の疾患への急性血液浄化療法/アフェレシス治療

# 1 急性肝不全

### ポイント

1. 急性肝不全に対する治療は，現時点で肝移植に優る治療法はないため，多くの症例において人工肝補助療法は，肝移植までのbridgeの役割が主となる。救命のためには，患者発生の早期から肝移植が可能な施設に搬送，あるいは相談する。
2. ICUにおける呼吸・循環などの全身管理，感染症の予防，脳波のモニタリングなど，集学的かつきめ細やかな管理が必要である。
3. 人工肝補助療法は，肝毒性物質の除去，肝性脳症の治療，および凝固能の是正を目的として持続的血液濾過透析と血漿交換を併用する。通常の透析よりも血流量や透析液流量を高めに設定し，血漿交換は新鮮凍結血漿を置換とし，持続的血液濾過透析と同時に長時間行うのがよい。抗凝固薬はナファモスタットメシル酸塩を使用する。
4. 人工肝補助療法の透析条件設定についてのエビデンスが非常に乏しいのが実情であり，今後も症例を積み重ねて検討する必要がある。

## はじめに

　急性肝不全は非常に致死率が高い予後不良な疾患であり，発症早期から速やかな人工肝補助療法を含む適切な全身管理が必要である。また，現在のところ救命率で肝移植に優る治療法はないため，患者が発生した時点で，最初から生体肝移植の可能性を念頭に置く必要がある。したがって，人工肝補助療法は肝移植までのbridgeの役割が主となることが多い。

一方で，肝の再生により肝移植を回避できる可能性もあり，それまできめ細やかな管理と見極めが大切である。

## 急性肝不全の定義と予後

劇症肝炎は「肝炎のうち症状発現後，8週以内に高度の肝機能異常に基づいて昏睡II度以上の肝性脳症をきたし，プロトロンビン時間が40％以下を示すもの」と定義されていたが[1]，欧米の急性肝不全とは疾患単位が異なることが問題であった。2011年に急性肝不全の診断基準が作成され，「正常な肝臓に肝障害が生じ，初発症状出現から8週間以内に，高度の肝機能障害に基づいてプロトロンビン時間-国際標準化比（PT-INR）1.5以上を示すもの」と定義された[2]。また，肝性脳症がI度までの「非昏睡型」，肝性脳症がII度以上の「昏睡型」に分類し，後者は初発症状から肝性脳症II度までの期間が，10日以内の「急性型」と11日以降の「亜急性型」に区分された[2]。小児肝性昏睡の分類は，継続して使用されている（表1）[1]。

小児急性肝不全に対する全身管理・肝移植の向上により予後は改善しつつあるが，依然良好とはいえない。救命率は肝移植後患者でも69〜80％と低く，特に1歳未満の乳児では40〜73％程度である[3]。2005〜2014年に国立成育医療研

### 表1 小児肝臓ワークショップによる小児肝性昏睡の分類

| 意識障害（昏睡度） | 年長児 | 乳児 |
| --- | --- | --- |
| I | いつもより元気がない | 声を出して笑わない |
| II | 傾眠傾向でおとなしい，見当識障害がある | あやしても笑わない，母親と視線が合わない（3カ月以降） |
| III | 大きな声で呼ぶとかろうじて開眼する | |
| IV | 痛み刺激でも覚醒しないが，顔をしかめたり，払いのけようとする | |
| V | 痛み刺激に全く反応しない | |

松井 陽：小児劇症肝炎（急性肝不全）の全国調査．厚生労働科学研究補助金「難治性の肝・胆道疾患に関する調査研究」平成17年度研究報告書，83–89，2006[1]より引用，一部改変

究センターで経験した66例の急性肝不全のうち、56例(85%)は内科的治療で肝機能が改善しなかった。8例(12%)は多臓器不全・脳浮腫・敗血症などで肝移植に至らず、48例(73%)に肝移植を施行した。肝移植後の生存率は、1年86.7%、3年86.7%、5年82.6%と比較的良好な結果であった[3]。

## 一般管理

急性肝不全昏睡型や昏睡がなくとも高度の凝固障害を伴う症例は、ICUにおける管理が必要である。入室時に各種血液検査(血算、生化学、アンモニア、凝固系、血液ガス、α-フェトプロテイン、動脈血ケトン体比、HGF、フェリチンなど)、尿検査、胸部・腹部X線、頭部・腹部CT検査(頭蓋内出血の否定と脳浮腫の評価、肝のサイズや腹水の評価)、心電図、脳波(必要があれば持続でモニタリング)、各種培養(血液、気管内など)、心臓・腹部超音波検査などを行う。また、原疾患の精査として各種ウイルスマーカー、抗核抗体や抗平滑筋抗体など自己抗体関連マーカー、代謝関連検査なども進めていく。

高$CO_2$血症は脳圧を上昇させる一因となるため、意識障害がある時は気管挿管人工呼吸管理下とすることが望ましい。特に乳幼児では、持続的血液濾過透析(CHDF)や血漿交換(PE)などの人工肝補助療法を鎮静下で行う点からも、人工呼吸管理は必要である。脳循環維持のため循環管理は重要であり、必要時には容量負荷やカテコラミン投与も行う。肝障害による血管拡張に対しては、積極的にノルアドレナリンの持続静注を使用することで、輸液負荷に伴う全身浮腫の予防をする。中枢神経管理として、脳浮腫の予防と軽減のために、血清ナトリウムは140～145 mEq/Lを維持する。頭部は正中位として30度挙上する。肝性脳症の評価・痙攣の診断目的に、持続脳波モニタリングを行うことが望ましい[4]。

# 1 急性肝不全

## 人工肝補助療法の適応と条件(表2)[4]

### 1. 持続的血液濾過透析(CHDF)

急性肝不全に対するCHDFの目的は，透析によるアンモニア除去および電解質管理と，濾過による中分子以上の肝性昏睡起因物質の除去と考えている。急性肝不全に対するCHDFの確立された適応やガイドラインなどは存在しないが，その有効性に関する報告は散見される[5〜7]。

1) 適応：急性肝不全のうち，①昏睡型，または②急激かつ重度の凝固障害を伴うもの。

2) 条件：CHDF開始条件と管理目標を表2[4]に示す。血流量は，5 mL/kg/分で開始するが，体格の小さな児でも20〜30 mL/分以上確保して回路内凝固のリスクを低減している。血流量は十分に確保されることが望ましいが，血管内容量が少ない時などは少しの体動で脱血不良が生じやすいため，適切な血流量を症例ごとに設定することが重要である。透析液流量は，血清アンモニア値が100〜150 μg/dL以下を目標に調整している。小児での確立された目標値はない

### 表2 小児急性肝不全に対する持続的血液濾過透析(CHDF)の条件

| | |
|---|---|
| 血流量 | 開始：5 mL/kg/分<br>回路内凝固リスク低減のため≧20〜30 mL/分が望ましい |
| 透析液流量 | 開始：120 mL/kg/時，最大：血流量の2〜3倍<br>コントロール目標：$NH_3$ < 100〜150 μg/dL<br>開始時に$NH_3$高値であれば，高流量から開始を検討<br>BUN高値などでは，不均衡症候群による脳浮腫悪化を考慮 |
| 濾過流量 | 開始：60 mL/kg/時，最大：血流量の1/3程度<br>コントロール目標：脳波(正常〜軽度低活動)<br>脳波の徐波傾向・活動性低下：濾過流量の増量を考慮 |

井手健太郎，他：小児急性肝不全に対するアフェレシス．日アフェレシス会誌 37：139-145, 2018[4]より引用，一部改変

が，成人の急性肝不全の観察研究では，血清アンモニア値150 〜 200 µg/dL以上が死亡や合併症のリスクになるとの報告はある[8,9]。濾過流量は60 mL/kg/時で開始し，意識障害や持続脳波での徐波傾向や活動性低下があれば増量する。濾過流量の3〜4倍程度の血流量が確保できないと，膜間圧力差(TMP)の上昇を生じ，膜の寿命が短くなるのが問題である。

## 2. 血漿交換(PE)

急性肝不全に対するPEの目的は，輸液過剰や高アルブミン血症なく凝固因子を補充することを主とするが，ビリルビンや分子の大きな肝性昏睡起因物質などの除去を期待することもある。Larsenら[10]は成人の急性肝不全に対するPEの有用性を示し，サイトカインや血管接着因子の除去・免疫調節などへの効果に言及している。

1) 適応：急性肝不全のうち，①凝固障害(PT-INR > 2.0)および，②CHDFなどの内科的治療で病態の改善がない時。
2) 条件：血漿量の1.5 〜 2倍(約100 mL/kg)の新鮮凍結血漿(FFP)を6〜8時間かけ，1日1回置換する。CHDF回路の脱血側に直並列でPE回路を接続して施行し，終了後にPE回路を取り外す(図)[4]。一例として，午前10時にPE開始，午後6時にPE終了(終了直後に凝固採血)，翌朝午前5時に凝固を含む採血を行う。PE終了直後から翌朝の採血までのPT-INRの変化にて，患者凝固能を推定できる。PE終了後から翌朝にかけてのPT-INR増悪が軽度になれば，肝機能が改善傾向であると判断可能でありPEは不要となる。

# 人工肝補助療法の管理と注意点

## 1. ブラッドアクセス

体格ごとのカテーテルサイズの選択基準を表3[4]に示す。濾過流量を増やすために比較的高流量の血流量を要すること

# 1 急性肝不全

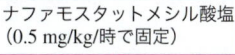

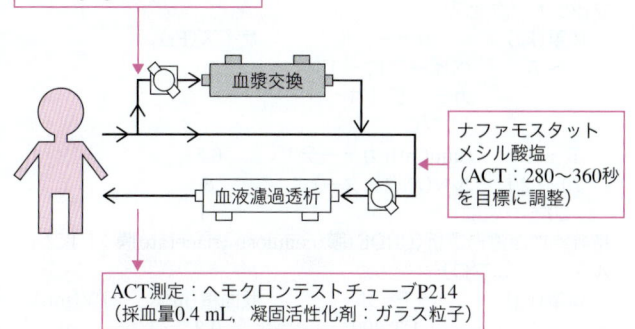

**図　持続的血液濾過透析（CHDF）・血漿交換（PE）回路の接続**
ACT：活性化凝固時間

井手健太郎, 他：小児急性肝不全に対するアフェレシス. 日アフェレシス会誌 37：139-145, 2018[4]より引用, 一部改変

があるため, 太めのカテーテルサイズを選択することが多い。挿入部位は右内頸静脈を第一選択とし, 十分な血流量を確保するためにカテーテル先端は右心房内に留置する。心臓超音波検査および胸部X線検査で, カテーテル先端が三尖弁に干渉していないことを確認する。凝固障害を伴っているので, 超音波ガイド下に血管後壁を損傷しないように穿刺する必要がある。GamCathカテーテルNに付属する穿刺針は17Gと太いため使用せず, 4Frのカテーテルイントロデューサーキット（日本光電工業）を22Gの穿刺針を用いて留置し, そこにGamCathカテーテルN付属のガイドワイヤーを挿入して, GamCathカテーテルN本体を留置している。

## 2. 血液浄化器（膜）

　膜と体重ごとのサイズ選択基準を表3[4]に示す。濾過流量を十分に確保するためや耐用時間を延ばすためには大きめのサイズが有用であるが, プライミングボリューム（PV）が増加

その他の疾患への急性血液浄化療法/アフェレシス治療

**表3 急性肝不全時の血液浄化療法に用いるカテーテル・膜・回路**

| ブラッドアクセス | | |
|---|---|---|
| 体重(kg) | カテーテル | サイズ(Fr) |
| 〜5 | ベビーフロー UK-カテーテルキット(ニプロ) | 6 |
| 5〜10 | GamCathカテーテルN(バクスター) | 6.5 |
| 10〜20 | | 8 |
| 20〜 | | 11 |

持続的血液濾過透析(CHDF)膜(cellulose triacetate膜：UTフィルター®：ニプロ)

| 体重(kg) | モデル | 膜面積(m²) | PV(mL) |
|---|---|---|---|
| 〜5 | UT-300 | 0.3 | 20 |
| 5〜15 | UT-500 | 0.5 | 35 |
| 15〜30 | UT-1000 | 1.1 | 65 |
| 30〜 | UT-2100 | 2.1 | 125 |

血漿交換(PE)膜(プラズマフロー OP：旭化成メディカル)

| 体重(kg) | モデル | 膜面積(m²) | PV(mL) |
|---|---|---|---|
| 〜30 | OP-02D | 0.2 | 25 |
| 30〜 | OP-05D | 0.5 | 55 |

血液回路・血液浄化装置

| | モデル | 製造元 | PV(mL) |
|---|---|---|---|
| 血液回路 | N-CHDF-100A | 東レ・メディカル | 70 |
| 血液浄化装置 | AcuFil Multi 55X-II (旧TR55X/JUN55X シリーズ)，TR-2020 | 東レ・メディカル | — |

PV：プライミングボリューム

井手健太郎，他：小児急性肝不全に対するアフェレシス．日アフェレシス会誌 37：139-145，2018[4]より引用，一部改変

する。

## 3. 血液回路

　小児用の血液回路では，PVを減らすために血液チャンバーのサイズを小さくするなどの工夫がなされている。PVが小さいと血液プライミングが不要になるメリットがあるが，国

立成育医療研究センターPICUでは小児用回路は使用していない。小児用回路の送血側チャンバーは小さく，血栓形成に伴う回路交換の頻度が増加するリスクや（急性肝不全では血液検査上の凝固障害があっても，血栓傾向が強いことがある），高流量での使用時に，マイクロバブル通過による空気塞栓のリスクがあるためである。成人用回路は小児用回路よりPVが約30 mL増加し，血液プライミングを要する症例が増えるが，状態の不安定な重症患者では回路交換の頻度を最小限にすることが，より重要であると考えている。

## 4. 血液浄化装置

日本ライフラインのAcuFil Multi 55X-Ⅱを例として概説する。血液ポンプは1 mL/分から設定可能で，濾液ポンプは10〜6,000 mL/時，透析液ポンプは10〜4,000 mL/時，補液ポンプは10〜3,000 mL/時の範囲で，10 mL/時間単位刻みで設定できる。ポンプの精度は向上しており0.2%程度の理論誤差となっているが，体格の小さな児に高流量の治療を行うと大きな影響があることに留意する必要がある。重度の高アンモニア血症を認めて，透析液を4,000 mL/時で使用すると，1日で200 mL程度の誤差が生じ得るので，体重3 kgの児にとっては体重の7%，全血液量（8〜85 mL/kg）に匹敵する量となる。

## 5. 血液プライミング

小児では導入時の低血圧などを避けるために，血液回路を血液プライミングすることが多い。血液回路＋血液浄化器の合計PVが循環血液量の10%を超える症例，および循環動態が不安定な症例は血液プライミングを行うのがよい。血液回路＋血液浄化器の合計PVの2/3程度の赤血球濃厚液を用いる。生理食塩液でプライミングした血液回路に，三方活栓を用いて閉鎖回路として血液ポンプをまわし，透析と除水をしながら

その他の疾患への急性血液浄化療法/アフェレシス治療

赤血球濃厚液を充填する(血液ポンプ:100 mL/分, 透析ポンプ:1,000 mL/時, 濾液ポンプ:2,000 mL/時に設定すれば, 赤血球濃厚液60 mLを4分ほどで充填できる)。充填中および充填後に回路内を透析して, カリウムやクエン酸の除去とアシドーシスの改善を行い, 患者に接続する直前に8.5%グルコン酸カルシウム5 mLを回路内に添加し, 残存クエン酸を中和している。回路内への25%アルブミンの充填を行うこともあったが, 充填中の膜に負荷がかかってTMP上昇をきたすことがあり, 現在は行っていない。必要な症例は, 患者自身にアルブミン製剤を投与することで安全に導入可能である。

### 6. 透析液・補液

高流量でのCHDF実施に際しては, 電解質補正とコストへの対応が必要になる。低カリウム・低リン血症の予防と中枢神経管理として, 血清ナトリウムの維持(140〜145 mEq/L)のために電解質溶液を添加して調整している。一例として, サブパック®-Bi(ニプロ)1袋に, リン酸ナトリウム補正液(0.5 mmol/L)6 mL, 塩化カリウム(1 mEq/mL)4 mL, 10%塩化ナトリウム(1.7 mEq/mL)6 mLを添加し, ナトリウム:約147 mEq/L, カリウム:約4 mEq/L, リン:約3 mEq/Lに調整して, 補液(および透析液)として用いる方法などがある。透析液の保険適用上限は約800 mL/時であるが, 高アンモニア血症があれば上限を越えた透析量が必要になる。2,000 mL/時以上の条件で48時間以上血液浄化をする際は, ICU内の中央配管からのreverse osmosis(RO)水とカーボスター®透析液L(エイワイファーマ)を用いて, 個人用透析装置NDF-21(ニプロ)で作製した透析液をベッドサイドの血液浄化装置に誘導して使用している。

### 7. 抗凝固

急性肝不全症例は凝固障害を伴うため, ナファモスタット

メシル酸塩を使用している。ナファモスタットメシル酸塩は，血液回路内に1 mg/kgを初期投与の後，1 mg/kg/時を持続投与で開始する。血液浄化器の直後のポートより採血し，活性化凝固時間（ACT）を測定して（ナファモスタットメシル酸塩の半減期が短かく，分子量が小さく血液浄化器から喪失するため），ナファモスタットメシル酸塩の投与量を調整するが，回路内凝固を防ぐため，原則的には0.5 mg/kg/時以下にはしない。PEの回路には0.5 mg/kg/時で流速を固定して，持続投与している。ACT測定はヘモクロ401（平和物産）を用いて，ヘモクロンテストチューブP214（採血量：0.4 mL，凝固活性化剤：ガラス粒子）を用い，血液浄化器直後のACTが280～360秒になるように調節している（テストチューブHRFTCA510（採血量：2 mL，凝固活性化剤：セライト）の200～250秒に相当）。ACTは1回/1～2時間で測定し，回路内凝固による回路交換を回避し，出血などの合併症を防ぐことができる。

## 8. 導入

　CHDF回路導入時の低血圧などの合併症を防ぐために，血流量5 mL/分程度よりゆっくり開始し，バイタルサインをみながら漸増させる。PE回路は，CHDF回路の脱血側に三方活栓を2つ組み込み，患者側の三方活栓より脱血し，CHDF側の三方活栓に送血する形で直並列に接続する（図）[4]。PE回路の血流量をCHDF回路より少し小さく設定することで，患者から脱血された血液の一部はPE回路を通過せず，直接CHDF回路を通過するため，PE回路導入がCHDF回路に与える影響はほとんどない。また，PE回路に置換液として投与されたFFPがCHDF回路を通過してから患者に戻るため，FFPによる電解質異常や低血圧の予防が可能である（直列接続のメリット）。また，PE終了後にはPE回路だけを離脱可能であり，どちらかの回路にトラブルがあった際にも対応が

その他の疾患への急性血液浄化療法/アフェレシス治療

容易である（並列接続のメリット）。

## 急性肝不全の治療についての今後の課題

　急性肝不全の治療において，人工肝補助療法の施行を開始するとアンモニアも安定化し，肝逸脱酵素は正常化するなど各種マーカーが修飾され，生化学的な病勢のマーカーが乏しくなってくる。同時に，尿素窒素，クレアチニン，尿酸なども極めて低値となり，腎不全の有無も判然としなくなることも少なくない。CHDFの条件を決めるマーカーが，極めて少なくなってしまうのが現状である。アンモニアや脳波所見を目安にすることが多いが，real timeに肝性脳症の状態を評価できる，より優れたマーカーが必要であろう。

　肝移植の適応および時期を決めるのに，肝再生を示唆するα-フェトプロテイン値，ビリルビンのD/T比，超音波における肝臓のサイズ，また肝生検所見などが参考になる[11]。小児急性肝不全の肝移植の原則は，「not too early, but never too late」であるが，内科学的治療の継続と肝移植の適応時期に関する判断に難渋する症例が多数存在する。移植実施直前に肝生検を行い，迅速診断して肝移植の適否を決めることもある。肝移植せずに改善する可能性が残る症例は，肝移植に踏み切るタイミングが早すぎてはならないが，逆に時機を逸すると中枢神経に不可逆的な障害を残したり，感染症などで移植ができなくなる危険が高まる。本症は稀少疾患であり，救命率を改善させるためには治療のためのガイドラインの作成が必要である。また，高度な内科的治療と肝移植が可能な拠点病院に，発症早期から患者を搬送，あるいは相談することが何よりも重要である。

## おわりに

　急性肝不全の管理について，人工肝補助療法を中心に概説した。人工肝補助療法については，わが国で成人・小児とも

広く施行されているが，透析条件設定についてのエビデンスが非常に乏しいのが実情であり，今後も症例を積み重ねて検討する必要がある。

## 引用文献

1) 松井 陽：小児劇症肝炎（急性肝不全）の全国調査．厚生労働科学研究費補助金「難治性の肝・胆道疾患に関する調査研究」平成17年度研究報告書，83–89，2006
2) 持田 智，他：我が国における「急性肝不全」の概念，診断基準の確立：厚生労働省科学研究費補助金（難治性疾患克服研究事業）「難治性の肝・胆道疾患に関する調査研究」班，ワーキンググループ-1，研究報告．肝臓 52：393–398，2011
3) 内田 孟，他：小児劇症肝不全に対する肝移植治療成績．今日の移植 28：172–179，2015
4) 井手健太郎，他：小児急性肝不全に対するアフェレシス．日アフェレシス会誌 37：139–145，2018
5) Chevret L, et al：High-volume hemofiltration in children with acute liver failure*. Pediatr Crit Care Med 15：e300–305, 2014
6) Deep A, et al：Effect of continuous renal replacement therapy on outcome in pediatric acute liver failure. Crit Care Med 44：1910–1919, 2016
7) Cardoso FS, et al：Continuous renal replacement therapy is associated with reduced serum ammonia levels and mortality in acute liver failure. Hepatology 67：711–720, 2018
8) Kumar R, et al：Persistent hyperammonemia is associated with complications and poor outcomes in patients with acute liver failure. Clin Gastroenterol Hepatol 10：925–931, 2012
9) Niranjan-Azadi AM, et al：Ammonia Level and Mortality in Acute Liver Failure：A Single-Center Experience. Ann Transplant 21：479–483, 2016
10) Larsen FS, et al：High-volume plasma exchange in patients with acute liver failure：An open randomised controlled trial. J Hepatol 64：69–78, 2016
11) 福田晃也，他：小児劇症肝不全に対する生体肝移植適応基準に関するpilot study．今日の移植 22：273–281，2009

## その他の疾患への急性血液浄化療法/アフェレシス治療

**参考文献**
1) 亀井宏一：急性肝不全．伊藤秀一，他監修：小児急性血液浄化療法ハンドブック，東京医学社，114–123，2013

（井手 健太郎）

その他の疾患への急性血液浄化療法/アフェレシス治療

## 2 先天代謝異常症に対する急性血液浄化療法

### ポイント

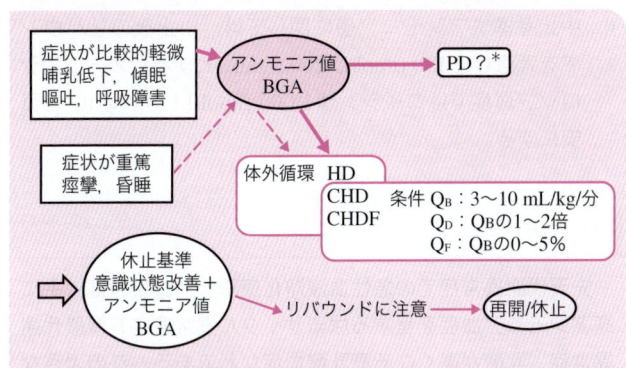

```
症状が比較的軽微          アンモニア値 ────→ PD？*
哺乳低下，傾眠      ───→    BGA
嘔吐，呼吸障害                  │
                                │
症状が重篤          ┄┄┄→  体外循環 HD
痙攣，昏睡                       CHD    条件 Q_B：3〜10 mL/kg/分
                                 CHDF        Q_D：Q_Bの1〜2倍
                                             Q_F：Q_Bの0〜5％

休止基準
意識状態改善＋   ───→ リバウンドに注意 ───→ 再開/休止
アンモニア値
BGA
```

**診療（診断・治療・治療中止）チャート**
症状が軽微で血漿アンモニア値が300 μg/dLを超えていなければ腹膜透析（PD）でも可能とされていたが，体外循環療法を選択すべきである。
＊原則PDは推奨されない。
症状が重篤な場合は，体外循環療法が可能な施設に早急に搬送する必要がある。
BGA：血液ガス分析，HD：血液透析，CHD：持続的血液透析，CHDF：持続的血液透析濾過，$Q_B$：血流量，$Q_D$：透析液流量，$Q_F$：濾過流量

1. 先天代謝異常症に対する急性血液浄化療法では，除去すべきものをいかに迅速に除去できるかが重要である。
2. そのためには小児腎臓病専門医が参画したチーム医療が必要である。
3. 緊急開始：意識障害のある時，アンモニア値500 μmol/L（850 μg/dL）を超える時，血液pH 7.2以上に維持できない時，メープルシロップ尿症ではロイシン値1,700 μmol/L（22 mg/dL）

> 4. 開始準備：アンモニア値250〜500 μmol/L（425〜850 μg/dL）
> 5. 個人用透析器を用いて大量の透析液を流す，いわゆるhigh flow（dialysate）持続的血液透析/持続的血液透析濾過を用いることもある。
> 6. 中止基準：アンモニア値に関しては，中止後のリバウンドを考慮して120 μmol/L（200 μg/dL）とする。メープルシロップ尿症ではロイシン値1,000 μmol/L（13 mg/dL）を目安にする。

## はじめに

　先天代謝異常症での急性血液浄化療法の対象疾患は，主に高アンモニア血症を呈する尿素サイクル異常症や有機酸代謝異常症，乳酸が高くなる高乳酸血症などである。このような疾患を診断するのは多くの場合，一般小児科医，新生児科医であるが，急性血液浄化療法に精通していないことが多い。
　本稿では，この療法に不慣れな医師にも理解しやすいように，先天代謝異常症が発見された時の急性血液浄化療法の役割とその方法，留意点について述べたい。何を除去するか，いつ開始するか，どのようにするか，いつまでするのか，の順に解説する。

## 除去すべきもの（何を）

　アンモニア（分子量17），乳酸（分子量90），一部のアミノ酸（メープルシロップ尿症時のロイシン＝分子量131）。
　対象疾患群という視点からは尿素サイクル異常症，有機酸代謝異常症，ミトコンドリア病・高乳酸血症，アミノ酸代謝異常症，脂肪酸代謝異常症である。さらに詳細な疾患別頻度に関して，平成19年，20年の全国調査でのデータを図[1]に示した。全体に占める大まかな割合を示すと，尿素サイクル異

## 2 先天代謝異常症に対する急性血液浄化療法

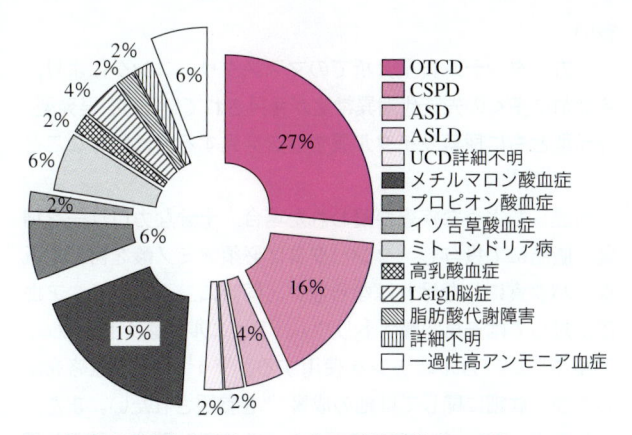

**図 急性血液浄化療法を行った先天代謝異常症の内訳**
OTCD：オルニチントランスカルバミラーゼ欠損症，CSPD：カルバミルリン酸合成酵素Ⅰ欠損症，ASD：シトルリン血症，ASLD：アルギニノコハク酸尿症，UCD：尿素サイクル異常症
患者数：49名，一過性高アンモニア血症は厳密には先天代謝異常症ではないが，便宜上ここに分類した。
大田，2013[1]より引用，一部改変

常症が1/2，有機酸代謝異常症が1/4，ミトコンドリア病・高乳酸血症が1/10であった。

## 開始基準（いつ）

　新生児発症の先天代謝異常症の発症時期は，哺乳を開始してから症状が出るため，生後数日からのことが多い。また，酵素活性がやや残っている遅発型のものでは，少し遅れて出現すること，尿素サイクル異常症では，出生後非常に早い日齢での発症が多いことに注意しなければならない。症状は非特異的であり，not doing well，哺乳低下，傾眠，嘔吐，痙攣，昏睡，呼吸障害などである。年長児では，以上の症状のほかに，筋肉痛，赤色尿，嘔吐下痢，急性脳症などを呈し，症状のみで先天代謝異常症の存在を特定することが困難な場合も

## その他の疾患への急性血液浄化療法/アフェレシス治療

多い。

一方，タンデム質量分析でのマススクリーニングにより，発症前に多くの先天代謝異常症が発見されているが，早発型，遅発型ともに尿素サイクル異常症を発見するのは困難なことが多い[2〜4]。

前述したような疾患が疑われた場合，十分なカロリーを糖質，脂肪にて投与し，タンパク質は必須アミノ酸を含んだ低タンパク食にしなければならない。同時に，高アンモニア血症に対しては安息香酸ナトリウム，フェニル酪酸ナトリウム，アルギニン，カルニチンを使用する。表1[1]にその概略を記したが，詳細に関しては他の成書[5,6]を参照されたい。また，欧州のガイドラインでN-アセチルグルタミン酸合成酵素欠損症（わが国では報告例なし）に対する標準的な治療法として推奨されている，カルグルミン酸（カーバグル®）が，有機酸代

**表1　尿素サイクル異常症に対する急性期薬物治療**

| 疾患 | 投与方法[*1] | フェニル酪酸ナトリウム[*2,*3] または安息香酸ナトリウム[*2] | 10%塩酸アルギニン[*2,*4] |
|---|---|---|---|
| CPSID<br>OTCD | 初期投与量<br>維持投与量 | 0.25 g/kg or 5.5 g/m$^2$<br>0.25 g/kg/24時 or 5.5 g/m$^2$/24時 | 0.20 g/kg or 4.0 g/m$^2$<br>0.20 g/kg/24時 or 4.0 g/m$^2$/24時 |
| シトルリン血症<br>アルギニノコハク酸尿症 | 初期投与量<br>維持投与量 | 同上<br>同上 | 0.60 g/kg or 12.0 g/m$^2$<br>0.60 g/kg/24時 or 12.0 g/m$^2$/24時 |
| アルギニン血症 | 初期投与量<br>維持投与量 | 同上<br>同上 | 禁忌<br>禁忌 |

CPSID：カルバミルリン酸合成酵素I欠損症，OTCD：オルニチントランスカルバミラーゼ欠損症

[*1] 初期維持量を1.5時間で輸注し，次いで維持量を24時間で均等輸注する。すでに経口または注射で投与されている場合には，初期投与量を減らすかそのまま維持投与量にて投与する
[*2] 体重20 kg未満では体重当たり，それ以上では体表面積当たりで計算する
[*3] わが国ではフェニル酪酸は入手できない
[*4] 保険診療上，アルギU®点滴静注20 gを使用すべきであるが，すぐに入手できない時には，アルギニン点滴静注30 g「AY」を使用するのも可

大田，2013[1]より引用，一部改変

## 2 先天代謝異常症に対する急性血液浄化療法

謝異常症による高アンモニア血症の補助療法として使用されるようになっている。100 mg/kg初回投与後，維持量100〜250 mg/kg/日，分4の投与を行う。実臨床においては，未診断症例の高アンモニア血症の初期対応として使用される[7,8]。

一般的に，血漿アンモニア値による主要な症状の出現は，**表2**[1]のようになる。これは元来，アンモニア値の高くない個体の反応であり，慢性的に高い人では，細胞の浸透圧調節機構が働いて浮腫が軽減しているために，同程度のアンモニア値でも症状が軽いことがあるので，数値のみで血液浄化療法の適応を決定するのは難しい。しかし，急性血液浄化療法の一般的な適応は，400 μmol/L(680 μg/dL)[9,10]，薬物療法などで血漿アンモニア値120 μmol/L(200 μg/dL)以下ないし血液pH 7.2以上に維持できない時，意識障害のある時とされている[5]。わが国における全国調査の集計結果によると，発症時の最高アンモニア濃度が360 μmol/L(600 μg/dL)以上の場合には，生命・神経予後の悪い症例が多いことが判明した。また，欧州のガイドライン[11]を参考として，最新のわが国のガイドライン(**表3**)[7]では，「血中アンモニア値が＞500 μmol/L(＞850 μg/dL)の場合，アンモニア値にかかわらず意識障害が強い場合，高アンモニア血症の治療を2〜3時間行ってもアンモニア値が30 μmol/L(50 μg/dL)以上低下しない場合，緊急で血液浄化療法を行う必要がある」と記載されている[7,8]。準備基準として，アンモニア値250〜500 μmol/L(425〜850 μg/dL)が示され，薬物療法への反応が悪い場合には血液浄化療法を開始することが勧められた。2009年の全国調査で，尿素サイクル異常症177症例での検討の結果，アンモニア値

### 表2 血漿アンモニア値と症状の関係

| | |
|---|---|
| 100 μg/dL(60 μmol/L)前後 | 食欲不振，嘔気，性格変化 |
| 200 μg/dL(120 μmol/L)以上 | 痙攣，意識レベルの変化 |
| 400 μg/dL(240 μmol/L)以上 | 昏睡，呼吸抑制 |

大田，2013[1]

### その他の疾患への急性血液浄化療法/アフェレシス治療

### 表3　血中アンモニア値別の治療

| 血中アンモニア値 | 治療 |
| --- | --- |
| 170 μg/dL(100 μmol/L)以下<br>新生児では，250 μg/dL(150 μmol/L)以下 | 蛋白摂取の中止<br>ブドウ糖負荷輸液 |
| 170 μg/dL(100 μmol/L)<，<br>< 425 μg/dL(250 μmol/L) | 薬物治療(表1参照) |
| 新生児では，250 μg/dL(150 μmol/L)<，<br>< 425 μg/dL(250 μmol/L) | カルニチン，ビオチン，ビタミン$B_{12}$など投与，必要ならカルグルミン酸も投与 |
| 425 μg/dL(250 μmol/L)<，<br>< 850 μg/dL(500 μmol/L) | 薬物療法は同様 |
| ＊血液浄化療法を考慮(明らかな脳症，早期のアンモニアの上昇または出生2日以内の発症がある場合)<br>＊3～6時間以内に，血中アンモニア値が急速に低下しない場合には血液浄化療法開始 | |
| 850 μg/dL(500 μmol/L)<，<br>< 1,700 μg/dL(1,000 μmol/L) | 薬物療法は同様 |
| ＊速やかに血液浄化療法開始 | |
| 1,700 μg/dL(1,000 μmol/L)を超える | 集中治療継続か，緩和ケアかの選択 |

日本先天代謝異常学会編：代謝救急診療ガイドライン．新生児マススクリーニング対象疾患等診療ガイドライン2019．診断と治療社，2-10，2019[7]より引用，一部改変

360 μmol/L(600 μg/dL)以上で生命・神経予後の悪いことが判明し，現在，わが国では300 μmol/L(500 μg/dL)が目安と考えられている．メープルシロップ尿症の場合も意識障害があるか，中枢神経系に影響のあるロイシン値1,700 μmol/L(22 mg/dL)とされる[12]．ただし，ロイシン値はすぐに入手できないために実用的ではない．炭酸水素ナトリウムによる補正を行っても，血液pHが7.2以上とならない時にも行う．

アンモニアが問題となる場合，患者の予後はアンモニアの頂値よりは，高アンモニア血症の持続時間や昏睡期間と生命予後，神経予後が関連するといわれている[4,13～17]（**表4**）[1]．このようなことに配慮しながら，急性血液浄化療法の開始時期，施行条件，中止時期を決定することになる．

## 2 先天代謝異常症に対する急性血液浄化療法

**表4 急性血液浄化療法を施行した先天代謝異常症の生命予後因子のまとめ**

| | |
|---|---|
| Uchino, 1988 | pNH4 at admission < 180 µmol/L(320 µg/dL) |
| Schaefer, 1999 | 50% pNH4 decay time < 7hrs |
| Picca, 2001 | pre-treatment coma duration < 33hrs(no treatment of post-treatment duration) |
| Bachman, 2003 | pNH4 at admission < 300 µmol/L(540 µg/dL)<br>peak pNH4 < 480 µmol/L(860 µg/dL) |
| McByde, 2006 | pNH4 at admission < 180 µmol/L(320 µg/dL)<br>Time of renal replacement therapy(RRT) < 24hrs<br>Medical treatment < 24hrs<br>BP > 5%ile at RRT initiation<br>HD initial RRT |
| Westrope, 2010 | Pre-RRT MOF(−)<br>low PRISM score at RRT initiation(7 versus 17) |

上記を満足するものの生命予後はよい。
大田，2013[1]より引用，一部改変

## 急性血液浄化療法の選択（どのように＝方法）

冒頭で述べた除去すべき物質はすべて小分子であるため，それらの除去にはどのような浄化法を採用してもよい。その効率は，血液透析(HD)＞持続的血液透析(CHD)/持続的血液透析濾過(CHDF)＞持続的血液濾過(CHF)＞腹膜透析(PD)の順となる。新生児科医，一般小児科医が慣れている交換輸血，従来選択されることの多かったPDは，患者重症度が軽い場合や慢性期などの限られた状況では可能かもしれないが[18〜20]，PDに比べ，目的物質の除去効率に勝る体外循環療法を選択すべきである。また，HDでは血流量($Q_B$)を細かく設定できないために，低体重の小児に行う場合に低血圧などの合併症が出やすい[21]。そのため，$Q_B$を細かく設定できるコンソールを用いたCHDか，CHDFを選択することが多い[15,16,19,20,22]。表4[1]に示した過去の報告より，7時間以内に開始時アンモニア値を半減することや，ピーク値が480 µmol/L(860 µg/dL)

を下回ることを目標として,アンモニア値が十分に下がらない場合には,開始時の低血圧を防ぐための昇圧薬を併用するなどの工夫をしてHDを施行したり[21,23],後述するhigh flow (dialysate)CHD/CHDFを考慮する。

## 条件設定(どのように=条件)

　小分子物質は,透析膜から拡散により容易に除去される。高アンモニア血症の場合,生命予後・神経予後を考慮すると,いかに迅速に除去するかが重要である。Wongらの報告では,CHDFで300 mL/時の透析液流量($Q_D$)でアンモニアクリアランスは7.45 mL/分/$m^2$,600 mL/時で10.55 mL/分/$m^2$であった[20]。Schaeferらが示したアンモニア透析効率によると,$Q_B$ 25 mL/分までは,ほぼ直線的にクリアランスが上昇し,その後は$Q_D$に依存する。小分子物質の除去効率は,$Q_B$,$Q_D$〔CHDFの場合は$Q_D$+濾過流量($Q_F$)〕を上げれば上げるほどよくなる[14]。すなわち,アンモニアなどの小分子物質を迅速に低下させるためには,可能な限り多くの$Q_B$をとり,十分な$Q_D$,$Q_F$をかけることが必要である。ただし,$Q_D$(+$Q_F$)は$Q_B$の2倍以上としてもあまり有効ではない。サブラッド®血液ろ過用補充液BSGなどの市販されている補充製剤では,保険診療の制限で1日20 Lとなり,体内でのアンモニア産生量が非常に高い症例では,十分に血漿アンモニア値を下げられない状況も出てくる。その場合,個人用透析器を用いて大量の透析液を流す($Q_D$ないし$Q_D$+$Q_F$を上げる),いわゆるhigh flow(dialysate)CHD/CHDFを用いることもある。その具体的な方法は,本書別稿(急性血液浄化療法の実際-3 小児血液浄化療法の透析装置,モジュール,周辺機器)を参照されたい。現在汎用されている多用途血液処理用装置であるAcuFil Multi 55X-Ⅱ(旧TR55X/JUN55Xシリーズ)では,$Q_D$を4,000 mL/時まで増加させることができる。また,最初$Q_D$を5,000 mL/時で施行してアンモニア値が下がった後に500 mL/時と

する，二相性の方法[24)]で施行している施設もある．

小児急性血液浄化ワーキンググループの報告[25)]では，$Q_B = 3\sim10$ mL/kg/分（$4.4\pm2.1$），$Q_D=Q_B$の$1\sim2$倍（$1.32\pm0.68$），$Q_F=Q_B$の$0\sim5$%（$4\pm8$）であった（$Q_F$が$Q_B$の0%というのはCHDのことである）．先天代謝異常症以外の条件に比べて，$Q_B$を多くとり，$Q_D$も高流量に設定しているという結果であった．

## チーム医療（どのように）

先天代謝異常症に対する急性血液浄化療法では，除去すべきものをいかに迅速に除去できるかが重要である．そのためには，前述したクリアランスの問題が重要であるが，いかに早く導入するかも重要である．自施設で薬物療法を行っていた患者では，導入が決定すればすぐに治療準備にとりかかる．他施設からの依頼の場合には，すでに重篤な症状が出現していることが多いために，あらかじめ患者情報を聞いておき，患者到着前にプライミング血の準備，クロスマッチの準備，回路の組み立てをするとよい．ブラッドアクセス確保を迅速にできるようにすることも重要である．このようなチーム医療の中心になるのは，急性血液浄化療法に精通した医師であることが望ましい．当院では筆者を中心として，到着後2時間以内に療法が開始できる体制ができている．

## 酸塩基平衡異常の視点から（どのように）

尿素サイクル異常症では病状の進行による多臓器不全などを合併しない限り，呼吸性アルカローシスの状態である[4)]．一方，市販されている補液の成分は，バッファーとして重炭酸35 mEq/L，酢酸3.5 mEq/Lを含有している[26)]（表5）[1)]．呼吸障害が起こっている時には調節呼吸をすればよいが，多呼吸が起こっている状態のまま急性血液浄化療法を行い，大量の重炭酸を負荷することによる混合性アルカローシスで，重

度のアルカレミアが生じる可能性に配慮しなければならない。筆者が経験した2症例では，当院搬送時血液ガスは，おのおののpH 7.652，7.575，HCO$_3^-$ 19.5，15.6 mEq/L，PvCO$_2$ 17.4，16.8 mmHgであった。CHDを長期行った場合，重炭酸イオン濃度は35 mEq/Lに限りなく近づくはずである。高アンモニア血症による呼吸性アルカローシスを起こしている症例にCHDを行う場合，その代償性の代謝性アシドーシスを損ない，アルカレミアの進展が懸念されたが，表6[1]に示すように特に問題は生じなかった[2]。重炭酸イオン濃度の上昇が予想外に緩徐であり，一方，アンモニア値の低下に伴う多呼吸の改善が迅速に起こっていたためと思われた。ただ，サブラッド®血液ろ過用補充液BSGを透析液としてのみ使用するCHDではなく，それを補液にも使用して患者静脈内に直接注入するCHDFの場合では，代謝性代償であるアシドーシスをさらに損なうことが懸念される。筆者は，高アンモニア血症による呼吸性アルカローシスを起こしている症例には，CHDFよりCHDを好んで採用する。一方，CHDFでは補液中に含まれる糖負荷により，療法中止後のリバウンドを少

### 表5 わが国で使用される市販補液の組成

| 電解質濃度（mEq/L） |||||||ブドウ糖 |
| Na$^+$ | K$^+$ | Ca$^{2+}$ | Mg$^{2+}$ | Cl$^-$ | CH$_3$COO$^-$ | HCO$_3^-$ | （mg/dL） |
|---|---|---|---|---|---|---|---|
| 140 | 2.0 | 3.5 | 1.0 | 111 | 3.5 | 35 | 100 |

長期間透析液，補液に使用する場合には，低リン血症，低カリウム血症，代謝性アルカローシスに注意しなければならない。
大田，2013[1]

### 表6 持続的血液透析（CHD）施行前後の血液ガスデータの推移

|  | 当院初診時 | CHD 2時間後 | CHD 13時間後 |
|---|---|---|---|
| pH | 7.575 | 7.497 | 7.390 |
| PvCO$_2$ | 16.8 | 21.0 | 36.1 |
| HCO$_3^-$ | 15.6 | 16.1 | 21.4 |

調節呼吸をしていなかったためにアルカレミアの進行が懸念されたが，むしろ経過中に改善した。
大田，2013[1]より引用，一部改変

なくできるとの意見もある[10]。

## 中止時期（いつまで）

　意識障害の改善とアンモニア値の低下が必要な条件である。急性血液浄化療法前の脳浮腫による障害が可逆的な場合，アンモニア値が順調に下がれば，昏睡状態で療法に導入した患者であっても早い時期に活発になり，急性血液浄化療法や調節呼吸を継続するために鎮静が必要になるほどである。アンモニア値に関しては，200 μmol/L（360 μg/dL）との記載があるが[6]，筆者は中止後のリバウンドを考慮して120 μmol/L（200 μg/dL）程度まで下げて中止している。このリバウンドを少なくするためには，蛋白異化を防ぐ必要があり，十分なカロリー負荷，蛋白制限，薬物療法，感染症が存在すればその治療が必要である。リバウンドの有無は中止数時間後にアンモニア値を測定し，その後も定期的に行う必要がある。また，蛋白摂取量を増やした時にも注意しなければならない。アンモニア値が24時間以上安定するまで，急性血液浄化療法の再施行に備えて，透析用カテーテルを抜去しないようにする。また，メープルシロップ尿症ではロイシン値1,000 μmol/L（13 mg/dL）を目安にするようであるが[12]，検査結果がすぐに入手できないことが難点である。

## 最後に―急性血液浄化療法に携わる医師が忘れてはならないこと

　先天代謝異常症は酵素不足・欠損が原因であり，その根本治療は当該酵素を補充することにある。したがって，急性発症・増悪期には急性血液浄化療法を要するが，肝移植が根治治療法となり得る疾患に関しては，酵素補充療法としての肝移植が明確なゴールであることを忘れてはならない。急性増悪を起こさせないための安定期管理を代謝専門医に任せ，早めに肝移植可能な施設に連絡を取ることが必要である。

## 文献

1) 大田敏之:先天代謝異常症に対する急性血液浄化療法.伊藤秀一,他監修:小児急性血液浄化療法ハンドブック,東京医学社,124-135,2013
2) 大田敏之,他:小児腎臓病医からみた尿素サイクル異常症診療の留意点.小児科50:1603-1609,2009
3) 吉田一郎:尿素サイクル異常症スクリーニング.小児科45:2020-2027,2004
4) Bachmann C : Outcome and survival of 88 patients with urea cycle disorders : a retrospective evaluation. Eur J Pediatr 162 : 410-416, 2003
5) 遠藤文夫:先天性尿素サイクル異常症.診断と治療マニュアル,第2版,味の素ファルマ,1-15,2000
6) Summar M : Current strategies for the management of neonatal urea cycle disorders. J Pediatr 138 : s30-s39, 2001
7) 日本先天代謝異常学会編:代謝救急診療ガイドライン.新生児マススクリーニング対象疾患等診療ガイドライン2019,診断と治療社,2-10,2019
8) 日本先天代謝異常学会編:尿素サイクル異常症.新生児マススクリーニング対象疾患等診療ガイドライン2019,診断と治療社,67-92,2019
9) Prietsch V, et al : Emergency management of inherited metabolic diseases. J Inherit Metab Dis 25 : 531-546, 2002
10) Haller M, et al : Successful extracorporeal treatment of a male with hyperammonaemic coma. Nephrol Dial Transplant 20 : 453-455, 2005
11) Häberle J, et al : Suggested guidelines for the diagnosis and management of urea cycle disorders. Orphanet J Rare Dis 7 : 32, 2012
12) Phan V, et al : Duration of extracorporeal therapy in acute maple syrup urine disease : a kinetic model. Pediatr Nephrol 21 : 698-704, 2006
13) Uchino T, et al : Neurodevelopmental outcome of long-term therapy of urea cycle disorders in Japan. J Inherit Metab Dis 21 (Suppl) : 151-159, 1998
14) Schaefer F, et al : Dialysis in neonates with inborn errors of metabolism. Nephrol Dial Transplant 14 : 910-918, 1999
15) Picca S, et al : Extracorporeal dialysis in neonatal hyperammonemia : modalities and prognostic indicators.

## 2 先天代謝異常症に対する急性血液浄化療法

    Pediatr Nephrol 16：862–867, 2001
16) McBryde KD, et al：Renal replacement therapy in the treatment of confirmed or suspected inborn errors of metabolism. J Pediatr 148：770–778, 2006
17) Westrope C, et al：Continuous hemofiltration in the control of neonatal hyperammonemia：a 10-year experience. Pediatr Nephrol 25：1725–1730, 2010
18) Semama D, et al：Use of peritoneal dialysis, continuous arteriovenous hemofiltration, and continuous arteriovenous hemodiafiltration for removal of ammonium chloride and glutamine in rabbits. J Pediatr 126：742–746, 1995
19) Donn SM, et al：Comparison of exchange transfusion, peritoneal dialysis, and hemodialysis for the treatment of hyperammonemia in an anuric newborn infant. J Pediatr 95：67–70, 1979
20) Wong KY, et al：Ammonia clearance by peritoneal dialysis and continuous arteriovenous hemodiafiltration. Pediatr Nephrol 12：589–591, 1998
21) Donckerwolcke RA, et al：Hemodialysis in infants and small children. Pediatr Nephrol 8：103–106, 1994
22) 和田尚弘：先天性代謝異常症．腎と透析 58：743–748, 2005
23) Rajpoot DK, et al：Acute hemodialysis for hyperammonemia in small neonates. Pediatr Nephrol 19：390–395, 2004
24) Hanudel M, et al：A biphasic dialytic strategy for the treatment of neonatal hyperammonemia. Pediatr Nephrol 29：315–320, 2014
25) 北山浩嗣，他：小児での(C)RRT．Intensivist 2：399–410, 2010
26) 鈴木洋通：急性期血液浄化療法にろ過型人工腎臓用補液を用いると？透析フロンテ 17(suppl)：4–23, 2007

（大田 敏之）

その他の疾患への急性血液浄化療法/アフェレシス治療

# 3 敗血症/多臓器不全

### ポイント

1. 敗血症に対する急性血液浄化療法の適応にはrenal indication（腎機能補助）とnon-renal indication（エンドトキシンやメディエーターの除去）の2つがある。
2. エンドトキシン除去療法（PMX-DHP）はグラム陰性菌由来のエンドトキシンだけではなく，間接的に内因性麻薬や炎症性サイトカインなどのメディエーターも低下させるため，グラム陽性菌による敗血症性ショック患者にも有効性が期待できる。
3. 敗血症に対する急性血液浄化療法は，抗菌薬の効果発現までの補助療法（second-line option）としての位置づけである。

## 概念と定義

2016年に公表されたSepsis-3では，敗血症（sepsis）は「感染に対して宿主生体反応の統御不全により臓器機能不全を呈している状態」と定義された[1]。血液培養からの病原微生物の同定（＝菌血症）は敗血症診断に必須ではない。また敗血症性ショック（septic shock）は「敗血症のサブセットであり，死亡率を増加させる可能性のある重篤な循環・細胞・代謝の異常を有する状態」とされた。成人では具体的に「敗血症かつ，適切な輸液負荷にもかかわらず平均血圧≧65 mmHgを維持するために循環作動薬を必要とし，かつ高乳酸血症（2 mmol/L）を呈する状態」とされ，この3項目を満たすと死亡率が40%を超える[1]。

一方，小児敗血症の定義は2005年のGoldsteinらによる「感

## 3 敗血症/多臓器不全

染により惹起された全身性炎症反応症候群(SIRS)」が長年用いられ，そのうち臓器機能不全を伴う場合を「重症敗血症」(Sepsis-3公表後は敗血症へ読み替えを許容)とされてきた[2]。

2020年に12の国際機関を代表する49名のエキスパートが参画し，小児敗血症に関する77項目について推奨・コンセンサスを提示した，Surviving Sepsis Campaign International guidelines for the Management of Septic Shock and Sepsis-Associated Organ Dysfunction in Children(SSC-pediatric guideline)が公表された[3]。このなかで，小児敗血症性ショックは「心血管機能不全につながる重篤な感染症(低血圧，血管作用薬による治療の必要性，または灌流障害を含む)」と定義され，さらに小児敗血症関連臓器機能不全(sepsis associated organ dysfunction)は「心血管機能不全and/orその他の臓器機能不全につながる重篤な感染症」とされた。

小児の臓器障害の評価法は，SIRS，sequential organ failure(SOFA)，Pediatric Risk of Mortality(PRISM)，Pediatric Logistic Organ Dysfunction(PELOD)，Pediatric Index of Mortality(PIM)など種々のスコアリングが頻用されている現状を踏まえ，SSC-pediatric guidelineでは具体的な特定の臓器障害の評価法を提示していない。一例として，2017年にシカゴのグループが報告した小児SOFAスコアを示す(表1)[4]。敗血症の進行により多臓器不全(MOF)に陥り，死亡率が上昇するが，本スコアリングはSepsis-3に準拠している点と，スコア上昇と死亡率に相関がある点で優れている。成人ではSOFAスコア上昇と院内死亡率が関連することを根拠に「SOFAスコアのベースラインから2点以上の急上昇」が重要視されていることを考えると，今後，小児領域においてもアウトカムと相関する臓器障害の評価法の確立が望まれる。

なお，敗血症の重症化プロセスを防ぐ目的に，臨床現場における"hour-1 bundle(1時間以内の初動)"という概念が，Surviving Sepsis Campaign Guidelineの一環として提唱され

## その他の疾患への急性血液浄化療法/アフェレシス治療

### 表1 小児 sequential organ failure (SOFA) スコアの一例

| 臓器 | 項目 | 0 | 1 | 2 | 3 | 4 |
|---|---|---|---|---|---|---|
| 呼吸 | $PaO_2/FiO_2$ (mmHg) または $SpO_2/FiO_2$* (%) (*$SpO_2 < 97\%$の場合のみ) | ≧400<br>≧292 | 300〜399<br>264〜291 | 200〜299<br>221〜263 | 100〜199<br>148〜220 | <100<br><148 |
| 凝固 | 血小板 (×$10^3/mm^3$) | ≧150 | 100〜149 | 50〜99 | 20〜49 | <20 |
| 肝臓 | 総ビリルビン値 (mg/dL) | <1.2 | 1.2〜1.9 | 2.0〜5.9 | 6.0〜11.9 | ≧12.0 |
| 循環 | 平均血圧/循環作動薬 ($\gamma$)**<br><1カ月<br>1〜11カ月<br>1〜2歳未満<br>2〜5歳未満<br>5〜12歳未満<br>12〜18歳未満<br>≧18歳<br>(**循環作動薬は1時間以上投与した場合．$\gamma$ = $\mu$g/kg/分) | <46<br><55<br><60<br><62<br><65<br><67<br><70 | ≧46<br>≧55<br>≧60<br>≧62<br>≧65<br>≧67<br>≧70 | ドパミン≦5γあるいはドブタミン(投与量不問) | ドパミン>5γあるいはドブタミン≦0.1γあるいはノルアドレナリン≦0.1γ | ドパミン>15γあるいはアドレナリン>0.1γあるいはノルアドレナリン>0.1γ |
| 中枢神経 | Glasgow coma scale | 15 | 13〜14 | 10〜12 | 6〜9 | <6 |
| 腎臓 | 血清クレアチニン値 (mg/dL)<br><1カ月<br>1〜11カ月<br>1〜2歳未満<br>2〜5歳未満<br>5〜12歳未満<br>12〜18歳未満<br>≧18歳 | <0.8<br><0.3<br><0.4<br><0.6<br><0.7<br><1.0<br><1.2 | 0.8〜0.9<br>0.3〜0.4<br>0.4〜0.5<br>0.6〜0.8<br>0.7〜1.0<br>1.0〜1.6<br>1.2〜1.9 | 1.0〜1.1<br>0.5〜0.7<br>0.6〜1.0<br>0.9〜1.5<br>1.1〜1.7<br>1.7〜2.8<br>2.0〜3.4 | 1.2〜1.5<br>0.8〜1.1<br>1.1〜1.4<br>1.6〜2.2<br>1.9〜2.5<br>2.9〜4.1<br>3.5〜4.9 | ≧1.6<br>≧1.2<br>≧1.5<br>≧2.3<br>≧2.6<br>≧4.2<br>≧5.0 |

Matics TJ, et al : Adaptation and validation of a pediatric sequential organ failure assessment score and evaluation of the Sepsis-3 definitions in critically ill children. JAMA Pediatr 171 : e172352, 2017より引用

### 表2　敗血症に対するhour-1 bundle

1. 敗血症を認識したら，まず乳酸値を測定する。＞2 mmol/Lならば再検査する
2. 想定される原因微生物をカバーする抗菌薬を1時間以内に投与する
3. 抗菌薬治療開始前に，血液培養を提出する
4. 低血圧や高乳酸血症（＞4 mmol/L）に対して，30 mL/kgの急速等張液輸液負荷を行う
5. 急速輸液後も平均血圧＜65 mmHgの低血圧があれば，血管収縮薬を投与する

Levy MM, et al：The surviving sepsis campaign bundle: 2018 update. Crit Care Med 46：997–1000, 2018[5]より引用．一部改変

た（表2）[5]。この概念は小児でも実践可能である。

## 基本病態

敗血症の病態としては，図1[6]に示す2つの経路を介した重症化のカスケードが想定されている[6]。

まず，病原体関連分子パターンであるpathogen-associated molecular patterns（PAMPs）〔グラム陰性菌のエンドトキシン（lipopolysaccharide：LPS），グラム陽性菌の細胞壁成分（peptidoglycan：PGN）など〕と宿主由来の内因性物質であるalarmin〔high mobility group box-1（HMGB-1），heat shock protein（HSP），ミトコンドリアDNAなど〕の両者が，Toll-like receptor（TLR）を始めとする単球や血小板上のpattern recognition receptors（PRRs）に認識される。

続いて，単球・マクロファージから産生されるanandamide（ANA）や血小板から産生される2-arachidonoylglycerol（2-AG）などの内因性麻薬，および炎症性サイトカイン（TNF-α，IL-6，IL-8など）が誘導されて敗血症性ショックへ陥る。高サイトカイン血症の状態（サイトカインストーム）はSIRSを助長し，敗血症性ショックからMOFへの進展に関与する。

その他の疾患への急性血液浄化療法/アフェレシス治療

```
                            感染
                    ┌────────┴────────┐
                    ↓                 ↓
        病原体由来の病原体関連分子      宿主由来の内因性物質
        pathogen-associated molecular      alarmin,
          patterns (PAMPs),              HMGB-1, HSP他
        エンドトキシン (LPS), PGN他
                    └────────┬────────┘
                             ↓
              pattern recognition receptors (PRRs)
                    ┌────────┴────────┐
                    ↓                 ↓
          anandamide (内因性麻薬)    炎症性サイトカイン
            ANA, 2-AGなど         TNF-α, IL-1, IL-6など
                    └────────┬────────┘
                             ↓
                       敗血症性ショック
                             ↓
                         多臓器不全
```

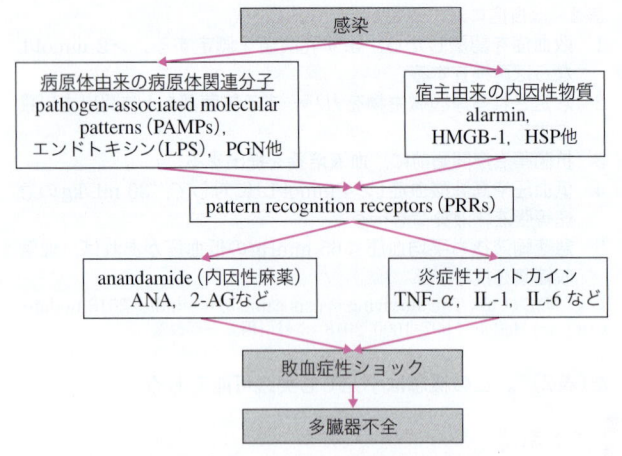

**図1 敗血症/敗血症性ショック/多臓器不全進展のカスケード**
LPS：lipopolysaccharide, PGN：peptidoglycan, HMGB-1：high mobility group box-1, HSP：heat shock protein, ANA：anandamide, 2-AG：2-arachidonoylglycerol
Vincent J, et al：Sepsis definitions: time for change. Lancet 381：774–775, 2013[6]より引用，一部改変

## 敗血症/敗血症性ショックに対する急性血液浄化療法の種類と適応

SSC-pediatric guidelineでは「PLASMA EXCHANGE, RENAL REPLACEMENT, AND EXTRACORPOREAL SUPPORT（血漿交換，腎代替療法，補助体外循環）」の章に6つの推奨・コンセンサスが公表された（表3）[3]。本稿ではこのうちRENAL REPLACEMENT（腎代替療法）について触れる[3]。

敗血症/敗血症性ショックに対する体外循環を用いた持続的腎代替療法（CRRT）の適応にはrenal indication CRRT（腎機能補助）とnon-renal indication CRRT（エンドトキシンやメディエーターの除去）の2つがある。

## 3 敗血症/多臓器不全

**表3 血漿交換，腎代替療法，補助体外循環に関するstatement(SSC-pediatric guideline)**

1. 敗血症性ショックまたは血小板減少症関連多臓器不全(TAMOF)を伴わない敗血症関連臓器機能障害に対して，血漿交換をしないことを提案する
2. 敗血症性ショックまたはTAMOFを伴う敗血症関連臓器に対して，血漿交換を賛成または反対することはできない
3. 敗血症性ショックまたは敗血症関連臓器機能障害に伴い，水分制限および利尿療法に反応しない体液過剰を予防または治療するために，持続的腎代替療法の施行を提案する
4. 敗血症性ショックまたは敗血症関連臓器機能障害に対して，標準的な血液濾過量を超える高流量濾過持続的腎代替療法を施行しないことを提案する
5. 敗血症誘発性小児急性呼吸窮迫症候群(Pediatric ARDS：PARDS)および治療抵抗性低酸素血症に対して，静脈静脈(VV)体外膜酸素化(体外式膜型人工肺：ECMO)を使用することを提案する
6. 敗血症性ショックの補助療法として，他のすべての治療に抵抗性である場合にのみ，静脈動脈(VA)ECMOを使用することを提案する

Weiss SL, et al：Surviving sepsis campaign international duidelines for the management of septic shock and sepsis-associated organ dysfunction in children. Pediatr Crit Care Med 21：e52–e106, 2020[3] より引用，一部改変

### 1. renal indication CRRT(腎機能補助)

敗血症に続発するMOFのなかには当然，急性腎障害(AKI)も含まれる。腎機能の破綻は乏尿・無尿を引き起こすが，それに伴う体液過剰(FO)は集中治療部門における予後不良因子であることが報告されている。そのため，SSC-pediatric guidelineでは「敗血症性ショックまたは敗血症関連臓器機能障害に伴い，水分制限および利尿療法に反応しない小児のFOを予防または治療するために，CRRTの施行を提案する(weak recommendation, very low quality of evidence)」とされた[3]。しかしCRRT導入のタイミングや具体的な方法に関しては言及されておらず，CRRTはあくまでもsecond-line optionの位置づけと記載されている。

## 2. non-renal indication CRRT（エンドトキシンやメディエーターの除去）

　敗血症に対するメディエーター除去目的のnon-renal indication CRRTは，標的となる主な炎症性サイトカインの分子量が比較的大きい（TNF-α 17,000，IL-6 26,000，IL-8 8,000）ことから，当初，通常設定のCRRTによる除去能では不十分と考えられていた。このような背景のもと，2000年代前半に，成人領域ではRoncoらを中心としたグループが高流量濾過CRRT（＞35 mL/kg/時）による3つの「サイトカイン除去戦略」を提唱した。

1）peak concentration hypothesis（あらゆるサイトカインの最高血中濃度を低下させる）
2）threshold immune modulation hypothesis（組織中のサイトカイン濃度を低下させる）
3）mediator delivery hypothesis（リンパ流量増加により，組織中のサイトカイン濃度を低下させる）

　しかし，その後の複数の多施設ランダム化比較試験（ATN study[7]，RENAL study[8]，IVOIRE study[9]）の結果，1）〜3）を目的とした高流量濾過CRRTによるサイトカイン除去効率は悪いことや，仮にCRRTによってサイトカインを低下させても死亡率を改善しないとする報告が相次いだ。小児領域でも，重症敗血症155例に対する高流量濾過CRRTと通常設定CRRTを比較した後ろ向きコホート研究の結果，高流量濾過CRRTは28日生存率を改善しないこと，血中の炎症性メディエーターを低下させないことが報告された[10]。SSC-pediatric guidelineでも「敗血症性ショックまたは敗血症関連臓器機能障害のある小児に対して，標準的な血液濾過量を超える高流量濾過CRRTを施行しないことを提案する（weak recommendation, low quality of evidence）」とされている[3]。

## 3 敗血症/多臓器不全

以上から，現在，敗血症/敗血症性ショックに対するメディエーター除去目的の高流量濾過CRRTの有効性は否定的である。

一方で近年，敗血症/敗血症性ショックに対し，エンドトキシンやメディエーターを直接，吸着除去するnon-renal indication CRRTが普及してきている。

### 1）エンドトキシン除去療法

日本発のポリミキシンB固定化繊維カラム（トレミキシン®, 東レ）を用いた直接血液灌流法（PMX-DHP）は，1994年以降，日本を含むアジア・中東・EU諸国の計12カ国で普及している（2020年3月現在）。保険適用は「エンドトキシン血症に伴うSIRS，あるいはグラム陰性桿菌感染症によるSIRS」である。開発コンセプトは「グラム陰性菌由来のエンドトキシンの吸着除去」であったが，近年は敗血症の重症化にかかわるPAMPs，alarmin，anandamide，などのメディエーターやIL-6を始めとした，サイトカインの血中濃度を低下させる効果も報告されている。このため保険診療上の問題はあるが，エンドトキシンを産生しないグラム陽性菌による敗血症/敗血症性ショック患者にも有効性が期待できる。2011年にカラムの小型化（PMX-01R，カラム内容量8 mL）に成功し，小児のみならず，新生児に対するPMX-DHP施行が可能となった。なお，最新の令和2年度診療報酬改定によるPMX-DHPの保険適用は「18歳未満の患者にあっては，エンドトキシン血症であるもの又はグラム陰性菌感染症が疑われるものであって，細菌感染症を疑ってから当該治療が終了するまでの期間におけるPMX-DHP開始前の時点で，『日本版敗血症診療ガイドライン2016』[11]」における小児SIRS診断基準をみたすこと」と記載された。

### 2）サイトカイン吸着療法

AN69ST膜からなる持続緩徐式血液濾過器（セプザイリス，バクスター）は，血液透析機能に加え，サイトカイン吸着性能があることから，2014年に「重症敗血症および敗血症性

## その他の疾患への急性血液浄化療法/アフェレシス治療

ショック」に対しても保険適用が追加された。AN69ST膜は、アクリロニトリルとメタリルスルホン酸ナトリウムの共重合体であり、メタリルスルホン酸ナトリウムのスルホネート基(陰性荷電)が、サイトカインのアミノ基(陽性荷電)とイオン結合することでサイトカインを吸着する。加えて、親水性を生かしたハイドロゲル構造により、中空糸の血液接触表面での吸着のみならず、透析液接触側にかけてバルク層全体に浸透することで吸着体積を大きくし、効率よくサイトカインを吸着する。臨床ではAKIがあり、かつサイトカイン除去を必要とする敗血症患者に適応となる。留意点としては、AN69ST膜は、PS(ポリスルホン)膜やポリメチルメタクリレート(PMMA)膜と比較してナファモスタットメシル酸塩を有意に吸着するため、膜寿命に影響を及ぼす可能性がある。現時点でセプザイリスを用いた小児症例の報告はまだ少ない。

一方で、PMMA膜からなる持続緩徐式血液濾過器(ヘモフィール®、東レ)もサイトカイン除去に適した膜孔径を有しており、持続的血液透析濾過(CHDF)施行前後で、IL-6を吸着し低下させる性能が報告されている。しかしヘモフィール®は、renal indicationに対しては保険収載されているものの、敗血症や敗血症性ショックに対するnon-renal indicationには保険適用がない点に注意する。

## 3. 小児敗血症/敗血症性ショックに対する血液浄化療法のエビデンス

国内外において、小児敗血症/敗血症性ショックに対する急性血液浄化療法の適応や有効性に関するエビデンスは乏しい。SSC-pediatric guidelineではFOに対してはCRRTの提案があるものの、non-renal indication CRRTであるエンドトキシン除去療法やサイトカイン吸着療法については、一切触れられていない。なお、最近発表された「日本版敗血症診療ガイドライン2020」[12]によれば、CQ18-11に「小児敗血症に対

して敗血症の治療として血液浄化療法を行うか？(血漿交換を含む)」があげられている。その回答は「小児敗血症に対して敗血症の治療として血液浄化療法を行わないことを弱く推奨する」というステートメントとなっている。ただし、「高カリウム血症などの重篤な急性腎障害や利尿薬に不応の溢水の管理に対する腎代替療法の施行を否定するものではない」という付記があることに留意する。

また、PMX-DHPに関しては「小児・新生児におけるエンドトキシン除去療法ガイドライン」が2010年に日本未熟児新生児学会(現・日本新生児成育医学会)から公表されているが、エビデンスレベルや推奨の記載はない[13]。

## ポリミキシンB固定化繊維を用いた直接血液灌流法(PMX-DHP)施行のコツとピットフォール

メディエーター除去目的の高流量濾過CRRTの有効性は否定的であることと、体格の小さい児では、回路全体の血液プライミング量をできる限り抑えたいことから、腎機能に問題のない敗血症/敗血症性ショックに対する急性血液浄化療法では、トレミキシン®を用いたPMX-DHP単独回路が第一選択となる(図2)。

PMX-DHP単独の場合、PMXカラムでは血液透析ができないため、電解質補正・酸塩基平衡補正・体液量管理(除水)は行えない。通常、敗血症/敗血症性ショックに加え、renal indicationへの対応も同時に必要な症例には、セプザイリスやヘモフィール®のほうが適している。ただし、トレミキシン®と他の血液透析用カラムを直並列で接続し、PMX-DHP＋持続的血液透析(CHD(F))とするhybrid CRRTを行うことは可能である[14]。

### 1. 導入のタイミング

PMX-DHP導入のタイミングに関するエビデンスは乏しい

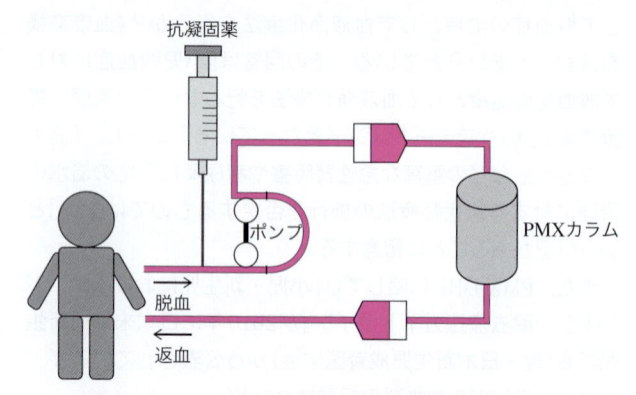

## その他の疾患への急性血液浄化療法/アフェレシス治療

**図2　筆者の施設におけるポリミキシンB 固定化繊維を用いた直接血液灌流法(PMX-DHP)単独回路**
コンソール(ポンプ)：ACH-Σ，回路：PE-PSG，PMXカラム：トレミキシン®，抗凝固薬：ナファモスタットメシル酸塩(0.5 mg/kg/時，活性化凝固時間；150秒前後を目標)

が，感染巣への根本治療(抗菌薬やドレナージなど)，十分な輸液および循環作動薬投与を行っても全身状態が改善しない場合には，重症化のカスケードを遮断する目的で導入を検討する。筆者はPMX-DHP導入の基準として，至適血圧を維持するために必要な循環作動薬(ドパミンand/orドブタミン)の需要が合計10 μg/kg/分以上，血中IL-6が500 pg/mL以上(正常8 pg/mL以下)であれば導入を検討している[15]。

### 2. 施行前の準備

出荷時のPMXカラム内容液は酸性(pH約2)のため，使用前にPMX-05R(カラム内容量40 mL)は2 L以上，PMX-01R(カラム内容量8 mL)は500 mL以上の生理食塩液での洗浄が必要である。最後の500 mLには，ナファモスタットメシル酸塩20 mgやヘパリン2,000単位など抗凝固薬を添加したものを用いるが，出血傾向が強い場合は生理食塩液のみで洗浄し

てもよい。なお，洗浄中はカラムのラベルが読める方向にセットし，洗浄液が下から上へ流れるように回路を接続する。

### 3. プライミング

回路全体（回路＋カラム）のプライミング量が，患者の循環血液量（体重×80 mL）の10％を上回る場合には合成血液を用いて血液プライミングを行う。筆者は「濃厚赤血球：5％アルブミン＝2：1」を混合した合成血液，もしくは凝固能が著しく障害されている場合には「濃厚赤血球：新鮮凍結血漿＝2：1」を混合したものを使用している[15]。合成血液を用いる場合には，濃厚赤血球に対し，カリウム吸着除去用血液フィルター（カワスミ カリウム吸着フィルター，川澄化学工業）を通してから使用する。

### 4. 血流量

血流量（$Q_B$）についてトレミキシン®の添付文書には，PMX-05Rで20〜40 mL/分，PMX-01Rで8〜12 mL/分と記載されている。体格の小さい児では脱血開始時の血圧低下（initial drop）を防ぐために，血圧をモニタリングしながら1〜5 mL/分程度で緩徐に開始する。

### 5. 抗凝固薬

敗血症/敗血症性ショックでは，しばしば播種性血管内凝固症候群（DIC）を合併しており，特に未熟性の強い新生児では臓器出血のリスクが高い。したがって，わが国では半減期が長い（約60〜90分）ヘパリンよりも，半減期が短い（約8分）ナファモスタットメシル酸塩が頻用される（後者は欧米では発売されていない）。回路内凝固の予防にナファモスタットメシル酸塩を用いる場合は，脱血側から0.5〜1.0 mg/kg/時で持続投与する。投与中は活性化凝固時間（ACT）を返血側で測定し，ACT150〜200秒を目安に，適宜増減する。

### 6. 施行回数・連続施行時間

　PMX-DHPを行う際のカラムは，保険診療上，2個を限度として算定できるため，通常1日1回施行し，2日間を上限に行う。なお，保険診療上の詳細には「午後6時以降にPMX-DHPを開始した場合には，終了した時間が午前0時以降であっても，1日として算定する。ただし，夜間に開始し，12時間以上継続して行った場合は，2日として算定する」とあることに留意する。また，1回当たりの連続施行時間は，添付文書に「原則2時間施行」と記載がある。これはPMXカラムの開発段階の in vitro の灌流吸着実験の結果に基づいており，2時間のPMX-DHP施行で E. coli 由来エンドトキシン（LPS濃度10 ng/mL）を約70％吸着し，それ以降は平衡状態に達したこと（これは初期のエンドトキシン濃度が違っていても変化しない）と，動物実験において同様に2時間施行で救命効果を認めたことが根拠となっている。しかし，最近のわが国の多施設研究（DESIRE Trial[16]）によれば，患者背景に差のない成人の敗血症性ショックに対するPMX-DHP2時間施行群22例と長時間施行群（中央値5.5時間）14例を比較したところ，長時間施行群のほうが28日死亡率は有意に低かった（31.8％ vs 0％，p=0.019）。筆者も回路内凝固がない限りは，約5時間の長時間PMX-DHPを行っている[17]。

## ポリミキシンB固定化繊維を用いた直接血液灌流法（PMX-DHP）の効果判定

　筆者はPMX-DHP施行の際には，血中IL-6を測定して治療効果を評価する"cytokine-oriented critical care"を実践している。IL-6の測定には，ベッドサイドで迅速に測定できる半定量ELISAキット（STICKELISA®，東レ・メディカル）や定量測定用機器（RAY-FAST®，東レ・メディカル）を用いる（図3）。PMX-DHP開始後，有効な症例では成人の報告同様に，バイタルサインの改善とともにIL-6が低下する。実際，早産

## 3 敗血症/多臓器不全

|  | STICKELISA®(東レ・メディカル) | RAY-FAST®(東レ・メディカル) |
| --- | --- | --- |
| 検査法 | 半定量 | 定量 |
| 検査時間 | 約45分 | 約20分 |
| コスト | 3,800円/1検体 | 5,000円/1検体 |
| 検体 | 血清0.2 mL | 全血0.2 mL |

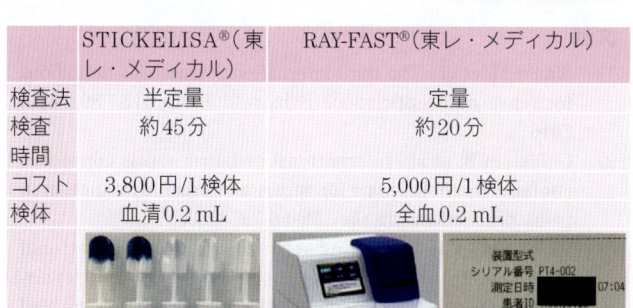

**図3　ベッドサイドで可能なIL-6迅速測定法**

児(中央値25.5週)の早発型敗血症性ショック6例(生後72時間以内に発症)に対するPMX-DHP施行前後(中央値5.5時間)で比較したところ、IL-6は施行前後で有意に低下(中央値8,396 pg/dL vs 1,235 pg/dL, p=0.037)し、同時にa/APO2および平均血圧は施行前後で有意に改善した[17]。このように、PMX-DHPの効果判定はバイタルサインの改善に加え、IL-6の変化によっても客観的に評価可能である。

### おわりに

敗血症に対する急性血液浄化療法の位置づけは、あくまでも抗菌薬による治療効果発現までのsecond-line optionである。導入に時間を浪費し、肝心な抗菌薬投与を含むhour-1 bundleが決して遅れてはならない。一方で、敗血症からMOFへの進展には、サイトカインを始めとした種々のメディエーターが関与していることから、cytokine-oriented critical careは合理的であり、病勢把握や治療効果の判定に有用であろう。

## 文献

1) Singer M, et al：The third international consensus definitions for sepsis and septic shock(Sepsis-3). JAMA 315：801-810, 2016
2) Goldstein B, et al：International pediatric sepsis consensus conference：definitions for sepsis and organ dysfunction in pediatrics. Pediatr Crit Care Med 6：2-8, 2005
3) Weiss SL, et al：Surviving sepsis campaign international duidelines for the management of septic shock and sepsis-associated organ dysfunction in children. Pediatr Crit Care Med 21：e52-e106, 2020
4) Matics TJ, et al：Adaptation and validation of a pediatric sequential organ failure assessment score and evaluation of the Sepsis-3 definitions in critically ill children. JAMA Pediatr 171：e172352, 2017
5) Levy MM, et al：The surviving sepsis campaign bundle：2018 update. Crit Care Med 46：997-1000, 2018
6) Vincent J, et al：Sepsis definitions：time for change. Lancet 381：774-775, 2013
7) VA/NIH Acute Renal Failure Trial Network, et al：Intensity of renal support in critically ill patients with acute kidney injury. N Engl J Med 359：7-20, 2008
8) RENAL Replacement Therapy Study Investigators, et al：Intensity of continuous renal-replacement therapy in critically ill patients. N Engl J Med 361：1627-1638, 2009
9) Joannes-Boyau O, et al：High-volume versus standard-volume haemofiltration for septic shock patients with acute kidney injury(IVOIRE study)：a multicentre randomized controlled trial. Intensive Care Med 39：1535-1546, 2013
10) Miao H, et al：Clinical benefits of high-volume hemofiltration in critically ill pediatric patients with severe sepsis：A Retrospective Cohort Study. Blood Purif 45：18-27, 2018
11) 日本版敗血症診療ガイドライン2016作成特別委員会：日本版敗血症診療ガイドライン2016 The Japanese Clinical Practice Guidelines for Management of Sepsis and Septic Shock 2016 (J-SSCG2016) https://www.jsicm.org/pdf/jjsicm24Suppl2-2.pdf 2020.7.8アクセス
12) 日本版敗血症診療ガイドライン2020ガイドライン統括委員会：日本版敗血症診療ガイドライン2020先行版 The Japanese

Clinical Practice Guidelines for Management of Sepsis and Septic Shock 2020(J-SSCG2020) https://www.jstage.jst.go.jp/article/jsicm/advpub/0/advpub_27S0001/_pdf/-char/ja 2021.1.7アクセス
13) 茨 聡, 他：小児・新生児におけるエンドトキシン除去療法ガイドライン．日未熟児新生児会誌 22：251-253, 2010
14) 藤永周一郎：敗血症/多臓器不全．伊藤秀一, 他監修：小児急性血液浄化療法ハンドブック, 東京医学社, 136-147, 2013
15) 西﨑直人, 他：新生児に対するエンドトキシン除去療法．エンドトキシン血症救命治療研会誌 22：15-24, 2018
16) Kawazoe Y, et al：Mortality effects of prolonged hemoperfusion therapy using a polymyxin B-immobilized fiber column for patients with septic shock：A sub-analysis of the DESIRE trial. Blood Purif 46：309-314, 2018
17) Nishizaki N, et al：Clinical effects and outcomes after polymyxin B-immobilized fiber column direct hemoperfusion treatment for septic shock in preterm neonates. Pediatr Crit Care Med 21：156-163, 2020

(西﨑 直人)

その他の疾患への急性血液浄化療法/アフェレシス治療

# 4 血液腫瘍疾患

### ポイント

1. 腫瘍崩壊症候群は，発症リスクに応じた輸液療法と高尿酸血症に対する薬物療法を行い，発症予防を行うことが重要である。
2. 原因不明の血小板減少と溶血性貧血の2症状を認めたら，血栓性微小血管症の可能性を考え，診断を進めると同時にエンピリックな治療を開始する。
3. 新鮮凍結血漿を用いた血漿交換の絶対適応は，後天性血栓性血小板減少性紫斑病，チクロピジンによる二次性血栓性微小血管症，そして，抗H因子抗体陽性の非典型溶血性尿毒症症候群である。これらの疾患の予後改善には，早期診断と早期治療が極めて重要である。

## はじめに

　Onco-nephrologyとは，oncology（腫瘍学）とnephrology（腎臓病学）との間に生まれた造語であり，2011年の米国腎臓学会で初めて取り上げられた新領域である。血液腫瘍疾患における急性腎障害（AKI）は，この領域の主要な位置を占める。

　AKIは血液腫瘍疾患において，高い罹患率および死亡率を生じる重篤な合併症であり，AKIの程度によって患者の予後が決定されるといっても過言ではない。AKIを引き起こす血液腫瘍疾患として，白血球系では，①腫瘍崩壊症候群（TLS），②多発性骨髄腫があり，赤血球系と血小板系では，血栓性微小血管症（TMA）が臨床的に重要である。それ以外には，治療（例：薬剤，放射線照射），あるいは他の合併症（例：敗血症，心不全）などによっても起こり得る[1,2]。

# 4 血液腫瘍疾患

本稿では、TLSとTMAに対する腎代替療法（RRT）の役割とその方法について述べる。

## 腫瘍崩壊症候群

### 1. 腫瘍崩壊症候群（TLS）とは

脆弱な腫瘍細胞の自然崩壊や、治療に伴う腫瘍細胞の急激な破壊によって生じる代謝異常症で、重篤化するとAKI、不整脈を誘発し、死に至る可能性のある合併症である。主に細胞内の代謝産物である電解質（カリウム、リン）、核酸、サイトカインなどが循環血液中に大量に放出されることによって生じる。これらが、正常の代謝・排泄能力を上回った時に全身臓器に悪影響を及ぼすが、通常、化学療法開始から12〜72時間以内に発症する。TLSの発症率については、文献によって症例の特性、基礎疾患、治療強度の違いがあるため正確な率は不明であるが、近年の欧州4カ国における722症例〔小児例：43%、非ホジキンリンパ腫（NHL）：37%、急性リンパ芽球性白血病（ALL）：36%、急性骨髄性白血病（AML）：27%〕を対象とした後ろ向き試験によると、発症率は5%で成人も小児も同等であったとされている[3]。

### 2. 腫瘍崩壊症候群（TLS）の定義とリスク分類（表1）[4,5]

TLSの定義は、CarioとBishopが2004年に提唱した臨床検査値異常に基づくTLS、laboratory TLS（LTLS）とLTLSに加えて生命を脅かす腎機能障害、不整脈、痙攣、死亡のいずれかを伴う臨床的TLS、clinical TLS（CTLS）に大別する分類が広く受け入れられていた[6]。しかし2010年に、より包括的かつ系統的なリスク評価システムである「an expert TLS panel consensus」の作成が行われ、LTLSにおける検査値異常の定義である「基準値の25%の増加」という文言が臨床的意義に乏しいこと、またカルシウムの低下はリン酸の上昇によるもので独立性に乏しいことより、表1[4,5]のように尿酸値、血清カ

## その他の疾患への急性血液浄化療法/アフェレシス治療

### 表1 腫瘍崩壊症候群(TLS)の定義

| 血液検査所見 | laboratory TLS | clinical TLS | 文献 |
|---|---|---|---|
| 血清尿酸値 | ＞基準値上限 | 血清クレアチニン≧1.5×基準値上限 | an TLS expert panel consensus, 2010[4] |
| 血清リン値 | ＞基準値上限 | 痙攣 | |
| 血清カリウム値 | ＞基準値上限 | 不整脈，突然死 | |

| 血液検査所見 | laboratory TLS | clinical TLS | 文献 |
|---|---|---|---|
| 血清尿酸値 | ＞(年齢対応)基準値上限 | | Howardら, 2011[5] |
| 血清リン値 | ＞6.5 mg/dL | | |
| 血清カリウム値 | ＞6.0 mmol/L | 不整脈または突然死 | |
| 血清カルシウム値 | 補正カルシウム値＜7.0 mg/dLまたはイオン化カルシウム＜1.12 mg/dL | 不整脈，突然死，痙攣，神経・筋の興奮性増大，低血圧，心不全 | |
| 急性腎障害 | | 血清クレアチニン値がベースラインから少なくとも0.3 mg/dL上昇(ベースラインが不明の場合は＞1.5×基準値上限)または，乏尿(6時間の尿量＜0.5 mL/kg/時) | |

※血清尿酸値，血清リン値，血清カリウム値の3項目中2項目以上が，治療開始3日前から開始7日後までに存在すること
※ただし，Howardらの定義では2つ以上が24時間以内に起こることを必須としている[5]

Cairo MS, et al：Recommendations for the evaluation of risk and prophylaxis of tumour lysis syndrome(TLS)in adults and children with malignant diseases: an expert TLS panel consensus. Br J Haematol 149：578-586, 2010[4]/Howard SC, et al：The tumor lysis syndrome. N Engl J Med 364：1844-1854, 2011[5]より引用，一部改変

リウム値，血清リン値のうち，2つが正常上限を超えている場合をLTLSと再定義した[4]。すなわち，高尿酸血症，高カリウム血症，もしくは高リン血症の3項目中2項目以上が，治療開始前3日から治療後7日以内に基準値を超えた場合をLTLSとし，さらに，腎機能障害(血清クレアチニン値が基準値の1.5倍以上)，不整脈，痙攣，死亡のいずれかを伴う場合をCTLSとしている。さらに2011年にもHowardらによって新たな定義が発表されたが[5]，わが国で2013年に発表された「腫瘍崩壊症候群(TLS)診療ガイダンス」[7]では，an expert TLS panel consensusの定義が採用されている。

## 3. 腫瘍崩壊症候群(TLS)のリスク評価と予防の考え方
### 1)リスクの有無を評価する(図)[8]

TLSの予防に当たっては，TLSの発症リスクを評価することから始める。まず，臨床検査値に従ってLTLSの有無を評価する。さらにLTLSであれば，腎障害，不整脈，痙攣などの有無により，CTLSか否かを評価する。LTLSの基準を満たさない場合は，年齢，疾患，腫瘍量，乳酸脱水素酵素(LDH)，白血球数により層別化し，さらに腎機能低下，腎浸潤，電解質異常の有無に合わせて最終的に低リスク(LR)，中等度リスク(IR)，高リスク(HR)を決定する。疾患ごとのリスク評価は，紙面の関係で"an expert TLS panel consensus"を参考にしていただきたい。Carioらによれば，TLSの発症頻度はLRで1%未満，IRで1〜5%，HRで5%とされている[3]。

### 2)腫瘍崩壊症候群(TLS)の予防
#### (1)補液および利尿

TLS発症予防に最も重要である。補液による循環血液量の増加は，腎血流量の増加，糸球体濾過量の増加につながり，その結果，尿酸やリンの排泄が促進される。中・高リスク群

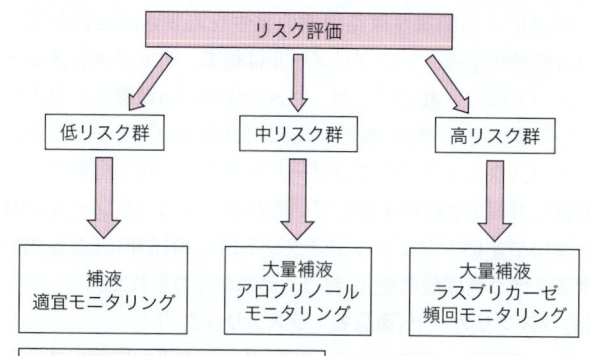

```
              リスク評価
    ┌────────────┼────────────┐
    ▼            ▼            ▼
 低リスク群    中リスク群    高リスク群
    │            │            │
    ▼            ▼            ▼
  補液         大量補液      大量補液
適宜モニタリング アロプリノール ラスブリカーゼ
              モニタリング   頻回モニタリング

治療中尿酸上昇時ラスブリカーゼ
```

**図　予防措置のアルゴリズム**
平野，2013[8]

では、2～3 L/m$^2$/日(体重10 kg以下であれば200 mL/kg/日)の大量補液、定期的な尿量のモニタリングが推奨される。尿量は80～100 mL/m$^2$/時(体重10 kg以下であれば3 mL/kg/時)、尿比重は1.010以下が維持されるべきである。また、初期の輸液にはリン、カルシウム、カリウムは含まれていないものを使用する[9]。

### (2)尿のアルカリ化

現在では推奨されていない[5,9]。尿をアルカリ化することで尿酸の排出を促進し、尿酸塩結晶の析出を防ぐことは可能であるが、キサンチンやヒポキサンチンの溶解量はほとんど増加せず、特にアロプリノールを使用してこれらの代謝物が増加している場合には、これらの結晶が尿細管に析出して腎機能障害を引き起こす。さらに、カルシウムリン酸塩の析出を促進してしまう。したがって、アルカリ化は代謝性アシドーシスのある場合のみに考慮されるべきである[9]。

### (3)尿酸生成阻害薬

アロプリノール、フェブキソスタットともにキサンチンオキシダーゼを阻害することにより、尿酸の生成を抑制する。これらを使用することで尿酸の産生を減少させ、尿酸塩結晶の析出による閉塞性尿路障害の発生を減少させることで、TLSを予防する。アロプリノールは従来、TLSマネジメントにおいて頻用されていたが、TLSの病態から腎機能が低下している症例では、腎排泄型の本剤は使用しにくい。一方、フェブキソスタットはアロプリノールと異なり、排泄経路として腎臓と肝臓の2経路を有しているため、アロプリノールよりも使いやすい。フェブキソスタットは、2016年に「がん化学療法に伴う高尿酸血症」に対して適応が認められた。

### (4)ラスブリカーゼ(商品名:ラステリック®)

ラスブリカーゼは、Aspergillus flavus由来の尿酸のオキシダーゼ遺伝子を*Saccharomyces cerevisiae*株に導入して、発現させた遺伝子組み換え型の尿酸酸化酵素である。尿酸酸

化酵素の働きは,尿酸を水溶性の高いアラントインに変換し,腎臓からの排泄を容易にすることである。この働きにより高尿酸血症は速やかに改善される。ラスブリカーゼの有効性と安全性に関しては,国内外で良好な結果報告がなされている。Coiffierら[10]は,2003年に18〜80歳のNHL患者100症例に対するラスブリカーゼ使用の報告を行っている。それによると,評価可能であった95症例全例で,ラスブリカーゼの投与後4時間以内の速やかな尿酸値の減少が確認され,さらに化学療法施行中も尿酸値の上昇は認めなかったと報告している。また,期間中透析を必要とした症例はなかった。一方,わが国においてもKikuchiら[11]が,18歳未満の初発急性白血病およびNHLを対象に行われた,第Ⅱ相試験の結果を報告している。合計30症例が登録され,疾患の内訳は急性白血病22例,NHL8例であった。また,高尿酸血症を有する症例は13例であった。評価可能症例は29例であり,そのうち28例(96.6％)においてラスブリカーゼが有効と判定された。また重篤な有害事象はみられなかったと報告している。このように,TLSの予防や治療において,新たな作用機序で尿酸を分解するラスブリカーゼの登場は,臨床的に意義が大きい。しかし後述するように,これらの治療にもかかわらずAKIに至る症例も依然として存在するということを忘れてはならない。

## 4. 腫瘍崩壊症候群(TLS)と急性腎障害(AKI)

ラスブリカーゼの導入によって透析に至る症例が劇的に減少したものの,依然として透析を必要とする症例が存在する。Jehaらが行った多施設共同研究の報告[12]によると,米国およびカナダの41施設で,1999年1月から2002年9月の間,1,069症例(小児:682人,成人:387人)を対象として行われた後ろ向き試験では,ラスブリカーゼ投与にもかかわらず,3％(小児:1.5％,成人:5％)の症例はRRTを要したとされている。表2[13]にリスク別のTLS発生率を示す。高リスク症例の治療

## その他の疾患への急性血液浄化療法/アフェレシス治療

**表2 リスク別の腫瘍崩壊症候群(TLS)発生率**

| Laboratory TLS | 報告されている発生率(%) |
| --- | --- |
| **高リスク群** | |
| 急性リンパ性白血病 | 5.2〜23 |
| 急性骨髄性白血病(白血球数>75,000/μL) | 18 |
| B細胞性急性リンパ性白血病 | 26.4 |
| バーキットリンパ腫 | 14.9 |
| **中間リスク群** | |
| 急性骨髄性白血病(白血球数25,000〜50,000/μL) | 6 |
| びまん性大細胞性B細胞リンパ腫 | 6 |
| **低リスク群** | |
| 急性骨髄性白血病(白血球数<25,000/mL) | 1 |
| 慢性リンパ性白血病 | 0.33 |
| 慢性骨髄性白血病 | 症例報告 |
| 固形腫瘍 | 症例報告 |

Wilson FP, et al : Tumor lysis syndrome: new challenges and recent advances. Adv Chronic Kidney Dis 21 : 18-26, 2014[13]より引用, 一部改変

開始に当たっては, AKI発症の可能性を考慮して, RRT施行可能な施設で治療を開始することが望ましい。

従来より, TLSでは腫瘍細胞が崩壊することによって放出されたリン, また, 核酸の最終代謝産物として変換された大量の尿酸が, それぞれリン酸カルシウム塩, 尿酸塩結晶となって腎尿細管に沈着することにより, AKI発症の原因となると考えられてきた。このメカニズムをcrystal-dependent pathwayと呼ぶ。しかし近年, 尿細管閉塞のない軽度の尿酸値の上昇(5 mg/dL程度)であってもAKIに至ったという報告がなされ, 尿酸によるAKIの機序には結晶沈着とは独立した経路もあると考えられている(crystal-independent pathway)。それは, 尿酸によって一酸化窒素合成酵素の阻害, 内皮細胞における一酸化窒素産生の減少, レニン・アンジオテンシン系の亢進が生じて腎血管収縮や自動調節能の障害が起こり, 結果としてAKIに至るというものである[14]。

## 5. 腫瘍崩壊症候群(TLS)に対する腎代替療法(RRT)の考え方(表3, 表4)[8]

TLSに対するRRTの目的は,水電解質バランスのコントロールおよび蓄積代謝産物の除去にある。その導入基準は,内科的にコントロール不能な以下の項目が1つ以上存在する状態である。①高リン血症,②高カリウム血症,③高尿酸血症,④低カルシウム血症,⑤溢水,⑥高血圧,⑦高度の代謝性アシドーシス/尿毒症症状。ただし,乏尿が始まってからRRT開始までの時間が,その後のRRTの時間と相関するという報告もあるため[15],急速に悪化するTLS症例に対しては,基準を満たさなくても導入を検討することが必要である。

次に浄化法の選択であるが,通常,血液腫瘍疾患全般にい

### 表3 腎代替療法(RRT)の導入基準
①高リン血症
②高カリウム血症
③高尿酸血症
④低カルシウム血症
⑤溢水
⑥高血圧
⑦高度の代謝性アシドーシス/尿毒症症状
※上記のなかで,内科的にコントロール不能な項目が1つでも存在した時点でRRTを導入する

平野,2013[8]より引用,一部改変

### 表4 腫瘍崩壊症候群(TLS)に対する腎代替療法(RRT)の実際

| | |
|---|---|
| 透析モード | 持続的血液透析(CHD) |
| 血液浄化膜 | 生体適合性・抗血栓性に優れ,フィルターライフが長いもの(例:ポリスルホン膜;PS膜) |
| 抗凝固薬 | 未分化ヘパリン or ナファモスタットメシル酸塩(NM) |
| 活性化凝固時間(ACT) | 200秒前後 |
| 血流量($Q_B$) | 2〜5 mL/kg/分 |
| 透析液流量($Q_D$) | $Q_B$の0.2〜0.5倍(急速な溶質除去が必要な場合は,$Q_B$の2倍まで増量可) |

平野,2013[8]より引用,一部改変

えることであるが，RRT開始前に，すでに貧血や多臓器不全が存在していることが多いため，循環動態が不安定である可能性が高い。加えて出血傾向が伴っていることも多いと思われる。さらに，TLSで問題となるリンとカリウムの除去能に関しては，透析の施行持続時間に依存すると報告されている[16]。したがって，これらを考慮に入れる必要がある。まず，不安定な循環動態に対しては，血圧変動を最小限に抑えるために，24時間持続的緩徐に施行する持続的腎代替療法（CRRT）を選択する。もちろん導入後循環動態の安定が得られた後は，間欠的腎代替療法（IRRT）やCRRTとIRRTの中間的モードである持続的抵効率透析（SLED）への変更は可能である。また，導入直後に際しては血圧低下の問題があるため注意が必要である。筆者らは循環動態が不安定な例においては，基準を満たしていなくても血液プライミング〔赤血球濃厚液－LR＋新鮮凍結血漿（FFP）を1：1～2：1で混合〕を行っている。次に，出血傾向に対しては，抗凝固薬の種類と投与量についての慎重な検討が必要となる。抗凝固薬は，抗トロンビン活性がそれほど高くなく出血傾向をきたしにくいこと，半減期が5～8分と短く調節性に優れていることなどの特徴を有する，ナファモスタットメシル酸塩（NM）の使用が望ましい。しかし，分子量が500程度と小さく透析性があるため，透析液を高流量で流す場合は必要量が多くなることに留意する。

また，血液浄化膜に関しては日々技術的な進歩がなされているため，その時点での最適な膜を選択すればよいが，基本的な考え方としては抗血栓性・生体適合性に優れ，フィルターライフが長いものを選択する。現在，筆者らはポリスルホン膜を多く選択している。治療モードは小分子量物質の除去が目的であり，かつ膜への負担が少ない持続的血液透析（CHD）を選択する。透析液流量（$Q_D$）の設定は通常のrenal indicationと同様，すなわち血流量（$Q_B$）の0.2～0.5倍程度で開始するが，急速に溶質を除去したい場合には，$Q_D$が除去効

率を規定するため，$Q_B$の1.5〜2.0倍までは増量可能である（high flow CHD）。しかし，高流量の透析を持続すると必要物質まで除去される可能性があり，さらに保険上の問題が出てくるため，除去が目標濃度に達したあとは，透析液量を1/2ずつ漸減する必要がある。

## 血栓性微小血管症

### 1. 血栓性微小血管症（TMA）に対する腎代替療法（RRT）の考え方（表5）[17]

TMAは，微小血管内での血栓形成と血管内皮障害を主病態とする病理学的診断名である。臨床的には血栓形成に起因する消費性血小板減少や，微小血管症性溶血性貧血，腎機能障害を主徴とし，さらに発熱や中枢神経症状なども認められるが，これらすべての症状がそろわないことも少なくない。TMAの診断の手順に関しては紙面の都合上割愛するが，原因により治療法が大きく異なるため，早期の診断が必要不可欠である。また，TMAは無治療では極めて予後不良であり，早期の適切な対応が不可欠であるが，ADAMTS-13活性，抗ADAMTS-13抗体，補体関連遺伝子検査などの検査は結果を得るために時間を要する。したがって，原因不明の血小板減少と溶血性貧血を認めた際には，まずTMAの可能性を考え，診断を進めると同時にエンピリックな治療を開始する必要がある。表5[17]に米国アフェレシス学会による2019年版ガイドラインにおけるTMAとアフェレシス療法の位置づけを示す。このガイドラインでは，わが国の非典型溶血性尿毒症症候群（aHUS）は補体関連TMA（＋凝固関連TMA）に相当する。これによると，血漿交換（PE）が第一選択もしくは標準治療の根本となる病態は，後天性血栓性血小板減少性紫斑病（TTP），チクロピジンによる二次性TMA，そして抗H因子抗体陽性のaHUSのみである。したがって，それ以外のTMAに対しては支持療法が主体となる。チクロピジンによる二次性TMAの多

### その他の疾患への急性血液浄化療法/アフェレシス治療

**表5 米国アフェレシス学会による2019年版ガイドラインにおける血栓性微小血管症（TMA）とアフェレシス療法の位置づけ**

| 病名 | カテゴリー | 推奨グレード |
|---|---|---|
| 後天性血栓性血小板減少性紫斑病 | I | 1A |
| 補体関連TMA | | |
| 　抗H因子抗体陽性 | I | 2C |
| 　補体関連因子遺伝子変異 | III | 2C |
| 凝固関連TMA | | |
| 　THBD, DGKE, PLG遺伝子変異 | III | 2C |
| 薬剤関連TMA | | |
| 　チクロピジン | I | 2B |
| 　クロピトグレル | III | 2B |
| 　カルシニューリン阻害薬 | III | 2C |
| 　ゲムシタビン/キニン | IV | 2C |
| 造血幹細胞移植後TMA | III | 2C |
| 感染症関連TMA | | |
| 　STEC-HUS | III | 2C |
| 　侵襲性肺炎球菌感染関連HUS | III | 2C |

I：アフェレシス療法が第一選択肢，もしくは標準治療の根本となる
II：アフェレシス療法が第二選択肢，もしくは標準治療の根本となる
III：アフェレシス療法の役割が確立しておらず，個別の議論が必要
IV：アフェレシス療法が効果なく有害となり得るため，必要時には審査委員会による認可が望ましい

HUS：溶血性尿毒症症候群

Padmanabhan A, et al：Guidelines on the Use of Therapeutic Apheresis in Clinical Practice-Evidence-Based Approach from the Writing Committee of the American Society for Apheresis: The Eighth Special Issue. J Clin Apher 34：171–354, 2019[17]より引用，一部改変

くは，ADAMTS-13に対する自己抗体による二次性のTTPであると考えられるため，カテゴリーIに属する病態は，すべて自己免疫疾患とみなすことができる。つまり，TMAに対するPEの目的は，①自己抗体（抗ADAMTS-13抗体，抗H因子抗体）の除去，②超巨大分子量VWFマルチマー（UL-VWFM）の除去，③ADAMTS-13の補充，④正常のvon Willebrand因子（VWF）の補充，⑤H因子の補充，⑥二次的に生じたサイトカインなどの除去である。

## 2. 血栓性微小血管症（TMA）に対する血漿交換（PE）実施時の注意点（表6）

PEの原理，バスキュラーアクセス，抗凝固薬の詳細に関しては本書別稿を参照されたい。TMAにおけるPEの目的は，いずれも自己抗体の除去，および正常な凝固因子の補充にあるため，置換液にはFFPを用いる。実際には1～1.5 plasma volume（PV）のFFPを置換液として施行を開始する。PVは1PV(L)＝体重(kg)×1/13×[1－Ht(%)/100]の計算式を用いるが，PV(L)＝50 mL/kgとして計算する方法もある。1PVの置換で大分子領域の物質を約50%低下させることが可能である。したがって，原因物質の産生がないと仮定すると，3日連続施行で1/8まで除去することができる計算となる。また，FFPをオーダーする際には2単位製剤程度の小分けにオーダーして，こまめに解凍するほうがよいと考える。その理由として，FFPは解凍後長時間静置させると凝固因子が不活性化してしまうこと，発疹などのアレルギー反応が出現した際に新しいFFP製剤に交換が可能なことがあげられる。

通常，回路内は生理食塩液で満たすが，回路の体外循環容量が体内総血液量[体重(kg)/13]の10％以上の場合には，開

### 表6 血栓性微小血管症（TMA）に対する腎代替療法（RRT）の実際

| | |
|---|---|
| 透析モード | 血漿交換（PE） |
| 血液浄化膜 | 膜型血漿分離器，プラズマフロー OP，プラズマキュアー，サルフラックス，プラズマセパレーター，プロピレックスなど |
| 抗凝固薬 | 未分化ヘパリン or ナファモスタットメシル酸塩（NM） |
| 活性化凝固時間 | 200秒前後 |
| 血流量（$Q_B$） | 2～5 mL/kg/分 |
| 置換液量（mL/日） | 1PV(mL)＝[体重(kg)×1/13×[1－Ht(%)/100]] |
| 施行時間 | 2～3時間 |
| カルシウムの予防投与 | ワンショット量（mL/回）＝FFP 1Uに対してカルチコールを1 mL，持続投与量（mL/時）＝FFP投与単位数(U)/ PE施行時間 |

PV：プラズマボリューム，FFP：新鮮凍結血漿

始時の血圧低下を防止するために，他のRRTと同様に血液プライミング（赤血球濃厚液－LR＋FFPを1：1〜2：1で混合）を行う。PE開始後には，FFPに含有されるクエン酸ナトリウムにより，低カルシウム血症（口唇，手指のしびれ感，悪心，嘔吐，痙攣，意識障害など）をきたす可能性があるため，PE中は定期的にイオン化カルシウムを測定して，予防的に適宜静注もしくは持続静注する。

## 文献

1) Rossi R, et al：Renal involvement in children with malignancies. Pediatr Nephrol 13：153-162, 1999
2) Parikh CR, et al：Acute renal failure in hematopoietic cell transplantation. Kidney Int 69：430-435, 2006
3) Darmon M, et al：Clinical review：specific aspects of acute renal failure in cancer patients. Crit Care 10：211, 2006
4) Cairo MS, et al：Recommendations for the evaluation of risk and prophylaxis of tumour lysis syndrome(TLS)in adults and children with malignant diseases: an expert TLS panel consensus. Br J Haematol 149：578-586, 2010
5) Howard SC, et al：The tumor lysis syndrome. N Engl J Med 364：1844-1854, 2011
6) Cairo MS, et al：Tumour lysis syndrome: new therapeutic strategies and classification. Br J Haematol 127：3-11, 2004
7) 日本臨床腫瘍学会編：腫瘍崩壊症候群(TLS)診療ガイダンス，金原出版，2013
8) 平野大志：血液腫瘍疾患．伊藤秀一，他監修：小児急性血液浄化療法ハンドブック，東京医学社，148-157，2013
9) Coiffier B, et al：Guidelines for the management of pediatric and adult tumor lysis syndrome: an evidence-based review. J Clin Oncol 26：2767-2778, 2008
10) Coiffier B, et al：Efficacy and safety of rasburicase(recombinant urate oxidase)for the prevention and treatment of hyperuricemia during induction chemotherapy of aggressive non-Hodgkin's lymphoma：results of the GRAAL1(Groupe d'Etude des Lymphomes de l'Adulte Trial on Rasburicase Activity in Adult Lymphoma)study. J Clin Oncol 21：4402-4406, 2003

## 4 血液腫瘍疾患

11) Kikuchi A, et al：A study of rasburicase for the management of hyperuricemia in pediatric patients with newly diagnosed hematologic malignancies at high risk for tumor lysis syndrome. Int J Hematol 90：492-500, 2009
12) Jeha S, et al：Efficacy and safety of rasburicase, a recombinant urate oxidase(Elitek), in the management of malignancy-associated hyperuricemia in pediatric and adult patients：final results of a multicenter compassionate use trial. Leukemia 19：34-38, 2005
13) Wilson FP, et al：Tumor lysis syndrome：new challenges and recent advances. Adv Chronic Kidney Dis 21：18-26, 2014
14) Shimada M, et al：A novel role for uric acid in acute kidney injury associated with tumour lysis syndrome. Nephrol Dial Transplant 24：2960-2964, 2009
15) Saccente SL, et al：Prevention of tumor lysis syndrome using continuous veno-venous hemofiltration. Pediatr Nephrol 9：569-573, 1995
16) Tan HK, et al：Phosphatemic control during acute renal failure：intermittent hemodialysis versus continuous hemodiafiltration. Int J Artif Organs 24：186-191, 2001
17) Padmanabhan A, et al：Guidelines on the Use of Therapeutic Apheresis in Clinical Practice-Evidence-Based Approach from the Writing Committee of the American Society for Apheresis：The Eighth Special Issue. J Clin Apher 34：171-354, 2019

〔平野 大志〕

その他の疾患への急性血液浄化療法/アフェレシス治療

# 5 心疾患，術後（ECMOを含めて）

### ポイント

1. 心疾患および心疾患への外科手術後の急性腎障害の病態において，腎血流の経時的変化（灌流とうっ血）とそれに伴う血清クレアチニン値や電解質の変化に注意する。
2. 心腎症候群には循環動態の変化に加え，サイトカインやレニン・アンジオテンシン・アルドステロン系を含むさまざまな因子が関与し，治療方針検討の参考となる。
3. 心疾患およびその術後に体外式膜型人工肺（ECMO）を要する患者は，急性腎障害が高率に合併し，死亡率を上げる因子として体液過剰が指摘されている。急性血液浄化療法の適応は体液過剰が最も多い。体液過剰，電解質，酸塩基平衡を確実に管理できる急性血液浄化療法は有用である。
4. 非ECMO, ECMO使用例への急性血液浄化療法の開始時は，血圧低下の危険を伴うため，細胞外液製剤，5％アルブミン，濃厚赤血球液（クエン酸投与による低カルシウムに注意），強心薬の増量，血管拡張薬の減量，カルシウム製剤の準備を行ってから開始する。循環動態が不安定で腹水の多い症例には，腹膜透析も選択肢となり得る。
5. ECMOへの持続的血液濾過透析接続は，人工肺後の送血側から持続的血液濾過透析の脱血を行い，ECMOポンプ後で人工肺前の部位へ返血を行う方法が，血栓防止の観点からも安全である。ECMOの脱血回路側への接続は，人的ミスからECMO内への空気の流入により致命的になる場合があり禁忌に近い。
6. 市販の透析液では，低カリウム血症，低リン血症，低マグネシウム血症を呈する。不整脈などの重篤な合併症の

### 5 心疾患，術後（ECMOを含めて）

予防のために，透析液の電解質の補正を行う。
7. 心疾患術後症例に対する急性血液浄化療法は，極めて専門化された集中治療となるため，各専門科，看護師，臨床工学技士などの協力が不可欠である。症例も少ないため日頃の教育，チーム医療が必須である。

## はじめに

体外式膜型人工肺（ECMO）と急性血液浄化療法を組み合わせた治療方法について，過去10年にさまざまな報告がなされた。国際調査[1]や，系統的レビュー[2]からECMO下の症例に対する急性血液浄化療法は，安全に，死亡のリスクを高めずに，電解質，酸塩基平衡，体液過剰（FO）に対するin/outバランスの調整が可能かつ有用な治療方法であることが示唆された。

特にFOが，酸素化の悪化，ICUの滞在と人工呼吸器の長期化，死亡などのリスクに有意に関連していることが明らかとなり[2]，そのFOの管理を効率的に可能とする急性血液浄化療法の重要性が再認識されている。

ECMO，急性血液浄化療法などの治療方法は，Roncoらによって，心腎症候群（CRS）[3]という病態に対する多臓器支持療法（MOST）（肺，心臓，腎臓を支持する治療方法）のひとつとして広く世界中で行われる治療方法となった。

一方，これらの治療法は非常に複雑かつ煩雑であり，日本のなかでもさまざまな方法で行われており，学会のワークショップなどでは方法論が議論されている最中で，最新のガイドラインや提言に注意していく必要がある。

本稿では基本的事項とともに，ECMOに対する持続的血液濾過透析（CHDF）の接続方法に関する報告[4]，2018年の日本臨床工学技士会からの提言[5]，近年の新たな知見についても記載する。

その他の疾患への急性血液浄化療法／アフェレシス治療

## 心疾患術後の病態

心疾患術後の病態において腎血流（灌流やうっ血）にかかわる血行動態が特に重要である。また、手術による負荷から引き続いて起こる、免疫学的異常（高サイトカイン血症）、ホルモン因子、レニン・アンジオテンシン・アルドステロン系、交感神経系、薬剤性などさまざまな因子が腎臓に影響を及ぼし、CRSが発症する（図1、図2）[3]。急性腎障害（AKI）[6,7]へ進展すると電解質、酸塩基平衡、FOや水分バランスの管理が必要となる。また、図1[3]のようにCRS type1とCRS type 3が相互に生じ悪循環となるが、血液浄化により、この悪循環を断ち切ることが可能になる。

BT（Blalock-Taussig）シャント手術、グレン手術や大動脈遮断を伴う手術は、体血流の減少に伴い腎血流が減少し、急性腎障害の原因となる可能性がある。一方、動脈管結紮術などの動脈血流を増やす手術やカテーテル治療では、逆に体血流が増加し、結果として腎血流が増え、乏尿から多尿へ劇的に変化して腎機能が改善することがある。Fontan型の手術では体静脈圧が高くなり、胸・腹水の漏出が多くなる特徴がある。術前、術後に超音波検査などにより腎血流（灌流とうっ血）がどう変化しているか、血行動態の変化を把握することが重要である。ただし、腹部超音波検査を行うことで腹腔内圧が上昇し、静脈還流が低下し血圧低下を呈することもあり、超音波検査施行中も細心の注意が必要である。

## 非体外式膜型人工肺（ECMO）症例の急性血液浄化療法

心疾患術後の非ECMO症例に対する血液浄化の選択肢としては、大きく分けて腹膜透析（PD）とCHDFを始めとする体外循環による持続的血液濾過（CHF）または持続的血液透析（CHD）に分けられる。基本的な方法論は他疾患と同様である

## 5 心疾患，術後（ECMOを含めて）

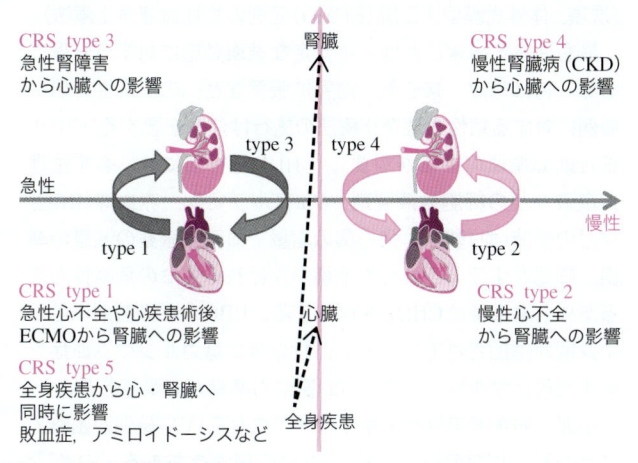

**CRS type 3**
急性腎障害から心臓への影響

**CRS type 4**
慢性腎臓病（CKD）から心臓への影響

**CRS type 1**
急性心不全や心疾患術後 ECMOから腎臓への影響

**CRS type 2**
慢性心不全から腎臓への影響

**CRS type 5**
全身疾患から心・腎臓へ同時に影響
敗血症，アミロイドーシスなど

### 図1 心腎症候群（CRS）
ECMO：体外式膜型人工肺

Ronco C, et al：Cardiorenal syndrome. J Am Coll Cardiol 52：1527–1539, 2008[3]より引用，一部改変

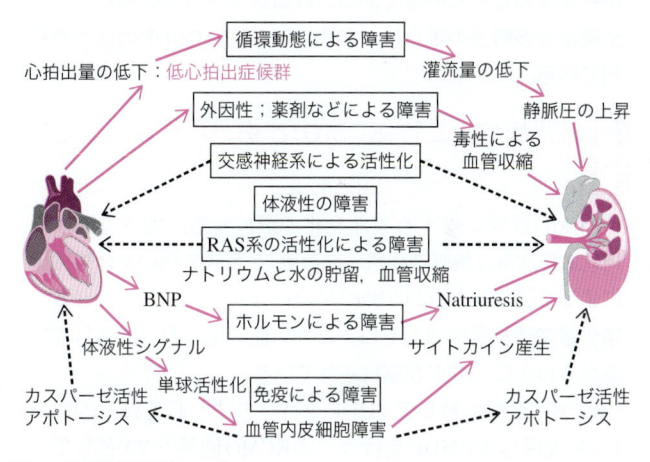

心拍出量の低下 → 低心拍出症候群
循環動態による障害
灌流量の低下
静脈圧の上昇
外因性；薬剤などによる障害
毒性による血管収縮
交感神経系による活性化
体液性の障害
RAS系の活性化による障害
ナトリウムと水の貯留，血管収縮
BNP
Natriuresis
ホルモンによる障害
体液性シグナル
サイトカイン産生
カスパーゼ活性 アポトーシス
単球活性化
免疫による障害
血管内皮細胞障害
カスパーゼ活性 アポトーシス

### 図2 心腎症候群（CRS）type 1
RAS：レニン・アンジオテンシン・アルドステロン，BNP：脳性ナトリウム利尿ペプチド

Ronco C, et al：Cardiorenal syndrome. J Am Coll Cardiol 52：1527–1539, 2008[3]より引用，一部改変

(次項，体外式膜型人工肺(ECMO)症例の急性血液浄化療法)。

　最も注意すべきことは，不安定な循環動態に対する管理である。特に輸液，強心薬，血管拡張薬などへの反応性の悪い症例に対する急性血液浄化療法の施行は注意を要する(CHDF施行前の循環の評価が重要)。CHDF施行前には，必ず生理食塩液などの細胞外液製剤，5％アルブミン，赤血球(RBC)などの輸液(血)製剤，強心薬の増量，血管拡張薬の減量の準備，確認をする。これらの準備がなければ生命の危険性もあるため，準備後にCHDFを開始する。RBCなどの製剤にはクエン酸が添加されているため，投与後に低カルシウム血症を呈することがあり，カルシウム製剤も準備が必要である。

　小児，新生児ではバスキュラーアクセス(VA)確保が困難であったり，長期の経過でVAがない症例が存在する。VAがない症例，不全臓器が腎臓のみで，腹水が出やすい症例に対してはPDのほうが適していることがあり，臨機応変に最良の選択をすることも必要である。敗血症性ショック後などで不全臓器が多臓器の場合は，浄化効率の高いCHDFのほうが有利である。

## 体外式膜型人工肺(ECMO)症例の急性血液浄化療法

　ECMO症例に対する血液浄化の選択肢も，大きく分けてPD(本書次章，腹膜透析療法を参照)と装置を用いた体外循環による血液浄化(主にCHDF)に分けられる。ただし，必要な浄化量や透析量のコントロールが可能であるが，安定している点から主にCHDFが選択されている。

　ECMO症例に対してCHDFを行う方法としては，①別のVAを確保してCHDFを行う，②ECMO回路をVAとして，CHDFの装置を利用してCHDF回路を接続する方法がある。

　2018年の日本臨床工学技士会からの提言には「成人のECMO回路をCHDFのVAとして使用しないこと」というニュ

## 5 心疾患，術後（ECMOを含めて）

アンスの文言[5]が明記されている。以前の文言には成人という記載がなく，小児も成人も含まれていたが，2018年の提言には成人という言葉が入り，暗に小児のECMO回路への接続を許容している表現と捉えられる。実臨床では新生児・小児のルート確保が非常に難しい症例があり，現場の意見が反映されたものと考えられる。ただし，成人は原則①の方法で行われており，医療安全的観点からは，安全性が高いのは①の方法である。また，今後の学会などの動向，提言に注意していくべきである。静岡県立こども病院では1990年代から②の方法で行っている。

ECMO症例へのCHDFにおいて最も注意すべきことも，施行中の循環を安定させることである。非ECMO症例に比較して，静脈-動脈ECMO（V-A ECMO）（表1）[8]で循環サポートを行っていれば安定しているが，CHDF開始時に血圧が20～30 mmHg低下する症例が存在する。このような症例に対しても，細胞外液製剤，強心薬増量，血管拡張薬減量などで対処すると，10～30分程度で目標のバイタルサインとなる。CHDF施行前には，必ず生理食塩液などの細胞外液製剤，アルブミン，RBCなどの輸液（血）製剤，強心薬，血管拡張薬，カルシウム製剤の準備，確認をする。そして準備後にCHDFを開始する。

CHDF施行時に生命にかかわる重要性として，CHDFの接続部位と接続時の方法があげられる。ECMOの血液ポンプ前の陰圧の部位に接続（図3A）[8]すると，人的ミスで空気がECMO回路内へ入り，ECMOが停止すると生命の危機にさらされてしまう。ECMO回路の送血側にCHDFを接続する場合（図3B）[8]は，人的ミスがあった場合でも出血は起こるが，ECMOの停止までは至らず生命の危機とはならない（しかし，出血も長い時間続けば深刻な結果をきたす可能性があり，注意は必要である）。ミシガン大学のグループは，ECMOの送血側（高い陽圧）にCHDF，CHD，CHF（透析液あるいは補液

## その他の疾患への急性血液浄化療法/アフェレシス治療

### 表1　静脈-静脈(V-V)と静脈-動脈(V-A)体外式膜型人工肺（ECMO）の特徴

| | |
|---|---|
| V-V ECMO | 静脈血を脱血して酸素化した後、再び静脈系へ送血する。循環の補助はなく呼吸の補助のみとなる。ダブルルーメンカテーテル1本で施行できる。 |
| V-A ECMO | 静脈血を脱血し、心臓をバイパスして動脈系へ送血する。循環と呼吸の両方の補助が可能。脱血カテーテルと送血カテーテルが2本必要で、動脈系の血管再建や結紮が必要となる。主要臓器に血栓塞栓を生じる可能性があり注意が必要である。 |

北山，2013[8]より引用，一部改変

は点滴ポンプで流す、いわゆる手作りの回路）の脱血側を接続し、ECMOの脱血側（大きな陰圧）にCHD/CHDFの返血を接続し、圧力較差を利用することにより血液ポンプなしでCHD/CHDFを施行するシステムを報告[2]している（図3C）[8]。

近年、学会でのワークショップなどで、ECMO回路のどこに持続的腎代替療法を接続するか、さまざまな議論がなされている。前述の問題点に加えて、図3B[8]の接続方法での問題点の指摘がある。CHDFの返血がECMOの送血に接続されていると血栓のリスクがあり、静岡県立こども病院では接続方法の変更を行っている。すなわち、ECMOの送血からCHDFの脱血を行い、ECMOの血液ポンプと人工肺の間の回路へ返血することにした（図3D）。この接続方法の利点は、CHDFの返血からの血栓が生じてもECMOの人工肺にトラップされて、患者へ到達しない。欠点は、ECMO回路内で最も圧が高い部位に接続することである。そのため、もしこの部位の圧が300 mmHg以上ある場合には、図3B[8]で行うことを考慮している。別の欠点としては、回路構造がシャントしているため血液浄化効率が低下する可能性である。シャントによる効率低下は、臨床的に大きく問題が生じた経験はないが注意は必要である。

## 5 心疾患，術後（ECMOを含めて）

**A**

ECMOポンプ前 2カ所接続 脱血側：陰圧

接続時に人的ミスがあると，陰圧によるECMO回路内への空気流入で，生命の危険性がある。

ECMOポンプ前 CHDF1
陰圧
CHDF1ポンプ
ECMO
ECMOポンプ
人工肺

ECMOポンプ後 送血側：高い陽圧

**B**

ECMOポンプ前 脱血側：陰圧
ECMO
ECMOポンプ
人工肺
CHDF2
CHDF2ポンプ
陽圧
CHDF2
ECMOポンプ後

ECMOポンプ後 2カ所接続 送血側：高い陽圧

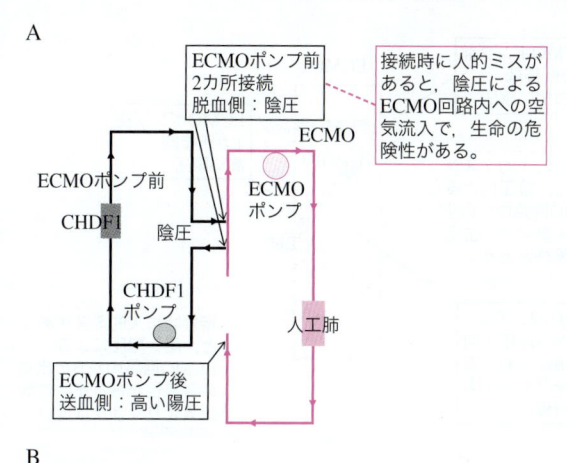

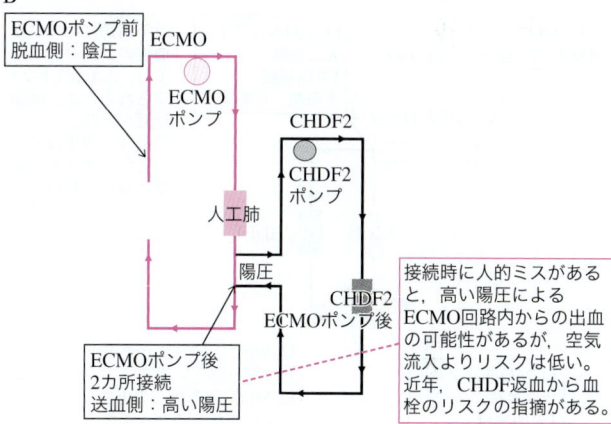

接続時に人的ミスがあると，高い陽圧によるECMO回路内からの出血の可能性があるが，空気流入よりリスクは低い。近年，CHDF返血から血栓のリスクの指摘がある。

### 図3 体外式膜型人工肺（ECMO）への持続的血液濾過透析（CHDF）接続の注意点

A：CHDF1；ECMOポンプ前で接続。陰圧（空気が吸引される危険性）
B：CHDF2；ECMOポンプ後で接続。高い陽圧（出血の危険性）
A〜C：北山，2013[8]より引用，一部改変

その他の疾患への急性血液浄化療法/アフェレシス治療

C

- ECMOポンプ前 1カ所接続 脱血側：陰圧
- ECMO
- ECMOポンプ
- CHDF3
- ECMOポンプ後 1カ所接続 高い陽圧
- 人工肺

接続時に人的ミスがあると、陰圧によるECMO回路内への空気流入事故で、生命の危険性がある。

CHDF3は、高い陽圧から陰圧方向に血液が流れ、血液ポンプなしでも施行可能

接続時に人的ミスがあると、高い陽圧によるECMO回路内からの出血の可能性があるが、空気流入よりリスクは低い。

D

- ECMOポンプ前 脱血側：陰圧
- ECMO
- ECMOポンプ
- 最高陽圧
- ECMOポンプ後 人工肺前 1カ所接続 送血側：最高陽圧
- 人工肺
- CHDF4
- 陽圧
- CHDF4ポンプ
- ECMOポンプ後 人工肺後 1カ所接続 送血側：高い陽圧

近年指摘されている血栓のリスクについては、人工肺でトラップされるため、問題回避が可能。血液浄化効率は低下するが、臨床的に問題とはならない。

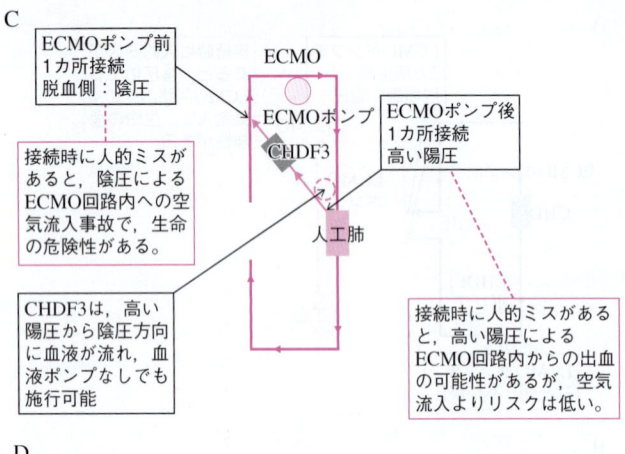

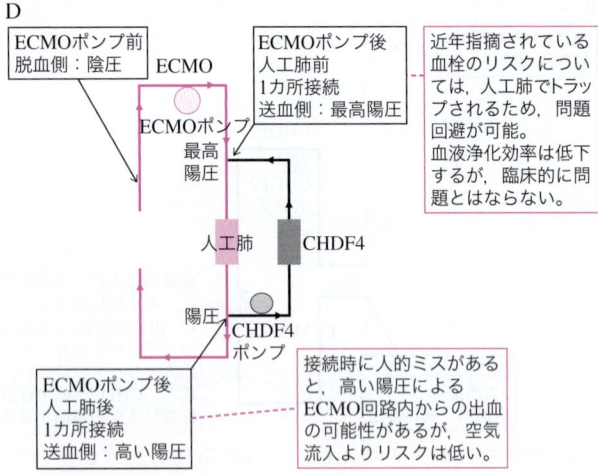

接続時に人的ミスがあると、高い陽圧によるECMO回路内からの出血の可能性があるが、空気流入よりリスクは低い。

**図3 体外式膜型人工肺（ECMO）への持続的血液濾過透析（CHDF）接続の注意点 つづき**

C：CHDF3；ECMOポンプ前と後で接続（空気流入、出血の危険性）
D：CHDF4；ECMO人工肺後で脱血、ポンプ後人工肺前に返血（接続：高い陽圧出血の危険性）
A〜C：北山，2013[8)]より引用，一部改変

## 5 心疾患，術後（ECMOを含めて）

図4のように，ECMOの回路に（人工肺後からECMOポンプ前へ）シャント回路を置いて，ECMOポンプが脱血不良とならないようにする回路を組んでいる施設もある。静岡県立こども病院でも，この回路を採用した時期にCHDFを接続することで，返血圧は高圧にならずにCHDFを行うことが可能となった。Bの接続部位はAから何cmのところが最適か，という問題がある。千葉大学のグループから，実際に成人用の回路を作製して実験を行い，処方ごとで圧がどのように変化していくかを克明に記録し，Aから約60 cmで圧が0になることを証明した報告[4]がある。圧が0となる60 cmはリスクがあるため，30〜45 cm程度が安全に接続可能としている（ただし，回路の種類，ECMOポンプの種類，人工肺の種類などによって圧が変化する可能性があり，注意は必要である。また小児用の回路で，どのような圧変化となるかの確認も必要である）。

実際の施行においては，図3A[8]の方法では陰圧，図3B[8]の

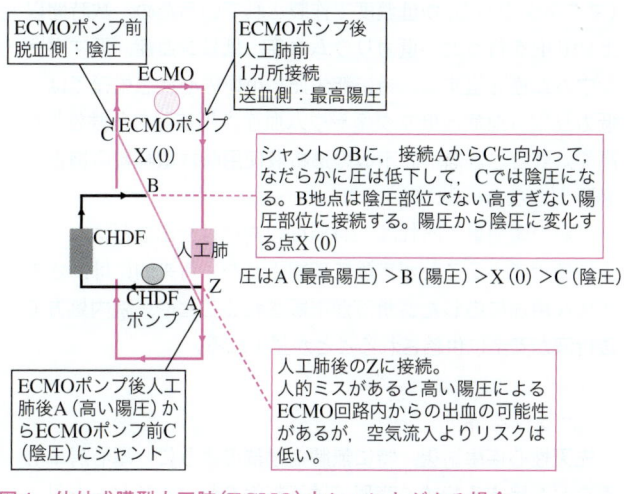

- ECMOポンプ前 脱血側：陰圧
- ECMOポンプ後 人工肺前 1カ所接続 送血側：最高陽圧
- シャントのBに，接続AからCに向かって，なだらかに圧は低下して，Cでは陰圧になる。B地点は陰圧部位でない高すぎない陽圧部位に接続する。陽圧から陰圧に変化する点X（0）
- 圧はA（最高陽圧）＞B（陽圧）＞X（0）＞C（陰圧）
- ECMOポンプ後人工肺後A（高い陽圧）からECMOポンプ前C（陰圧）にシャント
- 人工肺後のZに接続。人的ミスがあると高い陽圧によるECMO回路内からの出血の可能性があるが，空気流入よりリスクは低い。

**図4 体外式膜型人工肺（ECMO）内シャントがある場合**

## その他の疾患への急性血液浄化療法/アフェレシス治療

方法では高圧，図3C[8]ではCHDFの脱血ラインが高圧で返血ラインが陰圧となる。各接続方法（低圧から高圧）に合わせて，各圧センサーのアラーム設定を低圧や高圧に変更して施行する必要がある。

ECMOポンプ後で接続する場合は高圧となり，300 mmHgを超えることがある。このような高圧下では抗凝固薬が入っていかず，閉塞アラームが頻回に鳴ってしまう。このような時は，別のシリンジポンプで動脈圧測定用の圧モジュールをルートとして利用し，高圧に負けないようにして抗凝固薬を投与する必要がある。

以上のようにECMOにCHDFを接続する際の注意点は多く，安全に行っていくためには知見を積み重ね共有して安全に行っていく必要がある。

## 心疾患術後循環器疾患に対する持続的血液濾過透析（CHDF）による特殊な電解質管理

市販の透析液は主に急性腎不全を念頭に，カリウム，リン（マグネシウムも）が低濃度で作製されているため，数時間以上CHDFを行うと，低カリウム血症，低リン血症，低マグネシウム血症を呈する。特に新生児，小児の心疾患術後では，低カリウム血症と低マグネシウム血症は不整脈の危険性[9]が高く，許容されない。市販の透析液使用時は電解質の補正が必要[10]となる（表2）[8]。

下記の添加量であれば，24時間以内には析出などはなく安全に使用できることが実験で確認された。将来的には，さまざまな用途に応じた透析液が市販されることや，院内処方で透析液が安全に供給されることが望まれる。

### 1. カリウム（K）

先天性心疾患術後，特に無脾症候群のように，単心房単心室などを呈する複雑心奇形では不整脈を起こすことがあり，

## 5 心疾患, 術後 (ECMO を含めて)

**表2 市販の透析液の組成とその補正**

| ナトリウム | 140 mEq/L | | |
|---|---|---|---|
| カリウム | 2.0 mEq/L | 要補正 | 補正後約 4.5 mEq/L |
| 塩素 | 111 mEq/L | | |
| カルシウム | 3.5 mEq/L | | |
| リン | 0 mg/dL | 要補正 | 補正後約 3.9 mg/dL |
| マグネシウム | 1.0 mEq/L | 要補正 | 補正後約 2.0 mEq/L |
| 炭酸水素イオン | 35 mEq/L | | |
| グルコース | 0.1% | | |

約2Lの透析液に, カリウム製剤 (1 mL = 1 mEq) : 5 mL, リン製剤 (1 mL = 15.5 mg) : 5 mL, マグネシウム製剤 (1 mL = 1 mEq) : 2 mL を添加して補正
北山, 2013[8]より引用, 一部改変

低K血症が危険因子となる. 細胞外K濃度は, ある程度高いほうが脱分極は遅くなり, 不整脈に対してよい方向に働く. したがって, 血中K濃度の目標は 4.5〜5.5 mEq/L とされている. 透析液にK製剤を添加して, 4.5〜5.5 mEq/L 程度とする. 具体的には市販の約2Lの透析液に, K製剤 5 mL (1 mL = 1 mEq) を添加して約 4.5 mEq/L としている.

### 2. カルシウム (Ca), リン (P)

先天性心疾患術後症例は, 新生児を含めた低年齢症例に多くみられ, Caに関しても独特な管理を行っている. 新生児を含めた低年齢の症例に対しては, イオン化Caで 1.3〜1.5 程度を目標に管理している. 理由は, 低年齢の心筋細胞の筋小胞体にCaを蓄積する量が少ないため, 心筋収縮にはCaの補充が必要となるためである.

透析液にはCaを添加して補正は行っていない. しかし, Pの補正によって間接的にCa補正を行っている. PとCaは相反する動きをするため, 透析液のPを低め (3.9 mg/dL) にして, Caが高めとなるようにコントロールしている. 具体的には, 市販の約2Lの透析液にP製剤 5 mL (1 mL = 1 mEq = 15.5 mg) を添加して, 約 3.9 mg/dL としている. P製剤にKが含有

されている製剤があるので，その場合はK製剤の添加を減量するか，中止する必要が出てくる。

近年では，KではなくナトリウムNa）（Naイオンとして，15 mEq/20 mL）が添加されているものがある。P製剤を5 mL添加すると，Naとして3.75 mEq添加することになり，市販の約2 LパックではNa濃度が約1.9 mEq/L上昇する。通常の臨床では問題とならない。しかし，数年に1度程度，まれに慢性低Na血症・慢性高Na血症症例，脳症に対する高浸透圧治療目的（高Na透析液[11]を使用）に急性血液浄化療法を行う際は，低Na透析液[12]，高Na透析液[11]を作製して使用することがあり，その際に注意が必要である（表3，表4）。

### 3. マグネシウム（Mg）

低Mg血症は心室性不整脈を誘発する。また，心疾患術後は心筋の過敏性が亢進しているため，血清Mg濃度を正常からやや高め（Mgの正常値は1.5～1.9 mEq/L，1.8～2.3 mg/dL）の目標としている。具体的には，市販の約2 Lの透析液にMg製剤2 mL（1 mL＝1 mEq）を添加して約2.0 mEq/Lとしている。

## おわりに

心疾患術後症例に対する血液浄化は，極めて専門化された集中医療となるため，経験豊富な施設で，小児科に加えて，循環器科，心臓血管外科，集中治療科，腎臓内科などの各科の協力のもと，看護師，臨床工学技士とともに実施する環境が望ましい。このように専門化された特殊な治療では医療事故が起こる可能性も高くなるため，日頃から各科，看護師，臨床工学技士と勉強会やシミュレーションなどを通じて治療について学び，よりよい医療の提供のためのチーム医療の教育も必須である。

## 5 心疾患，術後（ECMO を含めて）

### 表3 慢性低ナトリウム（Na）血症用の低 Na 透析液作製方法

| サブラッド®血液ろ過用補充液BSG(mL) | 2,070 | 2,120 | 2,170 | 2,220 | 2,270 | 2,320 | 2370 | 2,420 | 2,470 | 2,520 | 2,570 | 2,620 | 2,670 |
|---|---|---|---|---|---|---|---|---|---|---|---|---|---|
| 蒸留水添加量(mL) | 0 | 50 | 100 | 150 | 200 | 250 | 300 | 350 | 400 | 450 | 500 | 550 | 600 |
| ナトリウム（理論値） | 140 | 136.7 | 133.5 | 130.5 | 127.7 | 124.9 | 122.3 | 119.8 | 117.3 | 115 | 112.8 | 110.6 | 108.5 |

サブラッド®血液ろ過用補充液BSG実際量：2,060〜2,070 mL，カリウム：5 mL，マグネシウム：2 mL，リン：5 mL，補正として12 mL，リン製剤にナトリウム3.75 mEq/5 mLが含まれていることに注意する。
総量2,082 mLに対して蒸留水を添加することとなり，理論値が低めになる。

### 表4 慢性高ナトリウム（Na）血症用の高 Na 透析液作製方法

| サブラッド®血液ろ過用補充液BSG(mL) | 2,082 | 2,092 | 2,102 | 2,112 | 2,122 | 2,132 | 2,142 |
|---|---|---|---|---|---|---|---|
| 補正用塩化ナトリウム添加量(mL) | 0 | 10 | 20 | 30 | 40 | 50 | 60 |
| 臨床イメージ | 140 | 145 | 150 | 155 | 160 | 165 | 170 |
| ナトリウム（理論値） | 141.8 | 145.1 | 149.2 | 153.2 | 157.2 | 161.1 | 165.1 |

サブラッド®血液ろ過用補充液BSG実際量：2,060〜2,070 mL，カリウム：5 mL，マグネシウム：2 mL，リン：5 mL，補正として12 mL，リン製剤にナトリウム3.75 mEq/5 mLが含まれていることに注意する。
総量2,082 mLに対して補正用塩化ナトリウムを添加することとなり，理論値が低めになる。

## 文献

1) Fleming GM, et al：A multicenter international survey of renal supportive therapy during ECMO：the Kidney Intervention During Extracorporeal Membrane Oxygenation (KIDMO) Group. ASAIO J 58：407–414, 2012
2) Chen H, et al：Combination of extracorporeal membrane oxygenation and continuous renal replacement therapy in critically ill patients：a systematic review. Crit Care 18：675, 2014
3) Ronco C, et al：Cardiorenal syndrome. J Am Coll Cardiol 52：1527–1539, 2008
4) Suga N, et al：A safe procedure for connecting a continuous renal replacement therapy device into an extracorporeal membrane oxygenation circuit. J Artif Organs 20：125–131, 2017
5) 日本臨床工学技士会 透析関連安全委員会：持続的血液浄化療法 continuous blood purification therapy(CBP)の安全基準についての提言 Ver.2.00, 28–29, 2018
6) Wheeler DS, et al：Acute kidney injury following cardiopulmonary bypass. Kiessling SG, et al (eds)：Pediatric Nephrology in the ICU, Springer, 261–273, 2009
7) Aydin SI, et al：Acute Kidney Injury After Surgery for Congenital Heart Disease. Ann Thorac Surg 94：1589–1595, 2012
8) 北山浩嗣：心疾患術後(ECMO含む). 伊藤秀一, 他監修：小児急性血液浄化療法ハンドブック, 東京医学社, 167–176, 2013
9) 大崎真樹：心疾患術後の水電解質異常―小児―. 腎と透析 71：576–578, 2011
10) 澤田真理子, 他：小児持続血液濾過透析(CHDF)における透析液へのP, Mg製剤添加の意義と問題点. 日小児腎不全会誌 27：95–97, 2007
11) 北山浩嗣, 他：高Na透析液による, 急性血液浄化を必要とした急性脳症に対する高浸透圧療法の留意点. 日小児腎不全会誌 33：136, 2013
12) 北山浩嗣, 他：低Na血症を合併したAKIに対する急性血液浄化療法施行の関わる留意点. 日小児腎不全会誌 34：129, 2014

(北山 浩嗣)

その他の疾患への急性血液浄化療法/アフェレシス治療

# 6 自己免疫疾患（リウマチ疾患，神経免疫疾患，川崎病）

### ポイント

1. 血漿交換療法や二重濾過血漿分離交換法は，自己抗体，免疫複合体，炎症性サイトカイン，アルブミン結合性毒素，異常タンパク質の除去と正常なタンパク質の補充を目的に，治療抵抗性あるいは重篤な自己免疫疾患，急性肝不全，血液疾患などの治療に用いられる。小児には体外循環量が多い二重濾過血漿分離交換法より，血漿交換療法が選択されることが多い。
2. 血漿交換療法/二重濾過血漿分離交換法は，治療抵抗性あるいは重篤な自己免疫疾患に劇的な効果を示すことがあり，積極的に考慮すべき治療法である。一方，本治療は併用療法であり，原疾患に対するステロイド薬や免疫抑制薬の重要性を忘れてはならない。
3. 自己抗体除去を目的に本治療を行う疾患は，抗好中球細胞質抗体関連血管炎，全身性エリテマトーデス，抗リン脂質抗体症候群，血栓性血小板減少性紫斑病，ギラン・バレー症候群，慢性炎症性脱髄性多発神経炎，重症筋無力症，多発性硬化症，視神経脊髄炎などである。
4. 炎症性サイトカイン除去を目的に本治療を行う疾患は，免疫グロブリン不応性川崎病，血球貪食性リンパ組織球症，全身型若年性特発性関節炎に伴うマクロファージ活性化症候群などである。

## はじめに

治療抵抗性あるいは重篤な自己免疫疾患・炎症性疾患の治療には，血漿交換療法（PE）や二重濾過血漿分離交換法

（DFPP）などの血漿中に存在する病因に関連する物質を除去・吸着する治療法と白血球除去療法（LCAP）や顆粒球除去療法（GCAP）など，主に特定の血球を除去する治療法が行われている。PEやDFPPはアフェレシス治療と呼ばれるが，アフェレシスとはギリシャ語で「分離」を意味する言葉に由来する。

表1[1]に現時点で，アフェレシス治療の保険適用がある疾患名，適用される治療法，回数，ガイドラインへの掲載の有無を示した。小児におけるアフェレシス治療は，体重が成人より小さいため，治療時の対外循環量を抑制する必要があり，主にPEが選択される。また，LCAP/GCAPは亜急性や慢性病態への適応が多く，割愛する。

## 血漿交換療法（PE）

PEは血液を血球成分と血漿成分に分離し，分離した血漿成分を破棄し，等量の新鮮凍結血漿（FFP）やアルブミンなどで置換する治療法である。血漿中から除去する病因物質は，自己抗体，免疫複合体，アルブミン結合性毒素，炎症性サイトカイン，ケモカイン，血漿粘度に関与する異常タンパク質などである。また，正常のタンパク質の補充効果もあり，劇症肝炎や急性肝不全へのPEは肝毒性物質やビリルビンの除去に加え，FFPの輸血でも不十分な凝固因子やタンパク質の補充を目的に行われる。

### 1. 原理・装置

バスキュラーアクセスから脱血された血液は，膜型血漿分離器を通り，膜間圧力差（TMP）により血球成分と血漿成分に分離され，血漿成分は破棄される。同量のFFPやアルブミン液にて置換補充を行い返血する（図1）[1]。一般的に回路の血流速度は3〜5 mL/kg/分で，血漿分離速度はその20％を上限に設定する。低体重の患者にも利用可能な膜型血漿分離器は，

# 6 自己免疫疾患（リウマチ疾患，神経免疫疾患，川崎病）

## 表1 アフェレシス療法と保険適用

| 疾患分類 | 疾患名 | 適応のある治療法 | 保険算定基準 | ガイドライン掲載 |
|---|---|---|---|---|
| 肝疾患 | 劇症肝炎 | PE, PA（メディソーバ，プラソーバ） | おおむね10回 | |
| | 術後肝不全 | PE, PA（メディソーバ，プラソーバ） | おおむね7回 | |
| | 急性肝不全 | PE | おおむね7回 | |
| | 肝性昏睡 | HA（ヘモソーバ） | 回数制限なし | |
| | 慢性C型ウイルス肝炎 | PE, DFPP | 5回 | |
| | ABO血液型不適合同種もしくは抗リンパ球抗体陽性の同種肝移植 | DFPP | 術前4回，術後2回 | あり |
| 腎疾患 | 巣状分節性糸球体硬化症 | PA（リポソーバ） | 3カ月12回 | あり |
| | 抗GBM抗体型，急速進行性糸球体腎炎 | PE, DFPP | 2週に7回を2クールまで | あり |
| | ANCA関連急速進行性糸球体腎炎 | PE, DFPP | 2週に7回を2クールまで | あり |
| | ABO血液型不適合同種腎移植体陽性の同種腎移植 | DFPP | 術前4回，術後2回 | あり |
| 循環器疾患 | 家族性高コレステロール血症（ホモ接合体） | PA（リポソーバ），PA（リポソーバー） | 週1回 | あり |
| | 閉塞性動脈硬化症 | PE, DFPP, PA（リポソーバー） | 3カ月10回 | あり |
| リウマチ性疾患 | 関節リウマチ | LCAP（セルソーバ） | 週1回，5回 | |
| | 悪性関節リウマチ | PE, DFPP, PA（イムソーバ） | 週1回，5回 | |
| | 川崎病 | PE | 6回 | あり |
| | 全身性エリテマトーデス | PE, DFPP, PA（イムソーバ，セレソーブ） | 月4回 | |

## その他の疾患への急性血液浄化療法/アフェレシス治療

### 表1 アフェレシス療法と保険適用 つづき

| | 疾患 | | | |
|---|---|---|---|---|
| 神経疾患 | 重症筋無力症 | PE, DFPP, PA(イムソーバ) | 月7回3カ月 | あり |
| 症候群 | ギラン・バレー症候群 | PE, DFPP, PA(イムソーバ, プラソーバ) | 月7回3カ月 | あり |
| | 慢性炎症性脱髄性多発性神経炎 | PE, DFPP, PA(イムソーバ, プラソーバ) | 月7回3カ月 | あり |
| | 多発性硬化症 | PE, DFPP, PA(イムソーバ, プラソーバ) | 月7回3カ月 | あり |
| 血液疾患 | 血栓性血小板減少性紫斑病 | PE, DFPP | 最大1カ月 | あり |
| | 溶血性尿毒症症候群 | PE, DFPP | 21回 | あり |
| | 多発性骨髄腫 | PE, DFPP | 週1回3カ月 | |
| | マクログロブリン血症 | PE, DFPP | 週1回3カ月 | |
| | 重症血液型不適合妊娠 | PE, DFPP | 週1回3カ月 | あり |
| | インヒビターを有する血友病 | PE, DFPP | 規定なし | |
| 皮膚疾患 | 天疱瘡、類天疱瘡 | PE, DFPP | 週2回3カ月 | あり |
| | 膿疱性乾癬/関節性乾癬、Stevens Johnson症候群 | GCAP(アダカラム) | 5回 | あり |
| | 中毒性表皮壊死症 | PE, DFPP | 8回 | あり |
| 炎症性腸疾患 | 潰瘍性大腸炎 | GCAP(アダカラム), LCAP | 最大11回 | あり |
| | クローン病 | GCAP(アダカラム) | 週1回10回まで | あり |
| その他 | 薬物中毒 | PE, HA(ヘモソーバ) | HA回数制限なし、PE8回 | |
| | エンドトキシン血症、グラム陰性菌感染症 | HA(トレミキシン®) | 吸着筒2個まで | |

PE:血漿交換療法、DFPP:二重濾過血漿分離交換法、PA:血漿吸着、LCAP:白血球除去療法、GCAP:顆粒球除去療法、HA:血液吸着

注:イムソーバにはTR-350、PH-350の2種類があり、疾患により適応が異なることに注意する
灰色の網かけは、免疫疾患
伊藤、2013[1] より引用、一部改変

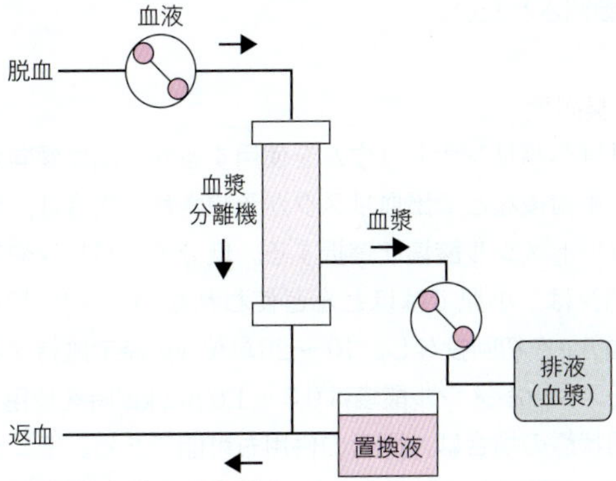

## 6 自己免疫疾患(リウマチ疾患,神経免疫疾患,川崎病)

**図1 血漿交換療法の回路図**
伊藤,2013[1]より引用,一部改変

プラズマフロー OP(旭化成メディカル:0.2, 0.5, 0.8 m$^2$),サルフラックスFP(カネカメディックス/旭化成メディカル:0.2, 0.5, 0.8 m$^2$)などである。また,回路の工夫により透析と直列あるいは並列で同時施行することも可能である。

### 2. バスキュラーアクセス

炎症性腸疾患への白血球除去療法のように,血流量が少なく,週1~2回程度の頻度で,かつ年長児であれば,成人の慢性透析と同様に,治療時のみ2本の透析針で正中皮静脈などを穿刺することも可能である。また,川崎病へのPEなどの短期間の治療は,鼠径静脈への透析用ダブルルーメンカテーテルも選択肢となり得る。しかし,原則的には安定した血流量と患者の安全の確保のために,中心静脈,特に内頸静脈(望ましいのは右)にダブルルーメンカテーテルを挿入する。乳幼児においては脱血不良防止のために,カテーテルの先端が右房にかかるくらいの位置に固定するとよい。バスキュラーアクセスの詳細については,本書別稿(急性血液浄化療法の実際-2 バスキュラーアクセスとカテーテル管理のコ

ツ)を参照されたい。

## 3. 抗凝固薬

通常はヘパリンナトリウムを使用するが，出血傾向がある場合，手術後などで出血リスクが予想される場合は，ナファモスタットメシル酸塩を選択する。低分子ヘパリンやアルガトロバンは，小児ではほとんど使われない。ヘパリン15〜30単位/kgを初回投与し，10〜20単位/kg/時で維持する。ナファモスタットメシル酸塩は0.5〜1.0 mg/kg/時を使用する。過凝固状態の場合は，両者の併用も可能である。モニタリングはベッドサイドで簡便かつ短時間で行うことが可能な，ヘモクロン(アクリバ ダイアグノティックス)による活性化凝固時間(ACT)測定を行い，ACTを200〜250秒前後に維持する。

劇症肝炎，溶血性尿毒症症候群，川崎病などの凝固線溶系の異常を伴う疾患では，回路内やカテーテルの凝血を生じやすいため，ACTを多少長めに設定する。抗凝固薬の詳細については成書を参照されたい。

## 4. 置換液の選択と実施上の注意点

PEにおいては，一回の治療当たり1〜2 plasma volumeの血漿を分離破棄し，同量のFFPか5%アルブミン液で置換する。体重1 kg当たりの血液量は8%(約1/13)に相当し，血液中の血漿成分は$(100-Ht)$%で示されるため，1 plasma volume(L)＝体重/13×{$1-Ht(\%)/100$}の計算式となる。すなわち，約50 mL/kgの置換が1 plasma volumeに相当する。除去する物質の実施中の増加がないと仮定すると，1 plasma volumeの置換により，治療後は1/2になる。目的とする除去物質の増減がないと仮定した場合は，1 plasma volumeのPEを3日連続施行すると，1/8に減じる計算となる。

5%アルブミン液で置換する場合は，凝固因子の減少による出血傾向，低ガンマグロブリン血症に注意し，必要に応じ

## 6 自己免疫疾患（リウマチ疾患，神経免疫疾患，川崎病）

FFPや免疫グロブリンを補充する。劇症肝炎，溶血性尿毒症症候群，血栓性血小板減少性紫斑病などの凝固因子の欠乏や低下が想定される疾患には，FFPを選択する。一方，FFPにはクエン酸ナトリウムが含有されており，低カルシウム血症（口唇，手指の痺れ間，悪心，嘔吐，痙攣，意識障害）をきたし得る。FFPを用いたPEの施行中には，定期的にイオン化カルシウムを測定し，必要に応じグルコン酸カルシウム（カルチコール）で補正する。クエン酸ナトリウムは，肝臓で代謝され炭酸水素塩に変化するため，代謝性アルカローシスや高ナトリウム血症の原因にもなる。FFPではアレルギー反応や感染症にも留意する。低体重の患者では体温低下に注意する。

通常，PEの回路内は生理食塩液で充填するが，体外循環容量が体内総血液量〔体重(kg)/13〕の10％以上となる場合は，開始時の血圧低下防止のために，回路を5％アルブミンと濃厚赤血球を1：1〜1：2で混合したもので充填する。赤血球濃厚液にもクエン酸ナトリウムが含まれており，低カルシウム血症防止のために，治療開始時に5 mL程度のグルコン酸カルシウムを投与する。小児の場合は血清マグネシウムにも注意する。PEにより血球以外は除去されるため，クレアチニンやCRPなども治療後は減少する。PE前後の検査データの解釈には注意を要する。

また，心不全や腎不全を合併する患者で，低アルブミン血症を認める場合は，5％アルブミン液を用いて置換すると，血管内膠質浸透圧の上昇に伴い血管内容量が急増し，心不全の増悪，高血圧，肺水腫をきたす危険性がある。このような患者では，置換に用いるアルブミン液の濃度を血清アルブミン値と同等から0.5 g/dL程度高めに調整すべきである。また，一回当たりの治療時間も，通常より長時間で実施するほうが安全である。劇症肝炎では，プロトロンビン時間-国際標準化比やヘパプラスチンテストを参照に，2 plasma volume以

その他の疾患への急性血液浄化療法/アフェレシス治療

上を8～12時間かけて，持続的に実施することもある．

## 二重濾過血漿分離交換法（DFPP）

　DFPPはPEから派生した治療である．DFPPでは，初めに血漿分離器（一次膜）で血液から血漿を分離し，さらに孔膜径の小さい血漿成分分画器（二次膜）を用いて血漿から病因物質（グロブリン分画，高分子タンパク質，脂質）を除去する．血漿成分分画器は膜孔サイズにより，濾過される物質（主にアルブミン）と濾過されない物質（グロブリン，脂質）に分けられる．病因物質を含む濾過されない物質は廃棄される（図2）[1]．濾過された物質（主にアルブミン）は再度体内に戻される．原理的には病因物質のみを廃棄するため，大量の置換液は必要としない．しかし現実には，除去すべき物質の完全な選別は困難である．除去すべき物質がアルブミンに近い低分子量の物質（グロブリン分画）の場合は，アルブミンの喪失は免れ得ない．治療後のアルブミンの低下を防ぐために，廃棄液と同量の5～10％のアルブミンを含む等張性電解質溶液を補充す

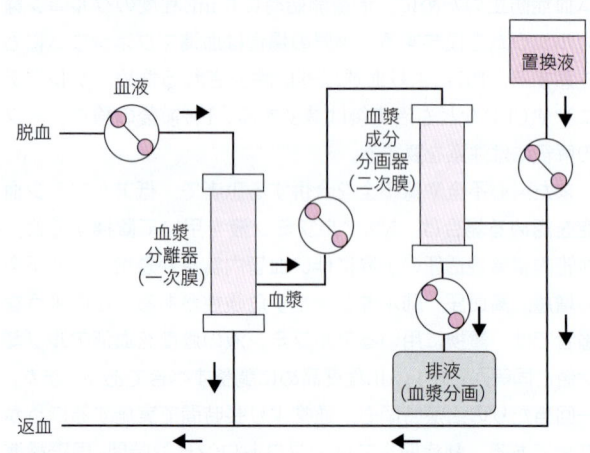

図2　二重濾過血漿分離交換法の回路図
伊藤，2013[1]より引用，一部改変

### 6 自己免疫疾患（リウマチ疾患，神経免疫疾患，川崎病）

る。一方，高分子の除去(IgM，低比重リポ蛋白分画)の場合はアルブミンを添加した置換液は不要である。

数種類の膜孔径が異なる血漿成分分画器が発売されている（カスケードフロー EC：旭化成メディカル）。IgG分画を除去する場合は膜孔径が小さいものを，脂質やIgM分画には大きなものを選択する。DFPPはアルブミン分画を回収し体内に戻すため，除去対象がアルブミンと結合している場合やアルブミンに分子量が近似する場合は除去できない。また，物質の除去性能はPEにやや劣る。

小児へのDFPPの適応は限定的である。血漿成分分画器の充填量は80～140 mLであり，血漿分離器と合わせると200 mL以上の体外循環量を要すため，30 kg未満の児ではDFPPよりPEが選択される。

## 血漿交換療法(PE)，二重濾過血漿分離交換法(DFPP)が治療に用いられる小児免疫疾患

表1[1)]に保険適用疾患（免疫疾患は灰色の網かけ）と表2[1)]に保険適用はないが選択される疾患を示す[2～8)]。血液腫瘍疾患（血栓性血小板減少性紫斑病，溶血性尿毒症症候群），急性肝不全，ステロイド抵抗性ネフローゼ症候群へのアフェレシス治療については本書各稿を参照されたい。

### 1. 自己抗体・免疫複合体の除去を目的とする疾患

置換液はアルブミン液でもよいが，免疫グロブリンの低下が問題となる状態ではFFPを選択するか，治療後に免疫グロブリンを補充する。免疫疾患へのPE/DFPPは，重篤な病態，急性期，治療抵抗性などの場合に選択され，著しい治療効果を示す場合も少なくない。一方，自己抗体を産生するBリンパ球や形質細胞への直接の作用はなく，その治療効果は長続きしない場合もある。寛解維持のためのステロイド薬，免疫抑制薬，生物学的製剤，免疫グロブリンなどの根本的治療の

## その他の疾患への急性血液浄化療法/アフェレシス治療

**表2　保険適用外であるがアフェレシス療法が行われる疾患**

| 疾患分類 | 疾患名 | 頻用される治療法 |
|---|---|---|
| 腎疾患 | 急速進行性糸球体腎炎(ANCA, GBM以外) | PE |
|  | 溶血性尿毒症症候群(非典型も含む) | PE |
|  | 巣状分節性糸球体硬化症 | PE |
| 循環器疾患 | 拡張型心筋症 | PE |
| リウマチ性疾患 | 抗リン脂質抗体症候群 | PE, DFPP, PA |
|  | 全身型若年性特発性(マクロファージ活性化症候群) | PE |
| 血液疾患 | 血球貪食性リンパ組織球症 | PE |
| 神経疾患 | 視神経脊髄炎 | PE, DFPP |
|  | 自己免疫性脳炎 | PE, DFPP |

ANCA：ANCA関連疾患，GBM：抗糸球体基底膜病腎炎
伊藤，2013[1]より引用，一部改変

併用を検討すべきである。

### 1)リウマチ性疾患，腎疾患〔(　)内は適応病態と除去物質〕

- 抗好中球細胞質抗体(ANCA)関連血管炎(重症の腎障害を伴う場合；P-ANCA, C-ANCA)
- 全身性エリテマトーデス(肺出血；抗DNA抗体，免疫複合体)
- 抗糸球体基底膜抗体病(急性期；抗GBM抗体)
- 抗リン脂質抗体症候群(劇症型；抗CLβ2GPI抗体，抗PS/PT抗体)

### 2)神経免疫疾患〔(　)内は適応病態と除去物質〕

- ギラン・バレー症候群(重症例；抗ガングリオシドGM1抗体，同GD1a抗体など)
- 慢性炎症性脱髄性多発神経炎(治療抵抗例；抗ガングリオシドGM1抗体など)
- 重症筋無力症(クリーゼ，急性増悪，胸腺摘除術前，治療抵抗性；抗AChR抗体，抗MuSK抗体)
- 多発性硬化症(急性増悪期；抗MBP抗体，抗MOG抗体など)
- 視神経脊髄炎(急性増悪期，治療抵抗性；抗AQP4抗体，抗MOG抗体など)
- 自己免疫性脳炎(急性増悪期，治療抵抗性；抗NSA抗体，

## 6 自己免疫疾患（リウマチ疾患，神経免疫疾患，川崎病）

抗NMDA抗体など）

## 2. 炎症性サイトカインの除去を目的とする疾患〔（ ）内は適応病態と除去物質〕

### 1) 川崎病〔免疫グロブリン・ステロイド・インフリキシマブなどへの不応例，心原性ショック（Kawasaki disease shock syndrome）合併例など；TNF-α，IL-6，IL-1βなど〕

　川崎病へのPEは，免疫グロブリン療法を含む既存治療への不応例に選択される[8,9]。2015年に抗TNF-αモノクローナル抗体のインフリキシマブが既存治療不応の川崎病に保険適用になった後も，わが国では年間80例程度に施行されている。PEはインフリキシマブの適応のない1歳未満，感染症合併時，心原性ショックの合併時にも選択される。凝固検査値の変動には注意を払えば，アルブミンで置換可能である。解熱を目標に最大6日間連日施行されるが，平均的には3～4回の治療を要する。1～2日で解熱を得られることが多いインフリキシマブと比較し，即効性は劣る。また，冠動脈が拡張し始めた患者への進行阻止効果はない。PEの完遂後に，免疫グロブリンを補充することは，残存する炎症の鎮静化と再燃防止の観点からも意味がある。

### 2) 血球貪食性リンパ組織球症・全身型若年性特発性関節炎に伴うマクロファージ活性化症候群（重症例，既存治療抵抗例；TNF-α，IFN-γ，IL-18など）

　これらの疾患においては，サイトカインストームに起因する細胞障害，血管内皮障害，汎血球減少の改善・防止を目的にPEが選択される。凝固異常を併発することが多く，FFPを用いて置換する。PEは重篤な病態の改善には有用であるが，ステロイド薬や免疫抑制薬を併用したうえで行うべきである。

## 文献

1)　伊藤秀一：自己免疫疾患（膠原病，神経・筋疾患，川崎病）．伊

藤秀一，他監修：小児急性血液浄化療法ハンドブック，東京医学社，177–188，2013
2) 厚生労働科学研究費補助金難治性疾患等政策研究事業　自己免疫疾患に関する調査研究（自己免疫班）編：全身性エリテマトーデス診療ガイドライン2019，南山堂，2019
3) 厚生労働省 難治性疾患政策研究事業 難治性血管炎に関する調査研究班：血管炎症候群の診療ガイドライン（2017年改訂版）https://www.j-circ.or.jp/old/guideline/pdf/JCS2017_isobe_h.pdf　2020.7.28アクセス
4) 日本神経学会：ギラン・バレー症候群，フィッシャー症候群診療ガイドライン2013　https://www.neurology-jp.org/guidelinem/gbs.html　2020.7.28アクセス
5) 日本神経学会：多発性硬化症・視神経脊髄炎診療ガイドライン2017　https://www.neurology-jp.org/guidelinem/koukasyo_onm_2017.html　2020.7.28アクセス
6) 日本神経学会：重症筋無力症診療ガイドライン2014　https://www.neurology-jp.org/guidelinem/mg.html　2020.7.28アクセス
7) 日本神経学会：慢性炎症性脱髄性多発根ニューロパチー，多巣性運動ニューロパチー診療ガイドライン2013　https://www.neurology-jp.org/guidelinem/cidp.html　2020.7.28アクセス
8) 日本小児循環器学会学術委員会川崎病急性期治療のガイドライン作成委員会：「川崎病急性期治療のガイドライン」（平成24年改訂版）　https://minds.jcqhc.or.jp/docs/minds/kawasaki/kawasakiguideline2012.pdf　2020.7.28アクセス
9) 森　雅亮：血漿交換．日本川崎病学会編：川崎病学，診断と治療社，140–143，2018

（伊藤　秀一）

その他の疾患への急性血液浄化療法/アフェレシス治療

# 7 炎症性腸疾患

### ポイント

1. 血球成分除去療法の利点
   - 非薬物療法であり，ステロイド薬や生物学的製剤と比べて副作用が少ない
   - ステロイド薬や生物学的製剤が使用しにくいサイトメガロウイルス感染例などに施行できる
2. 血球成分除去療法の欠点
   - 血管確保に難渋する
   - 効果発現までに時間を要する
   - 重症例に対しては効果が乏しい
   - 維持療法としての保険適用はないため，他の薬剤の併用が必要となる

## はじめに

　潰瘍性大腸炎（UC）とクローン病（CD）の患者数は増加傾向にあり，小児患者も増加している。これらの炎症性腸疾患（IBD）の病態は未だ明らかではなく，根治的な治療法も見出されていない。小児IBDの治療については，小児IBD治療指針2019改訂ワーキンググループから，それぞれ「小児潰瘍性大腸炎治療指針（2019年）」[1]「小児クローン病治療指針（2019年）」[2]が発表されている。

　血球成分除去療法（CAP）は，白血球（顆粒球，単球，活性化リンパ球）などの血球成分を体外循環により，血液中から除去することで病態の改善を図る治療法であり，IBDに対する治療戦略のひとつとして位置づけられている。ビーズ（アダカラム）を用いた顆粒球除去療法（GCAPまたは顆粒球吸着

### その他の疾患への急性血液浄化療法/アフェレシス治療

除去療法(GMA))は2000年よりUCに対して，2009年よりCDに対して保険収載され，安全性の高い治療として認知されている。白血球除去療法(LCAP)は，2001年にUCに対して保険収載されたが，2020年3月にLCAP用のフィルターが販売中止となった。

## 作用機序

CAPの作用機序は，基本的に白血球除去による直接的な免疫調節効果に加え，カラムを通過した白血球の機能変化によるものと考えられている。その全容は明らかにされていないが，活性化白血球除去による炎症の鎮静化，TNF-α・IL-6などの炎症性サイトカインの産生抑制およびサイトカインバランスの是正，炎症に関与する活性化血小板の除去，骨髄由来のCD34陽性細胞の動員による腸管粘膜組織の修復などが報告されている。

GMAには直径2 mmの酢酸セルロース性ビーズが充填された，アダカラム(JIMRO)を使用する(図)。カラムに血液を灌流させ，催炎性の顆粒球・単球を選択的に吸着する。リンパ球や血小板はほとんど吸着せず，単球に対して吸着による数的な除去効果とともに，炎症性サイトカイン産生能を抑制するなど，機能的な抑制効果もあるものと推察されている[3]。

LCAPにはセルソーバEI/EX(旭化成メディカル)を使用する。セルソーバは直径3 μm以下のポリエステル極細繊維か

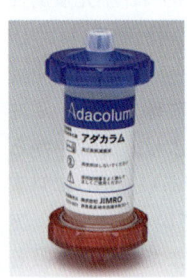

図　アダカラム
吸着担体：酢酸セルロース製ビーズ，担体量：220 g，容器材質：ポリカーボネート，寸法：直径60 mm，長さ：206 mm，充填液：生理食塩液，滅菌方法：高圧蒸気滅菌，血液充填量：約130 mL

# 7 炎症性腸疾患

らなるフィルターで，血球だけでなくリンパ球と血小板も吸着除去する点が特徴である。一般（成人）用の型式EXと，さらに容量の小さい小児・低体重者用の小型カラムである型式EIを体重によって使い分けることで，体外循環量を減らすことが可能であり，小児にも使用しやすい製品であったが，2020年3月に販売中止となった。

## 疾患について

### 1. 潰瘍性大腸炎（UC）

　主として大腸の粘膜を侵し，しばしばびらんや潰瘍を形成する原因不明のびまん性非特異性炎症である。小児のUCは成人に比して病変の広範囲化，重症化がみられやすいため，成人より積極的治療を要する場合が多い。また，ステロイド薬の長期投与は成長障害の原因となるため，維持療法には用いない。治療方針は，臨床的評価（重症度，病変の広がりなど）と小児潰瘍性大腸炎活動指数（PUCAI）に基づいて決定する（表1）[1]。中等症で炎症反応のある場合（目安としてPUCAI 50以上）は重症例と同じ扱いとし，重症例のうち全身状態不良の場合は劇症に準じた扱いとする。十分量のステロイド薬投与でも効果不十分の場合や，ステロイド減量に伴い症状が増悪する場合は，難治例（ステロイド抵抗例または依存例）として早期に追加の内科的治療や外科治療を検討する。難治例の治療は経験豊富な施設で行うことが望ましく，重症例または劇症例では外科治療の判断を誤らないことが重要である。

### 2. クローン病（CD）

　CDは，UCと同様に原因不明の難治性のIBDであり，根治的な治療法は未だ見出されていない。主として若年者に発症し，小腸・大腸を中心に浮腫や潰瘍を認め，腸管狭窄や瘻孔など特徴的な病態が生じる。口腔から肛門までの消化管のあらゆる部位に起こり，消化管以外にも種々の合併症を伴うた

## その他の疾患への急性血液浄化療法/アフェレシス治療

表1 小児潰瘍性大腸炎治療指針(2019年)

| 寛解導入療法 | 軽症～中等症(флекс反応なし*1)(目安としてPUCAI 45以下) | 中等症～重症(目安としてPUCAI 50以上) | 劇症 |
|---|---|---|---|
| 全大腸炎型<br>左側大腸炎型 | 経口剤:5-ASA製剤<br>注腸剤:5-ASA注腸, ステロイド注腸フォーム剤, ブデソニド注腸フォーム剤<br>※十分量の5-ASA製剤で治療が奏功しない場合は、プレドニゾロン経口投与<br>※さらに改善がなければ、重症またはステロイド抵抗例への治療を行う<br>※直腸部に炎症を有する場合はペンタサ坐剤が有用 | ・プレドニゾロン静注<br>※状態に応じ以下の薬剤を併用<br>経口剤:5-ASA製剤<br>注腸剤:5-ASA注腸, ステロイド注腸<br>※改善がなければ、劇症または	ステロイド抵抗例の治療を行う<br>※状態により手術適応の検討 | ・緊急手術の適応を検討<br>※外科医と連携のもと、状況が許せば以下の治療を試みてもよい。<br>・ステロイドパルス療法<br>・タクロリムス経口投与<br>・シクロスポリン持続静注療法*2<br>※上記で改善なければ手術 |
| 直腸炎型 | 経口剤:5-ASA製剤<br>坐剤:5-ASA坐剤, ステロイド坐剤<br>注腸剤:5-ASA注腸, ステロイド注腸フォーム剤, ブデソニド注腸フォーム剤<br>※安易なステロイド全身投与は避ける | | |

# 7 炎症性腸疾患

| | | |
|---|---|---|
| 難治例 | ステロイド依存例 | ステロイド抵抗例 |
| | 免疫調節薬：アザチオプリン/6-MP*2<br>※上記で改善しない場合：血球成分除去療法・タクロリムス経口投与・インフリキシマブ点滴静注・アダリムマブ皮下注射・ゴリムマブ皮下注射を考慮してもよい | 中等症：血球成分除去療法・タクロリムス経口投与・インフリキシマブ点滴静注・アダリムマブ皮下注射・ゴリムマブ皮下注射<br>重症：血球成分除去療法・タクロリムス経口投与・インフリキシマブ点滴静注・アダリムマブ皮下注射・ゴリムマブ皮下注射・シクロスポリン持続静注療法*2<br>※改善がなければ手術を考慮 |
| | 非難治例 | 難治例 |
| 寛解維持療法 | 5-ASA製剤（経口剤・注腸剤・坐剤） | 5-ASA製剤（経口剤・注腸剤・坐剤）、免疫調節薬（アザチオプリン/6-MP*2、インフリキシマブ点滴静注*3、アダリムマブ皮下注射*3、ゴリムマブ皮下注射*3 |

*1CRP＜1.0 mg/dLかつ赤沈＜30 mm/時とする．*2現在保険適用には含まれていない．*3それぞれの薬剤で寛解導入した場合
5-ASA経口剤（ペンタサ®顆粒／錠、アサコール®錠、サラゾピリン®錠、リアルダ®錠）．5-ASA注腸剤（ペンタサ®注腸）．5-ASA坐剤（ペンタサ®坐剤、サラゾピリン®坐剤）、ステロイド注腸剤（プレドネマ®注腸、ステロネマ®注腸）、プランニド注腸フォーム剤（レクタブル®注腸フォーム）、ステロイド坐剤（リンデロン®坐剤）
※治療原則：内科治療への反応性や薬物による副作用ある いは合併症などに注意し、必要に応じて専門家の意見を聞き、外科治療のタイミングなどを誤らないようにする

PUCAI：小児潰瘍性大腸炎活動指数

虻川大樹，他：小児潰瘍性大腸炎治療指針(2019年)．日小栄消肝会誌 33：110-127，2019[1]より引用．一部改変

め,全身性疾患としての対応が必要である。小児クローン病活動指数(PCDAI)に基づいて重症度を判定し,治療方針を決定する(表2)[2]。小児CDの寛解導入療法の第一選択は完全経腸栄養療法であり,寛解維持療法においても部分経腸栄養療法を続けることが望ましい。ステロイド薬は寛解導入に用いられるが,長期投与は成長障害の原因となるため,維持療法には用いない。ステロイド減量により再燃を繰り返すステロイド依存例には,免疫調節薬や生物学的製剤が必要となる。生物学的製剤は長期投与が必要となり,効果が減弱する二次無効の問題もあるため,適応は慎重に判断すべきであり,経験豊富な医師へのコンサルトが勧められる[4]。

## 血球成分除去療法の効果,エビデンス

日本消化器病学会から発表されている「炎症性腸疾患(IBD)診療ガイドライン2016」[5]において,CAPは中等症から重症のUCに対して寛解導入に効果があり,安全性が高く,ステロイド減量に寄与するとされている。また,大腸病変のある活動期CDに対して,既存の薬物療法や栄養療法で改善の得られない場合にCAPを考慮する,とされている。

UCに対するGMAの有効性を検討したメタアナリシスでは,ステロイドを主体とした対照群と比較して,GMAの有効性が高いことが示されている[6]。小児UCに対するGMAの有効性はTomomasaらによって報告された。11例の小児UCに対してGMAを行い,8例が臨床的寛解に至り,ステロイド投与量は50%減量し,全例で重篤な副作用は認めなかった[7]。小児CDに対するCAPの効果を示すエビデンスは少ないが,MartínらはステロイドCD依存性の小児CD患者4例に対するGMAについて,有効率が50%であり,ステロイドの減量,また離脱に寄与したと報告している[8]。また小児CD患者13例に対してGMAを施行し,5例が有効であり,安全であったとする報告もある[9]。

## 表2 小児クローン病治療指針（2019年）

| | 活動期の治療 | |
|---|---|---|
| 軽症～中等症 | 中等症～重症 | 重症（病勢が重篤、高度な合併症を有する場合） |
| 薬物療法<br>・5-ASA製剤<br>・ブデソニド | 完全経腸栄養<br>薬物療法<br>・経口ステロイド薬<br>・抗菌薬（メトロニダゾール）<br>・生物学的製剤（インフリキシマブ、アダリムマブ、ウステキヌマブ）<br>・顆粒球吸着療法 | 完全経腸栄養／経静脈栄養<br>薬物療法<br>・経口・経静脈ステロイド薬<br>・生物学的製剤（インフリキシマブ、アダリムマブ、ウステキヌマブ） |
| | 肛門病変の治療 | 狭窄・瘻孔の治療 |
| | 外科治療の検討<br>・ドレナージ、seton法など<br>内科的治療<br>・抗菌薬（メトロニダゾール、シプロフロキサシン）<br>・生物学的製剤（インフリキシマブ、アダリムマブ） | 狭窄<br>・外科治療の検討<br>・炎症沈静下後の内視鏡的バルーン拡張<br>瘻孔<br>・外科治療の検討<br>・外瘻ではインフリキシマブ、アダリムマブ、アザチオプリン、6-MP |
| 寛解維持療法 | | 術後の再発予防 |
| 部分経腸栄養<br>薬物療法<br>・5-ASA製剤<br>・免疫調節薬（アザチオプリン、6-MP）<br>・生物学的製剤（インフリキシマブ、アダリムマブ、ウステキヌマブ） | | 部分経腸栄養療法<br>寛解維持療法に準ずる薬物療法<br>・5-ASA製剤<br>・免疫調節薬（アザチオプリン、6-MP）<br>・生物学的製剤（インフリキシマブ、アダリムマブ、ウステキヌマブ） |

新井勝大、他：小児クローン病治療指針（2019年）．日小児栄消肝会誌 33：90-109, 2019[2] より引用、一部改変

## その他の疾患への急性血液浄化療法/アフェレシス治療

小児UCに対するLCAPの有用性については，Tomomasaらが23例の中等症から重症の小児UC患者に対してLCAPを行い，82〜84%で臨床的な改善・寛解を認め，重篤な副作用は認めなかったと報告している[10]。

## 血球成分除去療法の適応

IBDに対してCAPを行う際には，CAPの適応，利点，注意点を理解し実施することが重要である。

CAPは小児においても安全に施行できる寛解導入療法として認知されている。小児では血管確保に難渋するため，末梢ラインの他に，ダブルルーメンの中心静脈カテーテルなどを用いて施行することもある。他の治療と異なり，追加の薬物投与が不要なため，寛解導入を行うことができれば長期的な副作用がない点が利点である。他の薬剤の多くが免疫抑制に働くため，サイトメガロウイルス感染などの合併が疑われる症例ではよい適応になる。しかし，維持療法には保険適用がなく，他の治療を組み合わせる必要がある。また，効果発現には少なくとも1〜2週間要するため，適応は慎重に選択すべきである。添付文書には体重に関する記載はないが，カラムと回路内の血液充填量の観点から，一般的に体重25 kg程度で施行可能とされる。本治療は経験のある専門施設で行うことが望ましい。1回の治療時間は1時間で，成人は30 mL/分で1クール計10回を行う。血液処理量は小児では30 mL/kgを基本とし，血流速度は体格や脱血具合に応じて20 mL/分前後で調整する[2]。

UCに対するCAPは重症・劇症および難治例(ステロイド抵抗例，ステロイド依存例)に対して適応となっているが，効果の発現に時間を要するため，中等症から重症例を対象とし，重症度が高い場合は他の治療を選択するか，他の治療を併用して施行することが望ましい。劇症例にはCAPを単独で施行することはない。従来は週1回で施行されていたが，週2回

# 7 炎症性腸疾患

行うintensive CAPのほうが，効果発現までの期間が短くなることが成人の臨床試験で報告された。UCを対象としたGMAの週1回法と週2回法の無作為割付比較試験において，週1回法での寛解導入率54％に対し，週2回法では71％と，より高い値が得られた。また，寛解導入までの期間が28.1日から14.9日と有意に短縮された[11]。

CDに対するGMAは，栄養療法および薬物療法が無効または適用できず，大腸の病変に起因する明らかな臨床症状が残る中等症から重症の症例に対して，寛解導入を目的として10回を限度に保険適用が認められている。CDにおいても，週1回法の治療と比較して，intensive CAPは寛解導入率に有意差はないが，導入までの期間短縮が可能であることが示されている[12]。2010年4月からUCに対して，2016年4月からCDに対しても週2回以上のintensive CAPが可能となった。治療開始後1〜2週間程度で，効果が得られないか増悪する場合には，外科的手術を含めた他の治療を検討する[2]。

## 使用法

まず，清潔操作で患者の静脈に脱血用，返血用の2箇所の血管確保を行う。成人では透析用の留置針を用いて両肘窩静脈を穿刺するが，困難な場合は大腿静脈を使用することもある。穿刺時には必要に応じて貼付用局所麻酔などを用いる。しかし，小児の血管は細径で末梢血管確保が困難であり，また中心静脈栄養を併用していることも多いため，透析用のダブルルーメンカテーテル（7Fr，8Fr）を鎖骨下静脈などに留置する方法などがある。治療開始前には生理食塩液によるプライミング後，抗凝固薬を添加した生理食塩液で回路内を置換する。体外循環の形態は，直接血液灌流型の吸着式血液浄化療法と同一であり，カラムを供給している会社で同時に販売している回路，体外循環装置を使用してもよいが，一般的な体外循環治療用の装置を用いても可能である。

### その他の疾患への急性血液浄化療法/アフェレシス治療

#### 1. アダカラムの実際の方法

カラムをプライミングする直前に袋から取り出し、生理食塩液 1.5 L でプライミングする。内部に充填液が入っているため、流入側の回路接続時は血液流入側を上側にして接続するが、接続後は反転させて流入側を下にする。また血液回路内に気泡が残っていると血液凝固などの原因となるおそれがあるので、プライミングの段階でカラムをよく回転させるなどして気泡抜きを行う。

① 抗凝固薬（ヘパリン 2,000 単位、またはナファモスタットメシル酸塩 20 mg）を添加した生理食塩液 500 mL をカラム・回路内に置換する。
② 患者に回路を接続し、治療を開始する。この時は流入側を下方にし、血液が下から上に流れるようにする（カラムに記載されている）。
③ 血液処理量は 30 mL/分 × 60 分 = 1,800 mL である。
④ 血液処理量を循環させた後、200 〜 300 mL の生理食塩液を流して血液回路およびカラム内の血液を返血する。返血時はカラムの上下を反転させる。この時、返血を多くするためにカラムを振ったりしてはならない。
⑤ 以上の治療を週に 2 〜 3 回（隔日）合計 10 回まで行う。

### 注意点

使用中にカラム内、または血液回路内に血液凝固が発生することがある。返血不能となり失血しないよう、カラムの流入側圧力と流出側圧力との差圧が急上昇した時点で返血操作を行う。また、小児で血漿交換を施行する際には、回路内に赤血球製剤を充填してから治療を開始することがある。回路内容量（血液回路およびカラムの容量を足したもの）が循環血液量（80 mL/kg）の 10％を超えるような症例（特に 10 kg 以下の小児の場合）では、開始時の血圧低下や血液希釈による貧血の増悪を避けるため、同様に回路内を血液で充填する場合

もある。アダカラムではカラム本体のプライミングボリュームが130 mLあり，回路と合わせると170 mL以上にはなるので，20 kg以下の小児に施行する場合は血液プライミングが必要となる。特に腸管出血が多く，貧血になっている患者の場合では注意が必要である。

治療に必要な血液処理量に関しては，GMAでは30 mL/分×60分の血液処理量が基本である。保険上では一連の治療につき，10回(劇症型UCでは11回)が限度とされている。以前は保険上の制限から週1回の間隔で行われ，治療効果の発現に時間を要していたが，近年，intensive CAPが可能となった。寛解が得られた後も十分な粘膜治癒を達成するために，10〜11回施行することが推奨される。

## 副作用，合併症

GMAの治験時のデータでは，59例中副作用は5例(8.5%)に発現し，主な副作用は発熱，立ちくらみ，めまい，頭痛，顔面発赤，悪心がそれぞれ1件認められている。小児では注射部疼痛や貧血，ヘモグロビン減少の副作用には特に注意する必要がある。末梢静脈を利用した場合，返血時に血管痛を訴える患者もいる。また，治療中，返血時に呼吸苦を訴える患者がいるので注意する。一方，806例を対象とした使用成績調査の結果では，問題となる感染症や合併症は認められていない[13]。

GMAでは使用注意として，「顆粒球数2,000/mm$^3$以下の患者」「感染症を合併している患者および合併が疑われる患者」「肝障害，腎障害のある患者」「アレルギー素因のある患者」「抗凝固薬(ヘパリン，低分子ヘパリン，ナファモスタットメシル酸塩)に対し，過敏症の既往歴のある患者」「赤血球減少(300万/mm$^3$以下)，極度の脱水(赤血球600万/mm$^3$以上)，凝固系の高度亢進(フィブリノーゲン700 mg/dL以上)のある患者」「重篤な心血管系疾患のある患者」「体温38℃以上の患

者」では慎重に適用するとされている。

IBD患者では，活動性の炎症に伴い凝固能が亢進していることがあり，CAPや頸静脈栄養を目的とした中心静脈カテーテルを留置する際には，静脈血栓症に注意する。

## まとめ

小児IBDに対してもCAPは副作用が少なく，安全に施行できる治療である。しかし，重症例には効果が限定的であり，適応症例の選択が重要となる。寛解導入療法においてはintensive CAPが可能となり，効果発現までの期間は短縮傾向にあり，適切に症例を選択すれば治療効果が高い。維持療法については今後の症例の集積が待たれる。開始時に寛解導入後の維持療法をどうするか，他の治療を考慮する必要がある。また効果判定の時期や，追加治療を行うタイミングを逃さないことが重要である。今後は生物学的製剤との使い分けや併用が課題である。

### 文献

1) 虻川大樹，他：小児潰瘍性大腸炎治療指針（2019年）．日小児栄消肝会誌 33：110–127，2019
2) 新井勝大，他：小児クローン病治療指針（2019年）．日小児栄消肝会誌 33：90–109，2019
3) 安藤朗，他：白血球除去療法のモダリティによる免疫応答への効果．IBD Res 1：262–266，2007
4) 今野武津子：Crohn病．小児診療 81増刊：708–711，2018
5) 上野文昭，他：CQ4-7 IBD治療における血球成分除去療法の適応と，治療効果および有害性は？ 日本消化器病学会編：炎症性腸疾患（IBD）診療ガイドライン2016，南江堂，4–44，2016
6) Yoshino T, et al：Efficacy and safety of granulocyte and monocyte adsorption apheresis for ulcerative colitis：a meta-analysis. Dig Liver Dis 46：219–226, 2014
7) Tomomasa T, et al：Granulocyte adsorptive apheresis for pediatric patients with ulcerative colitis. Dig Dis Sci 48：750–754, 2003

## 7 炎症性腸疾患

8) Martín de Carpi J, et al：Safety and efficacy of granulocyte and monocyte adsorption apheresis in paediatric inflammatory bowel disease：a prospective pilot study. J Pediatr Gastroenterol Nutr 46：386-391, 2008
9) Ruuska T, et al：Granulocyte-monocyte adsorptive apheresis in pediatric inflammatory bowel disease: results, practical issues, safety, and future perspectives. Inflamm Bowel Dis 15：1049-1054, 2009
10) Tomomasa T, et al：Leukocytapheresis in pediatric patients with ulcerative colitis. J Pediatr Gastroenterol Nutr 53：34-39, 2011
11) Sakuraba A, et al：An open-label prospective randomized multicenter study shows very rapid remission of ulcerative colitis by intensive granulocyte and monocyte adsorptive apheresis as compared with routine weekly treatment. Am J Gastroenterol 104：2990-2995, 2009
12) Yoshimura N, et al：An open-label prospective randomized multicenter study of intensive versus weekly granulocyte and monocyte apheresis in active crohn's disease. BMC Gastroenterol 15：163, 2015
13) 虻川大樹, 他：V 小児炎症性腸疾患の治療　1. 潰瘍性大腸炎 2) 薬物治療 e. CAP. 友政 剛監修, 牛島高介, 他編：小児・思春期のIBDマニュアル, 診断と治療社, 125-128, 2013

（星 雄介, 虻川 大樹）

その他の疾患への急性血液浄化療法/アフェレシス治療

# 8 ステロイド抵抗性ネフローゼ症候群

### ポイント

1. ステロイド抵抗性ネフローゼ症候群の症例数は限られ，エビデンスを築くことが困難であるが，低比重リポ蛋白（LDL）吸着療法や血漿交換療法は治療手段のひとつとして，保険適用となっている。
2. ステロイド抵抗性ネフローゼ症候群のなかには，LDL吸着療法の実施により完全寛解に至る例があり，蛋白尿の選択性が良好で，尿細管間質病変が軽微であることが有効性の指標になる可能性がある。
3. LDL吸着療法は体外循環量が多いため，体重30 kg以下の小児は血漿交換療法を選択する。
4. LDL吸着療法および血漿交換療法は合併症を理解したうえで慎重に実施する。

## ステロイド抵抗性ネフローゼ症候群と治療

　ステロイド抵抗性ネフローゼ症候群（SRNS）は，小児特発性ネフローゼ症候群全体の10〜20％を占め，国際小児腎臓病研究班（ISKDC）によれば，8週間のステロイド治療（プレドニゾロン60 mg/m$^2$ 4週間およびプレドニゾロン40 mg/m$^2$ 隔日投与4週間）を行っても寛解が得られないものとされている。巣状分節性糸球体硬化症（FSGS）の多くがSRNSである。治療法は十分に確立されておらず，さまざまな治療によっても寛解あるいは部分寛解に至らない症例も少なくない。ネフローゼ状態が持続した場合の腎機能予後は不良であり[1]，部分寛解から寛解を目標に治療する。日本小児腎臓病学会の小児特発性ネフローゼ症候群ガイドライン2020では，シクロ

スポリン（CyA）が第一選択薬として推奨されており、ステロイドパルスを併用することも検討すると記載されている[2]。これらの治療によっても寛解しない症例では、血漿交換療法（PE）または低比重リポ蛋白（LDL）吸着療法（LDL-A）、リツキシマブ、タクロリムスが検討される[2]。このうち、FSGSに対して保険適用となっているのがPEとLDL-Aである。

## ステロイド抵抗性ネフローゼ症候群に対するアフェレシス

SRNS症例の予後は不良であるため、寛解を目指してPE、LDL-A、プロテインA吸着療法、サイタフェレシスなどさまざまなアフェレシスが試みられてきた。本項ではPE、LDL-Aについて解説する。

### 1. 血漿交換療法（PE）

一部の原発性FSGS患者では、病因として糸球体濾過障壁の透過性を亢進させる何らかの液性因子（CFs）が関与している可能性が指摘されている[3]。また、腎移植後FSGS再発患者の血漿中には、ポドサイトの糸球体基底膜からの剥離を惹起するCFsが存在する可能性が示されている[4]。FSGSは腎移植後約30％が再発し、約半数が移植腎喪失に至るとされるが[5]、腎移植後FSGS再発例に対しては、これらCFsの除去を目的としてPEが実施され、その有効性が報告され、治療手段として広く認知されるようになっている[6]。また、当科では腎移植後FSGS再発に対する予防的PE[7]や、FSGS再発のハイリスク患者に対しては、PEに加えてリツキシマブも投与する予防的複合治療を実施し、その有効性を報告している[8]。

最近では、CFs活性を阻害する因子が正常血漿中に存在することが示され[3]、PEではCFsの除去に加えてCFs活性を阻害する因子を補充するために置換液として、アルブミン溶液

ではなく新鮮凍結血漿を用いるという考えもある。

## 2. LDL吸着療法（LDL-A）

進行性腎障害に対するLDLや酸化LDLの関与が指摘され，1988年にTojoらが，難治性ネフローゼ症候群を呈するFSGS患者の蛋白尿減少および腎機能改善効果を目的としてLDL-Aを用い，その有効性を報告した[9]。以来，わが国を中心として多くの施設でSRNSに対し，ステロイドや免疫抑制薬との併用療法としてLDL-Aが試みられてきた。成人領域では多施設共同研究の結果が報告され[10]，また小児の難治性原発性FSGS症例のなかには，LDL-Aの実施により完全寛解に至る例があることが示されている[11]。

FSGSにおけるLDL-Aの効果発現機序として，①LDL，特に酸化LDL除去による腎血管の保護，酸化ストレスの除去やマクロファージの浸潤抑制，②アフェレシスによる脂質以外の液性要因の除去（血中炎症性サイトカインおよびCFsなど），③ステロイドやCyAの薬剤反応性改善，④血小板機能亢進状態，凝固・線溶系異常の改善などが考えられている。

# ステロイド抵抗性ネフローゼ症候群に対するアフェレシスの実際

「巣状分節性糸球体硬化症において，PEおよびLDL-Aは，従来の薬物療法では効果が得られずネフローゼ状態が持続し，血清コレステロール値が250 mg/dL以下に下がらない場合，3カ月に限って12回を限度に，保険適用として実施可能」である。

症例に応じたバスキュラーアクセスの選択が必要であるが，易感染状態であり，カテーテル関連血流感染症を含め，管理には細心の注意が必要である。

## 8 ステロイド抵抗性ネフローゼ症候群

### 1. 血漿交換療法（PE）の実際

実施の詳細は，本書別稿〔その他の疾患への急性血液浄化療法／アフェレシス治療 -6 自己免疫疾患（リウマチ疾患，神経免疫疾患，川崎病）〕に譲る。

高度の浮腫を伴う低アルブミン血症を呈した患者への実施の際，患者血漿膠質浸透圧と置換液である，アルブミン溶液の膠質浸透圧との差によって循環血液量は変化するため，バイタルサインの変化に注意して実施する。また，必要に応じて利尿薬を投与する。

### 2. LDL吸着療法（LDL-A）の実際

回路図を図[12]に示す。プライミングボリュームは少なくとも285 mLとなるため，体重30 kg以上の小児への実施が安全である（体重30 kg未満ではPEを選択する）。

LDL-A実施により，ステロイドやCyAに対する感受性が改善する可能性が示唆されており，LDL-A単独ではなく，これらの薬剤を併用する。

当科では，ステロイドやCyA無効の難治性FSGSに対し，週に2回3週間，その後は週に1回のペースで治療効果を見ながら，合計12回のLDL-Aを実施するプロトコールで治療を行っている[11]。今までの治療経験から，蛋白尿の選択性（SI）が良好で，尿細管間質病変が軽微であることが，有効性の指標となることを報告した[11]。

なお，本症において用いることの多い，アンジオテンシン変換酵素阻害薬（ACE-I）は，LDL吸着体であるデキストラン硫酸が，カリクレイン・キニン系を活性化して，ブラジキニン産生を亢進すると同時に，ブラジキニンの分解酵素であるキニナーゼⅡ活性がACE-Iにより阻害され，血中ブラジキニンが増加する。このため，ブラジキニンによるアナフィラキシー様反応が起きることから，LDL-A施行中のACE-I内服は禁忌である。

## その他の疾患への急性血液浄化療法/アフェレシス治療

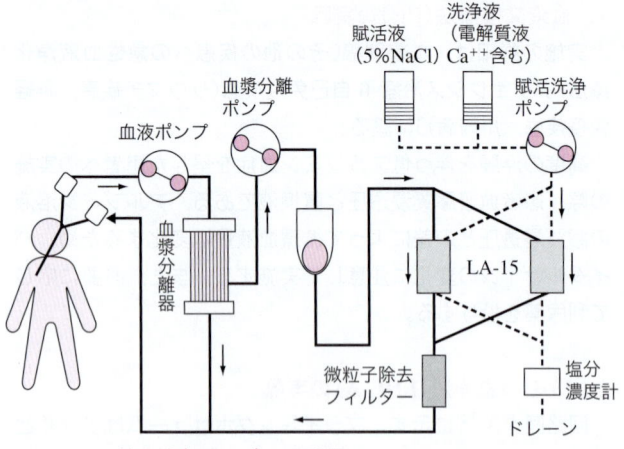

### 図 LDL吸着療法(LDL-A)の回路図

- 装置：MA-03[*1]，専用回路NK-M3R[*1]
  プライミングボリューム＝血液側回路105 mL(うち取り外し可能な加温回路分25 mL)＋血漿側回路30 mL＋OP-02W[*2] 25 mL＋LA-15[*1] 150 mL
[*1]カネカメディックス，[*2]旭化成メディカル

- 低比重リポ蛋白(LDL)吸着器であるリポソーバー LA-15は，陰性荷電を有するデキストラン硫酸を多孔質セルロースビーズに固定したもので，陽性に荷電したリポ蛋白表面のアポ蛋白Bが静電相互作用することを利用して，アポBを構造蛋白質とするLDLやVLDL，Lp(a)を選択的に吸着除去する。アポAを有するHDLコレステロールは吸着されず，他の血漿成分にもほとんど影響を与えない(脂質以外に血液凝固関連因子や補体成分factor D，CRPなどの吸着および治療後の一時的な血小板減少が報告されている)。1回の治療で総コレステロールは前値の27%低下するとされる。

- 通常の処理血漿量は1 plasma volumeであるが，吸着カラム1本当たり500〜600 mLの血漿処理した時点で，賦活液(5%NaCl液)による吸着体の賦活処理により，任意の量の血漿処理が可能である。

- 通常2時間程度かけて実施する。体重40 kgの児であれば，目標の処理血漿量は約2,000 mL。血流量($Q_B$)60〜80 mL/分，濾過流量($Q_F$)15〜20 mL/分($Q_F/Q_B=0.2$)で設定すると，血漿処理量は900〜1,200 mL/時となるため，おおむね2時間での施行が可能となる。ヘパリンは15〜20単位/kgワンショット，15〜20単位/kg/時維持とし，ACTをみて調整する。ネフローゼ症候群のためATⅢが低下し，ヘパリンでは抗凝固作用が十分得られない場合は，ナファモスタットメシル酸塩0.3〜1.0 mg/kg/時を用いる。

NaCl：塩化ナトリウム，Ca：カルシウム，VLDL：超低比重リポ蛋白，Lp(a)：リポ蛋白(a)，ACT：活性化凝固時間，ATⅢ：アンチトロンビンⅢ

江口 圭，他：吸着療法．秋葉 隆，他編：CE技術シリーズ 血液浄化療法，南江堂，231-264，2004[12]より引用，一部改変

## おわりに

SRNSでは，限られた症例数やプロトコールの差異などのため，アフェレシスに対するエビデンスを築くことが困難であった．今後，多施設による共同研究を計画的に行うことで，より安全で適切な治療法の確立につながるものと思われる．

### 引用文献

1) Gipson DS, et al：Differential risk of remission and ESRD in childhood FSGS. Pediatr Nephrol 21：344-349, 2006
2) 日本小児腎臓病学会編：小児特発性ネフローゼ症候群診療ガイドライン2013，診断と治療社，2020
3) Königshausen E, et al：Circulating Permeability Factors in Primary Focal Segmental Glomerulosclerosis：A Review of Proposed Candidates. Biomed Res Int 2016, doi: 10.1155/2016/3765608
4) Hattori M, et al：Increase of integrin-linked kinase activity in culture podocytes upon stimulation with plasma from patients with recurrent FSGS. Am J Transplant 8：1550-1556, 2008
5) Baum MA：Outcomes after renal transplantation for FSGS in children. Pediatr Transplant 8：329-333, 2004
6) Ponticeli C：Recurrence of focal segmental glomerular sclerosis (FSGS) after renal transplantation. Nephrol Dial Transplant 25：25-31, 2010
7) Ohta T, et al：Effect of pre-and postoperative plasmapheresis on posttransplant recurrence of focal segmental glomerulosclerosis in children. Transplantation 71：628-633, 2001
8) Chikamoto H, et al：Pre-transplantation combined therapy with plasmapheresis and rituximab in a second living-related kidney transplant pediatric recipient with a very high risk for focal segmental glomerulosclerosis recurrence. Pediatr Transplant 16：E286-290, 2012
9) Tojo K, et al：Possible therapeutic application of low density lipoprotein apheresis (LDL-A) in conjunction with double filtration plasmapheresis (DFPP) in drug-resistant nephrotic syndrome due to focal glomerular sclerosis (FGS). Nihon Jinzo Gakkai Shi 30：1153-1160, 1988
10) Muso E, et al：Beneficial effect of low-density lipoprotein

apheresis (LDL-A) on refractory nephrotic syndrome (NS) due to focal glomerulosclerosis (FGS). Clin Nephrol 67:341-344, 2007
11) Hattori M, et al: A combined low-density lipoprotein apheresis and prednisone therapy for steroid-resistant primary focal segmental glomerulosclerosis in children. Am J Kidney Dis 42:1121-1130, 2003
12) 江口 圭, 他:吸着療法. 秋葉 隆, 他編:CE技術シリーズ 血液浄化療法, 南江堂, 231-264, 2004

## 参考文献

1) 近本裕子, 他:ステロイド抵抗性ネフローゼ症候群. 伊藤秀一, 他監修:小児急性血液浄化療法ハンドブック, 東京医学社, 189-195, 2013

(三浦 健一郎, 服部 元史)

その他の疾患への急性血液浄化療法/アフェレシス治療

# 9 薬物中毒

### ポイント

1. 小児の薬物中毒では，薬物の特性に加え患者側の要因により，血液浄化療法の適応が限られる。
2. 分子量の大きな物質も除去可能なハイパフォーマンス膜の開発により，血液透析療法の適応が拡大している。
3. 血行動態が不安定な小児例や急性腎障害を合併する症例においては持続的腎代替療法を行うことを考慮する。

## はじめに

　薬物中毒は血液浄化療法が適応となる状況のひとつであり，その目的は中毒の原因物質の除去，または中毒物質により惹起される臓器障害や電解質異常などへの対応である。

　小児の薬物誤飲の頻度は，小児10万人に対し450人ほどであり，5歳以下の幼児が大半を占める。原因物質としては，化粧品や洗剤などの家庭用品の他，解熱薬や鎮痛薬，感冒薬などの医薬品の頻度が高い。しかし，このような小児の薬物誤飲のうち，医療機関での治療が必要となる頻度は約10%であり，血液浄化療法が必要となるのは0.05%以下である。これは，中毒物質の対外除去を目的とした急性血液浄化療法が，ルート確保の問題や抗凝固薬使用による出血，血圧低下などの重篤な合併症を引き起こす可能性があり，特に小児においてはその適応が限られることが大きな要因となっている。しかし，近年の技術進歩により，従来除去が困難と考えられていた薬物についても有効例の報告が増えており，患者の容態と合わせて慎重に適応を考える必要がある。

## その他の疾患への急性血液浄化療法/アフェレシス治療

### 血液浄化療法の適応

急性薬物中毒に対する血液浄化療法が適応となる前提として，中毒原因物質が，腎や肝からの内因性クリアランスを上回る効率で，除去が可能と判断された場合に限られる。そのうえで，以下のいずれかの事項を満たす場合は，血液浄化療法の適応となる[1,2]。

1. 十分な支持療法を行ったにもかかわらず，全身状態が進行性に悪化する場合
2. 呼吸抑制，低体温，低血圧など，脳幹機能の低下を伴う重篤な中毒
3. 昏睡が遷延し，誤嚥性肺炎や敗血症などが合併した場合や，このような合併症の素因となる基礎疾患が存在する場合
4. 腎不全，心不全，肝不全など，原因物質の代謝が期待できない臓器障害を合併する場合
5. 中毒原因物質の代謝産物がまた毒性を有する場合，あるいは原因物質が遅発性の障害を起こす可能性のある場合
6. 肝障害惹起物質の除去により，肝性昏睡の発症を予防または遅延し，肝移植までの橋渡しが可能と考えられる場合

ただし，臓器障害を合併した例では，必ずしも中毒原因物質の除去を第一義とせず，むしろ，水分量調節，酸塩基平衡の改善，肝機能補助などを主目的として急性血液浄化の適応となり得る。

### 血液浄化療法の適応を考えるうえで考慮すべき原因物質側因子

血液浄化療法を行う際には，臨床症状などの患者側の要因に加え，原因物質の特性を考慮して適応を考える必要がある。特に原因物質側からみた次の3つの要素が重要である。

## 1. 大きさと荷電

拡散浄化(diffusive clearance)ではサイズの小さい物質ほど,濃度勾配により除去されやすい。また,物質の荷電状態もクリアランスに影響する。

## 2. 血漿蛋白との結合率

多くの透析膜は,血漿蛋白の喪失が最小限となるよう設計されていることから,血漿蛋白に結合しやすい物質は血漿中からの除去が困難である。ただし,薬物によっては常用量でもすべてが蛋白結合状態にあるわけではないことや,高濃度では結合率が低下する物質もあることを考慮する。

## 3. 分布容積(Vd),体内分布量

薬物の組織移行性を示す指標であり,Vd＝体内総薬物量/血漿中濃度として算出される。すなわち,薬物が血漿中と同濃度で,すべての組織に分布する場合に必要な容積を意味し,Vdが高い物質は組織移行性が高いことを示す。

細胞内外に均等に分布する薬物の場合,小児の体内総水分量を体重の約70%と想定し,Vdは約0.7 L/kgとなる。一方,組織移行の良好な薬物は細胞内濃度が増加し,体内総量が血漿中濃度を上まわるため,Vd＞1 L/kgとなり,間欠的血液浄化療法による除去は困難となる。また,蛋白結合率が低い物質であっても,脂溶性物質や組織移行率の高い物質は,血中から速やかに細胞内へと移動するため,血液浄化療法による除去効果は低下する。

# 血液浄化療法の選択

## 1. 血液透析(HD)

薬物中毒の原因物質除去を目的とした血液浄化療法としては,表1[3]に示すいくつかの方法が用いられるが,小児の薬物中毒では約90%で,成人を含む薬物中毒患者の95%以上

### その他の疾患への急性血液浄化療法/アフェレシス治療

**表1 薬物中毒に対する血液浄化療法**
①血液透析(hemodialysis：HD)
②血液灌流(hemoperfusion：HP)
③持続的腎代替療法(continuous renal replacement therapy：CRRT)
④血漿交換(plasma exchange：PE)
⑤交換輸血(exchange transfusion)
⑥腹膜透析(peritoneal dialysis：PD)
池住，2013[3]より引用，一部改変

で血液透析(HD)が選択されている[1,2]。

HDが特に有効な中毒物質の性質として，①500Da未満の小分子量物質，②分布容積が小さい物質(Vd＜1L/kg)，③蛋白結合率が低い物質，④水溶性が高い物質，⑤内因性クリアランスが低い物質(＜4 mL/分/kg)，⑥全身でのクリアランスより透析クリアランスが高い物質，などがあげられる。しかし近年では，透析患者の$\beta_2$-ミクログロブリン除去を主目的としてつくられたhigh-flux膜や，約25,000〜50,000Daという大分子量物質も透析可能なhigh cut-off膜を使用した，HDなどのハイパフォーマンス膜を用いたHDの普及により，HDの適応が大幅に拡大している[1,2,4,5]。また，中毒物質によって生じる電解質異常もHDにより容易に補正が可能である。

## 2. 血液灌流(HP)

薬物中毒の治療に有用として，古くから行われている血液灌流(HP)は，吸着カラムを通すことから体外循環量(priming volume)が大きくなることや，血小板の吸着による著明な血小板減少をきたしやすいことから，小児への適応は限られる。さらに吸着炭カラムが高価であるため，常備している施設が限られているという難点もあり，その使用頻度は近年減少している。一方，パラコートに代表される農薬など，蛋白結合率の高い物質ではHPが可能と判断される場合，HDよりも除去効率が優先されるため，HPを優先してよい(**表2**)。

## 9 薬物中毒

### 表2 頻度の高い薬物中毒原因物質とその特徴

| 薬物 | 分子量(Da) | 分布容積(Vd：L/kg) | 蛋白結合率(%) | 血液浄化療法の選択 |
|---|---|---|---|---|
| 医薬品 | | | | |
| アスピリン | 180 | 0.21 | 73〜94 | HD |
| アセトアミノフェン | 151 | 1.1 | 2〜3 | HD（＋CHDF）注1 |
| カルバマゼピン | 236 | 0.8〜1.8 | 75〜78 | HD＞HP |
| 抱水クロラール | 165 | 6 | 35〜41 | HD |
| ゲンタマイシン | 477 | 0.25〜0.3 | 0 | HD |
| ジアゼパム | 285 | 0.95〜1.1 | 98 | HP |
| ジゴキシン | 781 | 6.8 | 20〜30 | HP |
| ジソピラミド | 339 | 0.59〜0.83 | 5〜65(濃度依存性) | HP |
| テオフィリン | 180 | 0.33〜0.74 | 59 | HP＞HD |
| バルプロ酸 | 144 | 0.22 | 93(濃度依存性) | HD＞HP（＋CHDF）注1 |
| バンコマイシン | 1,485 | 0.2〜1.25 | 75 | HD＞HP |
| フェノバルビタール | 232 | 0.7 | 51 | HD＞HP |
| フェニトイン | 252 | 0.54〜0.64 | 90 | HP |
| メトトレキサート | 454 | 急性期0.18，慢性期0.55 | 46〜50 | HD＞HP（＋CHDF）注1 |
| リチウム | 7 | 0.66〜0.79 | 0 | HD（＋CHDF）注1 |
| リツキシマブ | 144,000 | ＜0.2 | 0 | PE |
| リドカイン | 234 | 1.2 | 66 | HP＞HD |
| 工業薬品 | | | | |
| エタノール | 46 | 0.43〜0.8 | | HD |
| メタノール | 32 | 0.6 | | HD |
| エチレングリコール | 62 | 0.8 | | HD |
| 農薬 | | | | |
| パラコート | 186 | 2.8 | 50 | HP注2＞HD |
| 駆虫剤 | | | | |
| ホウ素 | 61.8 | 0.17〜0.5 | | HD |

CHDF：持続的血液濾過透析

注1 HDやHPに引き続きCHDFを追加することにより，リバウンドの予防効果が期待できる．また，HDが有効なものは効率は劣るが，CHDFも有効である．血行動態が不安定な場合はCHDFを考慮する

注2 ナファモスタットメシル塩酸(フサン®)は，パラコートの活性炭への吸着を阻害するため併用しない

Filler G：Extracorporeal Therapies for Poisoning. In：Geary DF, et al (eds)：Comprehensive Pediatric Nephrology, Mosby Elsevier, 1045-1052, 2008[1]/Ghannoum M, et al：Enhanced elimination of poisons. Yu ASL, et al(eds)：Brenner & Rector's The Kidney, eleventh ed, Elsevier, 2148-2173, 2020[4]/King JD, et al：Extracorporeal Removal of Poisons and Toxins. Clin J Am Soc Nephrol 14：1408-1415, 2019[5]/島田二郎：薬物中毒．腎と透析 65(増刊)：517-522，2008[6]をもとに作成

### 3. 持続的腎代替療法（CRRT）

持続的腎代替療法（CRRT）としては，持続的血液濾過（CHF），持続的血液透析（CHD），持続的血液濾過透析（CHDF）などがあり，いずれもHDに比べて薬物の除去効率は劣るが，循環動態の安定しない症例や乳幼児，急性腎不全の合併例，電解質異常の持続例などで適応となる。特にCHDFは，蛋白結合率が高い物質に対して有効な場合があり，HDに引き続きCHDFを行うことでリバウンドを生じやすい物質（リチウム，メトトレキサートなど）のリバウンド防止効果が期待できる。

### 4. 血漿交換（PE）

血漿交換（PE）や交換輸血が適応となることはまれであるが，劇症肝炎の合併例や多量の溶血を伴う症例，新生児例などで有効な場合がある。また，蛋白結合率が高く（80%以上），分布容積の小さい物質（Vd＜0.2 L/kg）（リツキシマブなどのモノクローナル抗体製剤，蛇毒，ベニテングタケなど）の除去には使用できる。

### 5. 腹膜透析（PD）

乳幼児の透析療法として最も使用頻度の高い腹膜透析（PD）は，薬物の除去目的としては効率の問題から適応とはならないが，乳幼児に対して，腎不全併発時の電解質や水分管理目的として利用可能である。

## バスキュラーアクセスと抗凝固薬

バスキュラーアクセスは，緊急中毒治療の現場ではアクセスしやすい内頸静脈または大腿静脈が選択される。一般的に小児急性血液浄化の際には，小児の安静状態確保の困難さや感染のリスク，慢性透析への移行の可能性，あるいは移植の可能性などを考慮し，内頸静脈が選択される場合が多い。ただ

し，多臓器不全や播種性血管内凝固症候群合併時など，出血のリスクが高い場合は，比較的止血しやすい大腿静脈を選択するのが望ましい。また，抗凝固薬は血液浄化療法が短期的または間欠的な場合で，出血のリスクが少ない場合はヘパリンを用いるが，播種性血管内凝固症候群合併時など易出血性な場合や，CRRTを要する場合は，代謝の早いナファモスタットメシル酸塩（フサン®）を使用したほうが安全である。ただし，パラコート中毒のHPでは，ナファモスタットメシル酸塩がパラコートの吸着を阻害するため使用できない。

## 小児薬物中毒として頻度の高い原因薬剤

小児の急性薬物中毒として頻度の高い物質，ならびに血液浄化療法の選択について表2にまとめた。血液浄化療法の選択については，蛋白結合率や分布容積からみた除去効率，および過去の症例報告における臨床効果に基づき，便宜的に記載したものである。臨床現場では患者の容態を考慮し，どの血液浄化療法を選択するか総合的に判断する必要がある。

### 1. アセトアミノフェン（Acetaminophen）

小児の発熱時の解熱薬として汎用されるアセトアミノフェンは，過剰摂取により不可逆性の肝機能障害を生じることが知られている。市販の感冒薬にもよく使用されており入手しやすいことから，しばしば家庭での誤薬や自殺企図による過剰服薬されることがある。一方，アセトアミノフェンの解毒薬としてN-アセチルシステインを早期（服用後8時間以内）に投与することによって回避可能である。しかし，重篤な肝障害が出現するのは内服後12〜24時間後であり，N-アセチルシステイン投与が遅くなるほどその効果は減弱し，16時間以上経過している場合にはその効果はほとんど期待できない。血液浄化療法においても同様であり，肝障害を回避目的で導入する場合には，可能な限り早期に行う必要があり，実際に

は簡便かつ安価なN-アセチルシステイン投与が優先されるため，アセトアミノフェン中毒に対して血液浄化療法が行われることはまれである。

一方，アセトアミノフェンの血中濃度が750 mg/L以上に達するような大量摂取では，ミトコンドリア障害を原因とする乳酸アシドーシスや意識障害などの神経症状，循環不全などの重篤な症状が出現する。N-アセチルシステイン投与にもかかわらず血中濃度が高く，このような神経症状をきたす場合や，急性腎障害をきたす場合には血液浄化療法の適応となる。

## 2. サリチル酸塩（Salicylates）

アスピリンに代表されるサリチル酸化合物は，一般にサリチル酸として150 mg/kg以上服用すると嘔気，嘔吐などの症状が出現し，300 mg/kg以上の摂取により昏睡，痙攣，低血糖，高体温，肺水腫などの重篤な症状となる。

血液浄化療法の適応としては，①神経学的異常症状（意識障害，痙攣，昏睡など），②肺水腫，③著明なアシドーシス（pH＜7.25），④血清中サリチル酸濃度＞90 mg/dL（6.5 mmol/L），⑤急性腎障害，⑥呼吸管理・重炭酸によるアシドーシス補正などの適切な治療にもかかわらず，臨床症状が悪化する場合，のいずれかの症状（所見）がみられる場合があげられる。長期のアスピリン服用などで生じる慢性中毒は，血中濃度が90 mg/dL以下でも生じる場合があり，臨床症状のほうがより重要な判断材料となる。

## 3. カルバマゼピン（Carbamazepine）

血中濃度10 μg/mL以上で眼振や運動失調，16 μg/mL以上では中枢神経抑制，不整脈，さらに40 μg/mL以上で呼吸不全や痙攣，昏睡などの致死的な症状を生じる。蛋白結合率が高いことから，血液浄化療法として以前はHPが唯一の選択肢とされていたが，high-flux HDが開発され，HPと同等の

### 4. メトトレキサート（Methotrexate）

骨肉腫などの悪性腫瘍の治療に際して高用量で使用され，高頻度に腎毒性が出現する。正常腎機能下では，半減期2～3時間の速度で腎より排泄されるが，その後，半減期8～10時間の速度で組織中へ移行し，細胞内でポリグルタミン酸誘導体へと代謝され，除去が困難となる。近年，high-flux膜を使用したHDが有効との報告が増えているが，中止後に組織中からの再分布により，高頻度にリバウンド現象を生じることが知られている。したがって，メトトレキサート中毒では，組織移行が完了する前の急性期に行うことが重要とされている。

一方米国では，メトトレキサートの分解促進酵素であるグルカルピダーゼが，米国食品医薬品局（FDA）の承認を得ており，血液浄化療法の回避，またはHDと併用して用いられるようになっている。現在，わが国においても保険適用に向けた治験が進んでいる。

### 5. バルプロ酸（Valproic acid）

バルプロ酸は，治療量での蛋白結合率が85%以上と高く，血液浄化の効果が期待できないとされていたが，中毒量では遊離薬物量が増加し，血中濃度が300 μg/mLでは蛋白結合率が35%にまで低下することが明らかとなって以来，HD，HPやこれらの併用が有効であるとの報告が増えている。特にhigh-flux HDは単独でもその有効性が報告されており，バルプロ酸中毒でしばしばみられる高アンモニア血症の併発時にも有益である。

## その他の疾患への急性血液浄化療法/アフェレシス治療

> ### まとめ

　薬物中毒に対する血液浄化療法についてのエビデンスは，徐々に集積されつつあるが，小児例に対する有用性については，血液浄化療法自体の適応が限られることから未知な点が多い．今後，さらに多くの臨床症例報告の蓄積による治療法の確立が望まれる．

### 文献

1) Filler G：Extracorporeal Therapies for Poisoning. Geary DF, et al(eds)：Comprehensive Pediatric Nephrology, Mosby Elsevier, 1045–1052, 2008
2) Ghannoum M, et al：Use of extracorporeal treatments in the management of poisonings. Kidney Int 94：682–688, 2018
3) 池住洋平：薬物中毒．伊藤秀一，他監修：小児急性血液浄化療法ハンドブック，東京医学社，196–203，2013
4) Ghannoum M, et al：Enhanced elimination of poisons. Yu ASL, et al(eds)：Brenner & Rector's The Kidney, eleventh ed, Elsevier, 2148–2173, 2020
5) King JD, et al：Extracorporeal Removal of Poisons and Toxins. Clin J Am Soc Nephrol 14：1408–1415, 2019
6) 島田二郎：薬物中毒．腎と透析 65(増刊)：517–522，2008

〈池住 洋平〉

腹膜透析療法

# 1 緊急腹膜透析（緊急PD）

### ポイント

1. 緊急腹膜透析（PD）は小児に対する透析法として有用である。透析効果は緩徐であるが，循環動態などへの侵襲が少ない。
2. 緊急PDの施行に当たっては，適応疾患，病態の検討が重要である。乳酸代謝障害の疑いがある患者には留意を要する。先天代謝異常症に伴う高アンモニア血症の治療には推奨しない。血液透析が第一選択であり，自施設で血液透析が不可能な場合は，内科的治療を行いながら，速やかに血液透析を実施可能な施設に転送することが望ましい。
3. 緊急PDは人員が少ない施設でも施行可能である。電源を必要としない方法もあり，災害などの停電時でも行える。
4. 透析目的に応じて，透析液濃度，貯留時間などを設定する。一般に，溶質除去目的では低濃度，除水目的では高濃度液を用いて，1～1.5時間サイクルで注排液と貯留を繰り返す。

## 小児緊急PDの特徴

　近年，血液透析に関する機器，血管留置カテーテルなどのデバイスや技術の向上が著しく，小児においても急性血液浄化療法では，血液透析や血液濾過透析が施行されることが多くなった。しかし，循環動態への影響が少ない，バスキュラーアクセスを必要としない，抗凝固薬を必要としないなどの点において，PDは小児，特に乳幼児に対する緊急透析療法として有用である。

　医療過疎地域では急性血液浄化療法を要する小児患者が発生した場合に，専門施設への救急搬送が必要となる。しかし，

**腹膜透析療法**

天候や患者状態により搬送不可能な状況もあり得る。このような場合には，緊急PDの導入が考慮される。また，PDは電源がなくても施行可能な方法もあり，災害などの停電時にも行えるメリットがある。

## 小児緊急PDの適応

PDの導入に当たっては，疾患や病態，既往歴による適応の選別が必要である。日本で市販されているPD液は乳酸を含有している。レギュニールは乳酸含有量が少ないが，ミトコンドリア異常症など，乳酸代謝障害の疑いのある患者に対しては，乳酸アシドーシスを誘発するおそれがあるため留意を要する。腹部手術歴や人工肛門，胃瘻がある場合は，PDが困難である場合も多い。PDにより得られる効果は，血液透析と同様に溶質除去に加えて，除水により輸液スペースをつくる，電解質の補正などがあげられる。高アンモニア血症に対するアンモニア除去，エンドトキシン，サイトカインやミオグロビン，薬物などの除去効率は，血液濾過透析に比べて低く，これらを主目的とする場合は，可能な限り血液濾過透析を導入する。特に，先天代謝異常症に伴う高アンモニア血症の治療には推奨しない。血液透析が第一選択であり，自施設で血液透析が不可能な場合は，内科的治療を行いながら，速やかに血液透析を実施可能な施設に転送をすることが望ましい。また，PDでは血漿交換の代替は不可能である。

## 小児緊急PDの導入：カテーテル留置（図1）[1]

小児では全身麻酔によるPDカテーテル留置を行う。

長期使用する可能性を考え，可能な限り感染防御効果に優れたダブルカフカテーテルを使用する。繰り返すカテーテルの入れ替えは患者の負担になる。カテーテルの種類は体格，身長に応じて決定する。乳幼児ではSP-2（林寺メディノール）など，小学生ではJB-6（同社）など，それ以上ではJB-5（同社）

## 1 緊急腹膜透析（緊急PD）

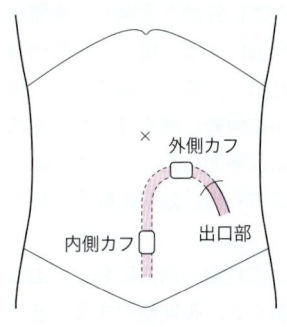

**図1 ダブルカフ腹膜透析カテーテルと出口部の位置**
荒木, 2013[1]

などが用いられる(https://www.hayashidera.com/products/pdcath/)。時にカテーテルを切断し，短縮して使用せざるを得ない場合があるが，側孔の数が減るため注排液に影響したり，カテーテル閉塞の危険性が増すので，可能な限り避ける。また，切断の際には腹腔内への刺激を避けるために，カテーテル先端が丸みを帯びるようにメスなどで成形する。

PDカテーテル留置は慎重に行い，腸管など腹腔内臓器の損傷に留意する。腹膜縫合部からの皮下への透析液のリークがないようにする。丁寧な手技や慎重な縫合が透析液のリーク予防につながる。リークは透析効率の低下を招き，細菌感染を誘発する原因となる。ダブルカフカテーテルでは，手術にトンネラーを用いて，外側カフから出口部までの皮下トンネルの距離を十分にとる（目安として2 cm以上）ことが，カテーテル感染の予防につながる。内側カフは腹膜に縫合して固定する。

閉腹前の術中に注排液がスムーズに行えるか確認する。スムーズでない場合，カテーテル位置の確認や屈曲の有無などを検索する。カテーテル先端がダグラス窩にあるのが適正な位置である。X線撮影によるカテーテル先端の位置確認も有用である。カテーテル留置時にスタイレットを用いたり，腹腔鏡下に観察しながらカテーテル位置を決めることもある。

**腹膜透析療法**

カテーテルが長すぎると注排液の際に先端が振動し，腹壁内部を損傷し，血性排液や痛みの原因になる。短いと腹腔内残液量が増加し，透析効率の低下を招く。側孔のあるカテーテルを用いても，大網がカテーテルに付着し絡まり，注排液の障害になることがある。挿入時に広範囲に認められる大網は切除したほうがよい。鼠径ヘルニアも透析効率の低下を招く原因となるので注意を要する。

カテーテル出口部は臍の左右いずれかの側方におく。出口部は下向きあるいは横向きに作製する。長期使用する可能性を考慮し，ベルトや下着のゴムが当たらない位置とする。

カテーテルはチタニウムアダプターを介して，接続方法に応じた手動あるいは半自動接続用チューブを接続する。術後は腹部の屈曲を避け，3日間程度の仰臥位安静がカテーテルの癒着固定のために必要である。

## 小児緊急PDの導入：透析開始

PD開始初期は，体温程度に加温したPD液を標準体重1 kg当たり10～20 mL注液する。段階的に，1回当たりの注液量を体重1 kg当たり30～40 mLに増量し，透析効率の増大を図る。急激な液量の増加は，リークの原因となるので慎重に行う。透析液糖濃度は，腹膜に対する刺激の少ない1.5％などの低濃度から開始し，患者の状態を観察しながら，必要に応じて2.5％や4.25％などの高濃度液に変更，もしくは混合し，濃度を調整して使用する。開始初期は，ホームAPDシステムゆめ（バクスター）やマイホームPD（テルモ）などの器械を利用して，腹腔への透析液の注排液を自動的に行う，自動腹膜透析（APD）ではなく，手動操作で行う。これは注排液が順調に行われるかを目視し，排液の量や血液混入の有無などの性状を確認し，注排液に伴う痛みの有無を確認するためである。問題がなければ，透析液組成や貯留時間を計画し，APDへ切り替える。APD機器のなかには，低体重の乳幼児

## 1 緊急腹膜透析（緊急PD）

向けのモードが選択できるものもある。

### 小児緊急PDの継続

体外循環施行中は血液回路で患者と透析器が接続されており、意識障害のない乳幼児では鎮静が必要である。PDでは注排液の接続時以外の体動は制限されないため、鎮静の必要がない。ただし、APDではチューブを介して器械と体が常時つながれており、鎮静が必要となる場合がある。

PDの合併症として、感染性腹膜炎、カテーテル出口部感染、蛋白喪失、高血糖などがあげられる。特に注意を要するのは細菌感染症で、時に致命的となる場合もある。感染性腹膜炎やカテーテル出口部感染を予防するために、透析液の交換時などは清潔処置を徹底する。エアコンやファンによるほこりの巻き上げに注意し、マスクを装着し、手洗いを行ってから処置を開始する。半自動的に透析液の接続を行う装置もある。出口部消毒はクロルヘキシジンを用いて行う。出口部は滅菌ガーゼで覆い軽くテープで固定する。カテーテルが不用意に牽引されると、抜去や細菌感染の可能性が高まるため、チューブの固定は確実に行う。消毒は必ずしも連日行う必要はないが、ガーゼの濡れの有無は定期的に確認し、リークの早期発見に努める。

腎代謝の薬剤の使用には留意を要する。透析方法、残存腎機能により、投与量、投与間隔を調節しないと、血中濃度が異常高値となり、副作用が出現する可能性がある。抗菌薬については、PD液中に混注することにより投与可能であるが、貯留時間を十分にとる必要があり、輸液ルートが確保されている場合には経静脈投与を勧める。

透析液組成は表[1]の通りである。

カリウムは含有されていないため、PDを継続することによって低カリウム血症が進行する場合がある。適宜、カリウム製剤を経口または経静脈投与、あるいはPD液中に添加す

**腹膜透析療法**

表 腹膜透析液成分表

| | | | ナトリウム (mEq/L) | カルシウム (mEq/L) | マグネシウム (mEq/L) | 乳酸 (mEq/L) | 重炭酸 (mEq/L) | ブドウ糖 (g/dL) |
|---|---|---|---|---|---|---|---|---|
| バクスター | ダイアニール-N PD-4腹膜透析液 | 1.5/2.5 | 132 | 2.5 | 0.5 | 40 | 0 | 1.36/2.27 |
| | ダイアニール PD-4腹膜透析液 | 4.25 | 132 | 2.5 | 0.5 | 40 | 0 | 3.86 |
| | ダイアニール-N PD-2腹膜透析液 | 1.5/2.5 | 132 | 3.5 | 0.5 | 40 | 0 | 1.36/2.27 |
| | ダイアニール PD-2腹膜透析液 | 4.25 | 132 | 3.5 | 0.5 | 40 | 0 | 3.86 |
| | レギュニール Lca腹膜透析液 | 1.5/2.5/4.25 | 132 | 2.5 | 0.5 | 10 | 25 | 1.36/2.27/3.86 |
| | レギュニール Hca腹膜透析液 | 1.5/2.5/4.25 | 132 | 3.5 | 0.5 | 10 | 25 | 1.36/2.27/3.86 |
| | ほかにエクストラニール腹膜透析液があるが、緊急透析には通常用いない | | | | | | | |
| テルモ | ミッドペリック L腹膜透析液 | 135/250/400 | 135 | 2.5 | 0.5 | 40 | 0 | 1.35/2.5/4.0 |
| | ミッドペリック 腹膜透析液 | 135/250/400 | 135 | 4.0 | 1.5 | 35 | 0 | 1.35/2.5/4.0 |
| | ほかにニコペリック®腹膜透析液があるが、緊急透析には通常用いない | | | | | | | |
| ジェイ・エムス・エス | ペリセート®NL腹膜透析液 | 360/400 | 132 | 2.3 | 1.0 | 37 | 0 | 1.60/2.32 |
| | ペリセート®N腹膜透析液 | 360/400 | 132 | 4.0 | 1.0 | 35 | 0 | 1.60/2.32 |
| フレゼニウス | ステイセーフ®バランス1腹膜透析液 | 1.5/2.5/4.25 | 132 | 2.5 | 0.5 | 40 | 0 | 1.36/2.27/3.86 |
| | ステイセーフ®バランス2腹膜透析液 | 1.5/2.5/4.25 | 132 | 3.5 | 0.5 | 40 | 0 | 1.36/2.27/3.86 |

荒木, 2013[1]より引用, 一部改変

る必要がある。ナトリウムは，血清ナトリウム基準値よりもやや低濃度で含有されている。アシドーシスの補正については，PD液中には重炭酸が含まれていないものが多いため，肝不全などの重篤な臓器障害を合併している場合は，重炭酸製剤の静注が必要となることもある。

糖濃度と貯留時間，除水量の関係はおおむね図2[1]のようになる。しかし，腹膜透過性や腹腔内残液量などは個人差があり，また，貯留液量により透析液が腹膜に接触する面積が変わるため，透析液量と除水量が比例するわけではない点に注意が必要である。実際に行った結果により，糖濃度や貯留時間を変更，調整する必要がある。血液濾過透析のように，設定した量が確実に除水されるわけではない。溶質除去，水分除去(除水)のいずれに重点を置くかを考えて，透析液濃度を決定する必要がある。一般に，カリウムなどの溶質除去目的では低濃度透析液を，除水目的では4.25％などの高濃度透析液を用いる。小児急性血液浄化では，注液5〜10分，貯留35〜75分，排液5〜15分を目安とする，1サイクル当たり1〜1.5時間の頻回交換が透析効率の点から勧められる(図3)[1]。

4.25％などの高濃度透析液の使用は，合併症の点から避けられる傾向にある。しかし，数週間程度の短期間の使用であ

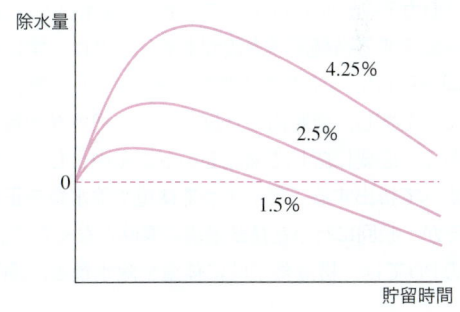

**図2　糖濃度と貯留時間，除水量のグラフ**
荒木，2013[1]

**腹膜透析療法**

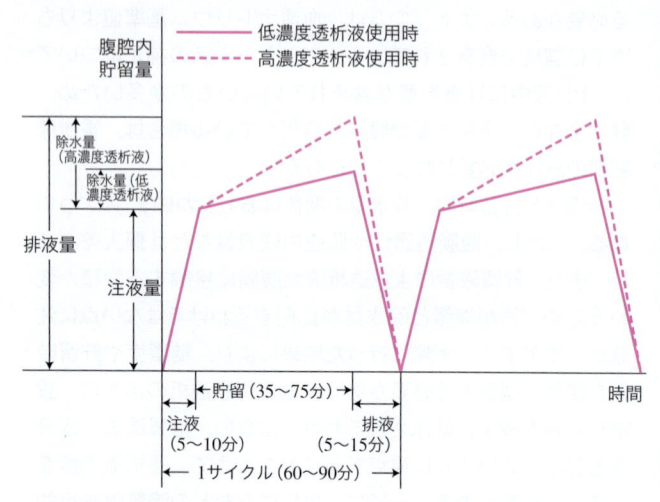

**図3 代表的な小児急性血液浄化腹膜透析プログラム**
荒木, 2013[1]

れば全く問題はない。むしろ、溢水などのために急速に多量の除水を要する病態であれば、緊急PDでは躊躇せず使用すべきである。

末梢血液循環が良好でない場合は、腹膜の血液循環も不良であり、十分な透析効率、効果が得られない場合もある。

2本のPDカテーテルを用い、2つのポンプを用いて、注液量、排液量を設定する持続腹膜灌流がある。これは、常に注液と排液を同時に行い、注排液時間を要さずにPDを継続する方法である。ただし、腹腔内の正確な液量の把握が困難になる欠点がある。必要に応じて灌流をいったん中止して、腹腔内の液をすべて排出することによって体重や除水量を正確に測定できるが、頻回に行うと持続灌流の意味がなくなる。

通常のPDでは、排液終了時に体重や除水量を計測可能である。

## 小児緊急PDの終了

　腎不全病状が落ち着き，患者自身の固有腎機能のみで安定した状態が見込まれれば，PDからの離脱を行う。再度，透析を要する状態になった場合でも，PDカテーテル留置を継続していれば，PDはベッドサイドで容易に再開可能である。

　病態や合併症，重症度，外部環境に応じて，血液濾過透析への移行を進める場合もある。その場合には，PDカテーテル感染の危険がなければ，血液濾過透析が安定して施行できることを確認してから，PDカテーテルを抜去するほうがよい。いったんPDを離脱できても，近い将来に慢性透析療法が必要な状態が予想される場合は，PDカテーテルを抜去せずに留置し，それを慢性PDでも利用することが可能である。PDを行わずにカテーテル留置を継続する場合は，閉塞予防のために，貯留せずに注排液のみを実施する腹腔洗浄を，週に1～2回程度行う。

### 引用文献

1) 荒木義則：緊急腹膜透析（緊急PD）．伊藤秀一，他監修：小児急性血液浄化療法ハンドブック，東京医学社，213–221，2013

### 参考文献

1) Strazdins V, et al：Renal replacement therapy for acute renal failure in children：European guidelines. Pediatr Nephrol 19：199–207, 2004
2) 2009年版 日本透析医学会「腹膜透析ガイドライン」：日透析医学会誌 42：285–315，2009　https://www.jsdt.or.jp/dialysis/2094.html　2020.8.3アクセス
3) 日本小児PD研究会：小児PD治療マニュアル，2004　http://jsped.kenkyuukai.jp/images/sys%5Cinformation%5C20141016131109-BE23CEF83D38E236D072FC4E96EDA9FFC0AE59A97325E056C31FB5E570E95FD6.pdf　2020.8.3アクセス

（荒木 義則）

腹膜透析療法

# 2 低出生体重児のPD（CFPDを含む）

### ポイント

1. 腹膜透析は循環動態に与える影響が少なく，特殊な設備や抗凝固療法を必要とせずに実施が可能であり，低出生体重児の急性腎障害に対しても有効な治療である。
2. 腹膜透析の開始基準は一般的な新生児と同様であるが，溢水のため透析導入となる症例が多く，溢水の強い症例ほど予後不良である点も念頭に，タイミングを検討する。
3. 市販の透析液も使用可能であるが，血液濾過用補液に糖を加えて，重炭酸濃度を35〜60 mEq/Lに調整した重曹透析液や，通常の腹膜透析液にアミノ酸濃度が1〜2%となるように，総合アミノ酸製剤を添加した腹膜透析液などの使用も有効である。
4. 腹膜透析，持続腹膜透析いずれの手法も有効であり，その施設で最も実施しやすく，最も得意とする手法を選択して実施すべきである。
5. 通常の腹膜透析では，導入時は1回注液量10 mL/kg，1サイクル1時間（注液に数分，排液に10〜15分）で開始し，安定維持期には適宜時間を変更・延長して実施する。持続腹膜透析では，排液側の回路の高さを調節して，腹腔内に10〜15 mL/kgを貯留させた状態を維持しつつ，25〜30 mL/kg/時で持続注排液する手法が有効である。
6. 低出生体重児の腹膜透析を成功させるためには，導入のタイミングを逃さないこと，トラブルなくカテーテルを維持することも大切である。

## 低出生体重児の急性腎障害（AKI）に対する治療

　周産期医療の進歩に伴い，重篤な病的新生児の生存率が改善するにつれ，腎代替療法（RRT）を必要とする早産児や低出生体重児は増加してきている[1,2]。小児の急性腎障害（AKI）に対するRRTとして，腹膜透析（PD）は長く用いられてきた手法である[3]。近年では，体外循環を用いた持続的腎代替療法（CRRT）を用いることが増えてきているが[4]，どちらがより好ましいか明確なエビデンスは示されていない[5]。新生児領域でもCRRTの実施例が報告されるようになってきているが，まだ数はかなり限られており，生存率も必ずしも良好とはいえない[6]。実際にCRRTを実施するとしても，技術面やハード面の制約もあり，多くの施設において低出生体重児，特に超低出生体重児に対しても，安定した成績で実施できるまでにCRRTが普及するには，まだ解決すべき問題が多い。

　PDは，電解質の補正や除水の効果がCRRTと比較して緩徐であるが，その分循環動態に与える影響が少ないことから，新生児や低出生体重児のAKIに対して，まず試みるべき治療である[7〜10]。しかし，病的新生児のPDは十分な除水が得にくく，特に多臓器不全や播種性血管内凝固症候群の状態では，十分な治療薬，血液製剤の輸注が必要な状況であるにもかかわらず，PDでは十分な除水が困難なことも経験され[11,12]，NICUにおけるPD症例の治療成績も決して良好とはいえない[13]。さらに，腹壁が脆弱な低出生体重児に，挿入部からのリークがないようカテーテルを留置することは，容易ではないなどの問題点もあげられる。しかし，安定した除水が可能であれば，PDは超低出生体重児のAKIに対しても有効な治療である。

　本項では，超低出生体重児にも安定して有効な除水が可能なPDの手法について，持続腹膜透析（CFPD）も含めて解説する。

**腹膜透析療法**

## 1. 導入基準

表1[14]に一般的な透析導入基準を示す。病的新生児、特に超低出生体重児では、ひとたび状態が悪化の方向に傾くと、その後の変化は急速である。その一方で、治療に必要な人員や特殊な資材を準備するのに時間を要することも多い。実際の管理では、常に早産児や新生児の特性を念頭において検査やモニタリングを行い、少し先の変化を先読みしながら治療的介入のタイミングを逃さないことが重要である[15]。

## 2. 対象症例、適応、禁忌

PDは有害物質やアンモニアなどの除去には有効でないため、先天代謝異常症に対する治療としては不向きである。

消化管の外科手術後、3日が経過すればPDは可能と報告されている[16]。従来、消化管穿孔や横隔膜ヘルニアの症例などはPDの禁忌と考えられてきたが、消化管穿孔例に実施して治療可能であった症例の報告[17]や、CRRTが困難な横隔膜ヘルニア症例に対するPDの試みもなされている[18]。

重篤な合併奇形が存在する症例や、神経学的予後が著しく不良と予測される症例などに透析導入するかどうかの判断

**表1 新生児急性腎障害（AKI）に対する透析導入基準**

・利尿薬など保存的治療でコントロールできない溢水状態
　心不全を伴う溢水
　肺水腫
　低ナトリウム血症（血清ナトリウム値が120 mEq/L以下）
　治療や血液製剤の投与、必要な栄養の供給をすると、水分バランスがpositiveになる
・高カリウム血症（血清カリウム値が7.5 mEq/L以上、あるいは心電図上のQRSの変化）
・重度のアシドーシス（血清$HCO_3^-$が12 mEq/L未満）
＊ 溢水が増悪するおそれがあるため、必要な栄養や薬剤・血液製剤の投与が困難な場合、「血管内のスペースを確保する」ために透析導入が必要となる場合もあることも銘記すべきである

藤田, 2013[14]より引用、一部改変

は，新生児科医，腎臓専門医，その他の周産期のスタッフ，家族も交えて十分に議論して決定すべきである。

## 3. 腹膜透析(PD)方法の選択：通常のPD，あるいは持続腹膜透析(CFPD)

PD，CFPDいずれの手技も特別な機械を必要とせず，既存の物品を用いて実施が可能である．それぞれの長所と短所を念頭においたうえで，その施設・担当医が最も慣れていて得意とする手法を選択して実施する(表2)[14]。

## 4. 腹膜透析(PD)液の選択

### 1) 重曹透析液

市販のPD液も使用可能であるが，既成の透析液に含まれる乳酸(30～40 mEq/L)が代謝性アシドーシスを助長することを考慮し，重曹透析液(重炭酸濃度を35～60 mEq/Lに調整したもの，血液濾過用補液に糖を加えて調整したものが簡便)の使用も提案されている[16]。

### 2) アミノ酸を添加した腹膜透析(PD)液

除水の必要性に応じて，市販の透析液にブドウ糖を加えて

表2　通常の腹膜透析(PD)と持続腹膜透析(CFPD)の利点，欠点

|  | 通常のPD | CFPD |
|---|---|---|
| 利点 | ・回路の構成がより簡易<br>・通常は最も慣れた方法 | ・腹腔内の貯留液量を少なく抑えつつ，時間当たりの灌流液量の増量が可能 |
| 欠点 | ・1回注液量の増量には限界がある<br>・総透析液量を増やすためサイクル数を増やしていくと，貯留時間が短縮され，人的な負荷も増大 | ・カテーテルを2本使用した場合，外科的侵襲やカテーテルに関連したトラブルのリスクが増加<br>・腹腔内の液量を正確にモニタリングすることが難しく，リアルタイムでin-out balanceを把握しにくい<br>・輸液ポンプを用いて持続的灌流中に排液不良を生じた場合，腹腔内圧やvolumeが過剰となるリスクがある |

藤田，2013[14]より引用，一部改変

腹膜透析療法

糖濃度を高めて使用することも可能である。しかし，早産児や低出生体重児では高血糖をきたすのみで，除水は改善しない場合も経験される。筆者らは糖濃度を2.5％前後にとどめ，透析液にアミノ酸製剤を添加し，アミノ酸濃度が1～2％となるようにして使用している（表3，表4）[11]。いずれのアミノ酸製剤も使用が可能と思われるが，新生児ではプレアミン®-Pが使われることが多い。製剤によって電解質の組成が異なるため，透析液に混合する際には添加後の電解質の組成に注意が必要である。実際の使用に当たっては適応外使用に関する各施設の方針・取り決めに従い，必要に応じて施設での承認や同意取得を行う。

## 実際の腹膜透析（PD）の方法：①通常のPD

### 1. 腹膜透析（PD）カテーテルの選択

体重2kg程度の体格であれば，新生児用のダブルカフのテンコフカテーテルを外科的に留置して使用可能であり，1,500g以上であれば可能な限り使用を検討する[19]。新生児用の市販のダブルカフのPDカテーテルとしては，ストレートタイプ（林寺メディノール，JI2）の他，スワンネックタイプ（メディテック，あいち小児型）も使用可能である。

極・超低出生体重児では，体格や腹壁の脆弱性のため，市販のPDカテーテルの使用は困難であり，他の用途に用いるカテーテルを同意を得て代用する。代用するカテーテルとしては，経管栄養などに用いられる栄養チューブや多用途チューブなどでも実施が可能である。カテーテルに側孔を造設して使用してもよい。皮下トンネルを作製することは困難であり，リークがないように腹膜を十分に結紮して留置する。

### 2. 腹膜透析（PD）回路の構成

回路は通常の点滴用のラインを組み合わせて作製可能である。中心静脈ラインなどに，一般的に用いられる閉鎖式輸液

## 2 低出生体重児のPD（CFPDを含む）

### 表3 アミノ酸添加透析液の組成の例

**a：ダイアニールN PD-2 2.5 2,000 mL×1袋にプロテアミン®12X 200 mLを添加し，全量を合計2,200 mLとした例**

|  | ダイアニールN PD-2 2.5 | プロテアミン®12X | ダイアニールN 2,000 mL + プロテアミン®12X 200 mL（合計2,200 mL） |
|---|---|---|---|
| ブドウ糖（%） | 2.27 |  | 2.1 |
| アミノ酸（%） |  | 11.4 | 1.1 |
| $Na^+$(mEq/L) | 132 | 150 | 133.6 |
| $Ca^{++}$(mEq/L) | 3.5 |  | 3.2 |
| $Cl^-$(mEq/L) | 96 | 150 | 100.9 |
| $Lactate^-$(mEq/L) | 40 |  | 36.4 |

**b：サブラッド®BSG＋プレアミン®-Pをベースに糖や電解質補正液を添加して，200 mLの定量筒に作製した例**

|  | サブラッド®BSG | プレアミン®-P | サブラッド®BSG 150 mL プレアミン®-P 30 mL 50%ブドウ糖 10 mL 10%NaCl 2 mL 8.4%$NaHCO_3$ 3 mL 合計195 mL |
|---|---|---|---|
| ブドウ糖（%） | 0.1 |  | 2.6 |
| アミノ酸（%） |  | 7.6 | 1.2 |
| $Na^+$(mEq/L) | 140 | 3 | 141 |
| $K^+$(mEq/L) | 2.0 |  | 1.54 |
| $Ca^{++}$(mEq/L) | 3.5 |  | 2.7 |
| $Cl^-$(mEq/L) | 111.5 |  | 103.2 |
| $HCO_3^-$(mEq/L) | 34 |  | 42.3 |

注：サブラッド®150 mLにプレアミン®-P 30 mLと50%ブドウ糖10 mLを添加したのみで電解質補正をしないと，ブドウ糖約2.7%，アミノ酸約1.2%であるが，$Na^+$ 111 mEq/Lとなることに注意

$Na^+$：ナトリウムイオン，$Ca^{++}$：カルシウムイオン，$Cl^-$：塩素イオン，$Lactate^-$：乳酸イオン，NaCl：塩化ナトリウム，$NaHCO_3$：炭酸水素ナトリウム，$K^+$：カリウムイオン，$HCO_3^-$：炭酸水素イオン

藤田直也，他：新生児急性腎不全例に対する緊急除水を目的としたブドウ糖-アミノ酸混合腹膜灌流液使用の経験．日小児腎不全会誌 20：81-83, 2000[11]より引用，一部改変

---

システムを用いて回路を構成すれば，中心静脈ラインと同様の閉鎖性が期待される。

### 1）通常の構成（図1a）[14]

注液に輸液ポンプを使用し，回路に加温器とウォーマーコ

## 腹膜透析療法

**表4　通常の腹膜透析(PD)液とアミノ酸を混合した場合のPD液の浸透圧と除水量の比較**

|  | 浸透圧の実測値<br>(mOsm/L) | 除水量*<br>(mL/時) |
| --- | --- | --- |
| ダイアニール PD-2(4.25%) | 485 | 0.6(±3.0) |
| ダイアニール PD-2(4.25%)とプロテアミン®12Xを10：1の割合で混合(アミノ酸濃度約1%) | 589 | 7.4(±6.0) |

*在胎39週, 出生体重2,906 g, 複雑心奇形の新生児がショック・多臓器不全となり, 日齢7にPD導入。通常のPD液を用いたPDでは有効な除水は得られず, 緊急に除水する目的で上記の組成でアミノ酸を添加したPD液を使用し, 1回注液量15 mL/kg, 1サイクル1時間で, 通常の注排液を施行した。浸透圧は院内の検査室において実測した

藤田直也, 他：新生児急性腎不全例に対する緊急除水を目的としたブドウ糖-アミノ酸混合腹膜灌流液使用の経験. 日小児腎不全会誌 20：81-83, 2000[11]より引用, 一部改変

イルを組み込んで注液を実施する。排液は三方活栓を使って重力による落差にて排液する。

### 2) 最もシンプルな構成(図1b)[14]

いかなる施設でも日常的に用いる資材のみで, 500 gを下回るような児でもPDが実施可能な, 最もシンプルな回路の構成である。透析液は50 mLのシリンジに充填して保育器内に置き, 器内温で透析液を保温。注液はできるだけ小さめのシリンジを用いて, 内筒にかかる圧を自分の指先で感じつつ, 同時に患者の腹部の状態を自分の目で監視しながら, ゆっくり数分かけて手作業で注液する。注液に機械的な圧を用いないため, 過剰な圧を避けることが可能である。排液は三方活栓を使って重力による落差にて排液する。

### 3. 通常の腹膜透析(PD)の灌流方法(透析液量, 時間など)(表5)[14]

超低出生体重児, 特に体重500 gを下回るような症例では, 腹膜透過が過大なことが推測され, 十分な除水のためには, 1サイクルを1時間よりもさらに短くする必要性も示唆され

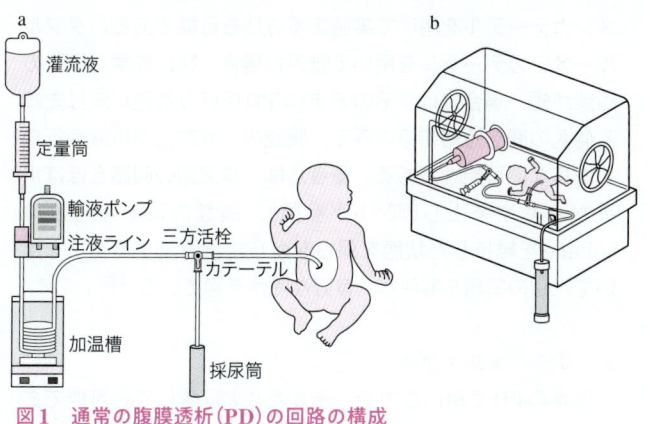

## 2 低出生体重児のPD（CFPDを含む）

**図1 通常の腹膜透析（PD）の回路の構成**
藤田，2013[14]より引用，一部改変

**表5 通常の腹膜透析（PD）の灌流方法（透析液量，時間など）**

|  | 導入時 | 安定維持期 |
| --- | --- | --- |
| 1回注液量 | 10 mL/kg前後 | 20〜30 mL/kg/回程度，呼吸障害の強い場合など10〜15 mL/kg前後で継続 |
| 注・排液時間 | 注液時間：数分 排液時間：10〜15分 | 適宜，注排液時間を変更・延長 |
| 1サイクル | 1時間 | 適宜，貯留時間を延長 |

藤田，2013[14]より引用，一部改変

るが，データは示されておらず今後の課題である。

## 実際の腹膜透析（PD）の方法：②持続腹膜透析（CFPD）

　腹腔へのアクセスを2ルート確保して，透析液の注排液をそれぞれから持続的に行うPDである。維持透析では一般的ではないが，新生児や低出生体重児のAKIに対してしばしば用いられ，特に呼吸状態が悪く腹腔内の透析液量をできるだけ抑えつつ，十分な透析液量を使用したい場合に有効である[20〜25]。

　通常は腹腔にカテーテルを2本挿入して行うが，ダブルルー

腹膜透析療法

メンカテーテルを用いて実施する方法も可能である。ダブルルーメンカテーテルを用いて試みた場合，特に先端と側孔の距離が短い場合には，そのままCFPDを行うと透析液は先端と側孔の間を短絡するのみで，腹腔内に有効に透析液が行きわたらない可能性がある。筆者らは，排液側の回路をほぼ水平からやや挙上し（図2b[14]参照），腹腔内にある程度のvolumeを維持した状態を保ちながら持続灌流する手法を用いて，この問題を解決し，良好な除水を得ている[21,22]。

## 1. カテーテルの選択

通常のPDで用いるカテーテルを2本留置しても可能である。ダブルルーメンカテーテルを用いる方法としては，筆者らは，バスキュラーアクセス用の6Frのダブルルーメンカテーテル（ベビーフロー）を使用している。

## 2. 回路の構成

### 1）カテーテルを2本使用する場合（図2a）[14]

通常，カテーテルの1本を腹腔の頭側方向へ，もう1本をダグラス窩方向へそれぞれ留置する。注液側，排液側の回路の構成は，それぞれ通常のPDと同様で可能である。

### 2）ダブルルーメンカテーテルを用いる場合（図2b）[14]

筆者らは，排液側の回路に脳室ドレナージ用回路を組み込んで使用している[23]。

## 3. 持続腹膜透析（CFPD）の灌流方法（透析液量，時間など）

### 1）持続腹膜透析（CFPD）の灌流液量

成人のCFPDでは，注液量を100〜200 mL/分（おおよそ100〜200 mL/kg/時に相当）にすることにより，14〜42 mL/分の尿素クリアランス，33 mL/分のクレアチニンクリアランスが得られたと報告されている[26]。新生児や低出生体重児では，25〜50 mL/kg/時で持続灌流することが一般的である。

## 2 低出生体重児のPD（CFPDを含む）

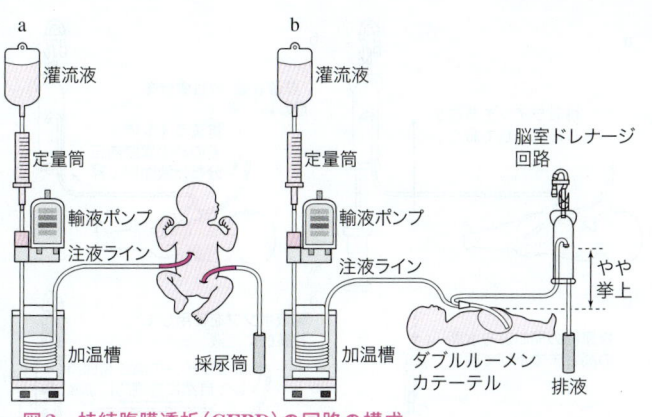

**図2　持続腹膜透析（CFPD）の回路の構成**
藤田，2013[14]より引用，一部改変

### 2）ダブルルーメンカテーテルを用いる方法（図3）[14]

　腹腔内の貯留液量と腹腔内圧は，おおよそ比例の関係である[24]。筆者らは図のように，腹腔内に10〜15 mL/kgを貯留させた状態を維持しつつ，25〜30 mL/kg/時で持続注排液する手法を用いている。このCFPDの手法により，体重が500 gを下回るような超低出生体重児のAKI症例でも，十分な除水を達成しつつ良好な管理が可能である[22〜25]。

　この手法では，腹腔内の正確なvolumeを把握することが難しく，除水量やin-out balanceをリアルタイムで把握することがやや困難である。必要があれば数時間ごとにいったん中断して完全に排液し，収支を計算するようにする。

## そのほかの一般的な注意事項

### 1. カテーテルの挿入，留置

　皮下トンネルを作製することが困難な場合には，可能な限り，腹膜を念入りにしばって外科的結紮し，リークがないように留置することが重要である。その施設において，最も手技に熟達したベテランの外科医に挿入してもらうことが望ましい。

**腹膜透析療法**

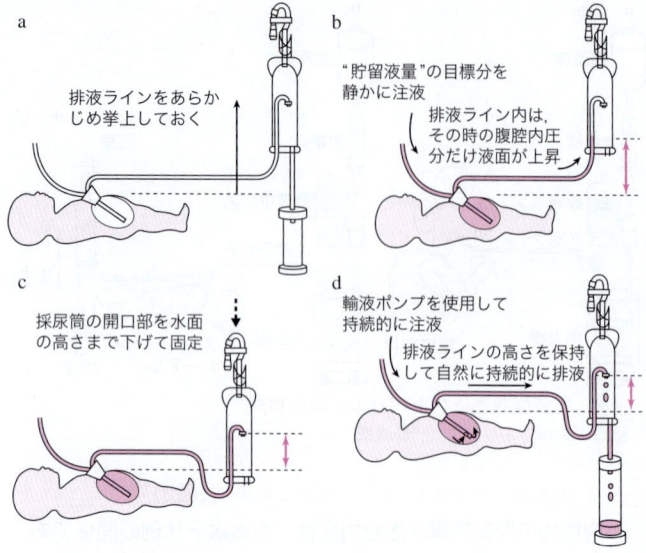

**図3 ダブルルーメンカテーテルを用いた持続腹膜透析（CFPD）の手法**

プライミングおよび灌流の方法
a：まず排液ラインを開放としたまま，やや挙上
b：その後，目標とする注液量分の灌流液を腹腔内に静かに注液。排液ライン内の液面は，その時の状況に応じた腹腔内圧に相当する分だけ上昇する（実際にはごくわずかな上昇）。その圧を目標とする腹腔内圧と設定
c：あらかじめ，やや挙上してあった排液ラインを，脳室ドレナージ用回路の大気圧開放部が目標とする高さとなるように調節し，そこで高さを固定
d：その状態で，注液側から輸液ポンプを使用して持続的に注液を施行。排液側はラインの高さを保持して，自然に持続的に排液

藤田，2013[14]）より引用，一部改変

## 2. カテーテルの固定

PD開始後は，カテーテルにできるだけ引っ張りや屈曲，捻じれなどの外力が加わらないように管理し，できるだけ動

かさないようにすることも重要である。清拭，おむつの交換，体重測定，X線撮影などの時に注意が必要である（図4）[14]。

### 3. 排液側の注意

通常は自然の落差で排液する。機械的な陰圧はかからないが，患者から排液側の定量筒までの落差分の水柱圧に相当する，強制的な陰圧をかけて排液していることに留意すべきである。排液側の引き込みによるカテーテルの目詰まりが，トラブルの大きな原因のひとつであることを考えると，排液側の落差をある程度の範囲内にとどめておく配慮も必要である。

## おわりに

PDは安定した除水を得ることができれば，低出生体重児のAKIに対しても有効な治療法であり，PDによる，安定した十分な除水が可能な方法の確立は急務である。従来のPDの手法を改良することにより，従来の手法では管理が難しかった，超低出生体重児のAKI症例でも管理が可能となって

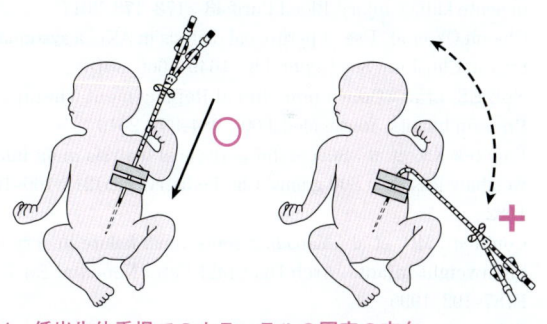

**図4　低出生体重児でのカテーテルの固定の方向**
ストレートのカテーテルの固定は，皮下トンネルを作製してスワンネックタイプのカテーテルを留置する場合とは，カテーテルの固定の方向は異なる。カテーテルを無理に屈曲させず，できるだけ本来の方向に向けて固定して，挿入部や腹壁に外力が加わらないように工夫が必要である。
藤田，2013[14]より引用，一部改変

きているが，現在のPDの手法にも，まだ改善の必要性を感じている。

今後，以下について継続的な検討が必要である。
・早産児や低出生体重児のAKI発症予測の指標，治療介入基準
・安全な注液量や腹腔内圧，新生児・低出生体重児に適切な灌流液の組成
・低出生体重児にも使いやすいカテーテルの素材や形態の改良
・脆弱な腹壁に，いかに安定して挿入，固定するかなどの工夫

## 文献

1) Kaddourah A, et al：Renal replacement therapy in neonates. Clin Perinatol 41：517-527, 2014
2) van Stralen KJ, et al：Survival and clinical outcomes of children starting renal replacement therapy in the neonatal period. Kidney Int 86：168-174, 2014
3) Walters S, et al：Dialysis and pediatric acute kidney injury：choice of renal support modality. Pediatr Nephrol 24：37-48, 2009
4) Ponce D, et al：Peritoneal dialysis treatment modality option in acute kidney injury. Blood Purif 43：173-178, 2017
5) Chionh CY, et al：Use of peritoneal dialysis in AKI：a systematic review. Clin J Am Soc Nephrol 8：1649-1660, 2013
6) Noh ES, et al：Continuous Renal Replacement Therapy in Preterm Infants. Yonsei Med J 60：984-991, 2019
7) Kanarek KS, et al：Successful peritoneal dialysis in an infant weighing less than 800 grams. Clin Pediatr(Phila)21：166-169, 1982
8) Coulthard MG, et al：Managing acute renal failure in very low birthweight infants. Arch Dis Child Fetal Neonatal Ed 73：F187-192, 1995
9) Rainey KE, et al：Successful long-term peritoneal dialysis in a very low birth weight infant with renal failure secondary to feto-fetal transfusion syndrome. Pediatrics 106：849-851, 2000
10) Opas LM：Acute Renal Failure and Peritoneal Dialysis in Neonates. 日未熟児新生児会誌 9：281-286, 1997
11) 藤田直也，他：新生児急性腎不全例に対する緊急除水を目的としたブドウ糖-アミノ酸混合腹膜灌流液使用の経験. 日小児腎不

全会誌 20：81-83，2000
12) 藤田直也，他：当院NICUにおける低出生体重児腹膜透析施行症例の検討．日小児腎不全会誌 22：139-140，2002
13) Kara A, et al：Acute peritoneal dialysis in neonatal intensive care unit：An 8-year experience of a referral hospital. Pediatr Neonatol 59：375-379, 2018
14) 藤田直也：低出生体重児のPD（CFPDを含む）．伊藤秀一，他監修：小児急性血液浄化療法ハンドブック，東京医学社，222-235，2013
15) 藤田直也，他：腹膜透析を施行した超低出生体重児の自験例についての臨床的検討．日小児腎不全会誌 29：273-275，2009
16) Mattoo TK, et al：Peritoneal dialysis in neonates after major abdominal surgery. Am J Nephrol 14：6-8, 1994
17) Canpolat FE, et al：Can peritoneal dialysis be used in preterm infants with gastrointestinal perforation？ Pediatr Int 52：834-835, 2010
18) Yildiz N, et al：Can peritoneal dialysis be used in preterm infants with congenital diaphragmatic hernia？ J Matern Fetal Neonatal Med 26：943-945, 2013
19) 吉村仁志：新生児の急性腎不全．小児科 43：1039-1045，2002
20) 上田康久，他：低出生体重児に対する各種腹膜透析法の比較．日小児腎不全会誌 16：251-254，1996
21) 藤田直也，他：新生児・乳児の急性腎不全におけるより良好な除水を目的とした腹膜灌流方法の検討．日小児腎不全会誌 24：218-220，2004
22) 藤田直也，他：新生児の急性腎不全に対する持続的腹膜灌流における手法の改良の試み．日小児腎臓病会誌 17：27-31，2004
23) 藤田直也：新生児における透析療法について－超低出生体重児にも医者にも「やさしい」PD療法の模索と課題－．日小児腎不全会誌 27：1-3，2007
24) 藤田直也，他：腹膜透析で効果的な除水を達成し急性腎不全を管理し得た超低出生体重児・双胎間輸血症候群供血児の1例．日小児腎不全会誌 23：135-137，2003
25) 藤田直也，他：腹膜透析にて管理しえた在胎22週498gの双胎間輸血症候群の超低出生体重児例．小児PD研究会誌 21：3-5，2009
26) Mineshima M, et al：Solute removal characteristics of continuous recirculating peritoneal dialysis in experimental and clinical studies. ASAIO J 46：95-98, 2000

（藤田 直也）

# 索 引

## ●A
| | |
|---|---|
| ACH-Σ | 55 |
| ACT | 88, 134, 183 |
| AcuFil Auto JC-01 | 58 |
| AcuFil Multi 55X-Ⅲ | 52 |
| ADAMTS-13 | 197 |
| aHUS | 197 |
| AKI | 30, 102, 116, 177 |
| AKIN分類 | 103 |
| an expert TLS panel consensus | 189 |
| AN69ST膜 | 179 |
| ANCA関連急速進行性糸球体腎炎 | 219 |

## ●B
| | |
|---|---|
| BT(Blalock-Taussig)シャント手術 | 204 |

## ●C
| | |
|---|---|
| Ca | 213 |
| Ccr | 96 |
| CFPD | 271, 275, 276 |
| CHD | 6, 204 |
| CHDF | 6, 205, 254 |
| CHF | 6, 204 |
| CKD | 142 |
| clinical TLS(CTLS) | 189 |
| CRRT | 10 |
| CRS | 203 |
| cytokine-oriented critical care | 184 |

## ●D
| | |
|---|---|
| DBM | 118 |

## ●E
| | |
|---|---|
| ECMO | 203 |
| ECUM | 3 |

## ●F
| | |
|---|---|
| FB-30U eco | 60 |
| FBM | 118 |
| FO | 106, 177, 203 |

## ●H
| | |
|---|---|
| HA | 6, 9 |
| HD | 5, 8 |
| HDF | 5, 8 |
| HF | 3, 6 |
| HFジュニア | 60 |
| high cut-off(HCO) | 5 |
| high cut-off膜 | 252 |
| high flow(dialysate)CHD/CHDF | 166 |
| high-flux HD | 256 |
| high-flux膜 | 252 |
| hour-1 bundle | 173 |
| HP | 37 |

## ●I
| | |
|---|---|
| IBP | 10 |
| IGFBP7 | 126 |
| IHD | 10 |
| IL-18 | 122 |

## ●K
| | |
|---|---|
| K | 212 |
| KDIGO | 29, 103, 104 |
| Kidney Disease Improving Global Outcomes 2012 | 29 |
| KIM-1 | 122 |
| KM-9000 | 54 |

## ●L
| | |
|---|---|
| L-FABP | 118 |
| laboratory TLS(LTLS) | 189 |
| LDL吸着療法 | 244 |

## ●M
| | |
|---|---|
| medium cut-off(MCO) | 5 |
| Mg | 214 |

# 索引

MOST 203

### N
N-アセチルシステイン 255
Nephrocheck® 126
NGAL 120
NM 88
Non-renal indication 29
non-renal indication CRRT 178

### O
OP-02D 61

### P
%ECV 75, 82, 85, 86
%FO 29, 108, 125, 132
P 213
PA 6, 9
PD 9, 204
PE 4, 6
PIRRT 10
PMX-01R 61
PMX-DHP 181
pRIFLE 分類 103
PV 74

### R
RAI 122
RBC 206
recirculation 39
Renal indication 28
renal indication CRRT 177

### S
SBM 118
SDM 21
SIRS 173
SIRS-sepsis 30

### T
TIMP-2 126
TMA 197
TR-2020 52

### U
UFH 88
UT-01S eco 60
UTフィルター®S 60

### V
VA 206
V-A 208
Vd 251
V-V 208

### あ
アスピリン 256
アセトアミノフェン 255
アフェレシス 218
アフェレシス療法 219
アミノ酸製剤 272
アルカローシス 33
アルブミン 218
アンジオテンシン変換酵素阻害薬 245
アンモニア 33, 148

### い
入口圧 84
医療ソーシャルワーカー 12
医療チーム 22
インフォームド・コンセント 21

### う
ウロキナーゼ 45

### え
液性因子 243

| | |
|---|---|
| エタノールロック | 45 |
| 炎症性サイトカイン | 175 |
| エンドトキシン | 179 |
| エンドトキシン吸着器 | 61 |
| エンドトキシン血症 | 220 |
| エンドトキシン除去療法 | 179 |

## ●お

| | |
|---|---|
| 横隔膜ヘルニア | 270 |
| 大島分類 | 19 |

## ●か

| | |
|---|---|
| 開始時低血圧 | 36, 87 |
| 潰瘍性大腸炎 | 221, 229, 231 |
| 回路閉塞 | 86 |
| 拡散(diffusion) | 4 |
| 拡散浄化 | 251 |
| 家族への説明 | 23 |
| 活性化凝固時間 | 134, 221 |
| カテーテル感染 | 45 |
| カテーテル長 | 42 |
| カテーテル留置 | 260 |
| カリウム | 212 |
| カルシウム | 213 |
| カルバマゼピン | 256 |
| 川崎病 | 219, 221, 227 |
| 肝移植 | 146, 169 |
| 間欠の血液浄化療法 | 10 |
| 間欠的血液透析 | 10, 102, 109 |
| 監視装置 | 73, 77, 84 |
| 肝性昏睡 | 147 |
| 肝性脳症 | 147 |
| 肝代謝型薬物 | 93 |
| カンファレンス | 23 |

## ●き

| | |
|---|---|
| 急性肝不全 | 32, 129, 146, 219 |
| 急性血液浄化療法 | 12, 203 |
| 急性腎障害 | 30, 94, 131 |
| 吸着(adsorption) | 6 |

| | |
|---|---|
| 吸着器 | 61 |
| 吸着療法 | 9 |
| 凝血塊 | 84 |
| 共同意思決定 | 21 |
| ギラン・バレー症候群 | 220 |
| 緊急腹膜透析 | 259 |

## ●く

| | |
|---|---|
| クエン酸中毒 | 33 |
| クエン酸ナトリウム | 223 |
| グルコン酸カルシウム | 223 |
| クローン病 | 220, 229, 231 |

## ●け

| | |
|---|---|
| 警報設定 | 73 |
| 劇症肝炎 | 218, 219 |
| 血液灌流 | 37 |
| 血液吸着 | 6, 9 |
| 血液凝固測定装置 | 70 |
| 血液浄化装置 | 47 |
| 血液透析 | 5, 8 |
| 血液プライミング | 74, 82, 153 |
| 血液濾過 | 3, 6 |
| 血液濾過透析 | 5, 8 |
| 血球成分除去療法 | 229 |
| 血球貪食性リンパ組織球症 | 227 |
| 結合率 | 251 |
| 血漿吸着 | 6, 9 |
| 血漿交換 | 6, 130, 150 |
| 血漿交換療法 | 4, 218 |
| 血栓 | 44 |
| 血栓性血小板減少性紫斑病 | 220 |
| 血栓性微小血管症 | 188, 197 |
| 血流量 | 103, 134 |
| 限外濾過 | 3 |

## ●こ

| | |
|---|---|
| 高アンモニア血症 | 130, 160, 260 |
| 後希釈法 | 7 |
| 抗凝固薬 | 129 |

| | |
|---|---|
| 高乳酸血症 | 160, 161 |
| 高濃度透析液 | 265 |
| 呼吸性アルカローシス | 167 |

### ●さ

| | |
|---|---|
| 細菌感染症 | 263 |
| 最小モジュール | 60 |
| サイトカインストーム | 175 |
| サリチル酸塩 | 256 |

### ●し

| | |
|---|---|
| 自己抗体 | 225 |
| 自己免疫疾患 | 217 |
| 脂質 | 111 |
| 持続的血液透析 | 6, 204 |
| 持続的血液濾過 | 204 |
| 持続的血液濾過透析 | 6, 130, 148, 203, 254 |
| 持続的腎代替療法 | 10, 102, 103, 108, 208, 254 |
| 持続腹膜灌流 | 266 |
| 自動腹膜透析 | 262 |
| 重症筋無力症 | 220 |
| 重症心身障害児 | 19 |
| 重曹透析液 | 271 |
| 重炭酸 | 265 |
| 周辺機器 | 65 |
| 重量制御方式 | 54 |
| 腫瘍崩壊症候群 | 189 |
| 循環血液量 | 75 |
| 循環血液量測定装置 | 67 |
| 消化管穿孔 | 270 |
| 小児 | 149 |
| 小児SOFAスコア | 173 |
| 小児敗血症関連臓器機能不全 | 173 |
| 小児敗血症性ショック | 173 |
| 小児用回路 | 153 |
| 静脈-静脈 | 208 |
| 静脈-動脈 | 208 |
| 初期輸液 | 28 |

| | |
|---|---|
| 腎移植後FSGS再発 | 243 |
| シングルルーメンカテーテル | 42 |
| 神経予後 | 163 |
| 腎後遺症 | 143 |
| 人工肝補助療法 | 146 |
| 腎後性AKI | 102, 105, 106 |
| 心腎症候群 | 203 |
| 腎性AKI | 102, 105 |
| 新生児 | 129 |
| 新生児仮死 | 19 |
| 腎前性AKI | 102, 105 |
| 新鮮凍結血漿 | 218 |
| 腎代替療法 | 1, 107 |
| 腎代替療法導入基準 | 102 |
| 腎排泄型薬物 | 93 |
| 心房性ナトリウム利尿ペプチド | 107 |
| 腎予後 | 142 |

### ●す

| | |
|---|---|
| ステロイド抵抗性ネフローゼ症候群 | 242 |

### ●せ

| | |
|---|---|
| 生命予後 | 164 |
| 赤血球 | 206 |
| 前希釈法 | 7 |
| 染色体異常 | 19 |
| 全身状態 | 89 |
| 全身性エリテマトーデス | 219 |
| 全身性炎症反応症候群 | 29, 173 |
| 先天代謝異常症 | 34, 129 |

### ●そ

| | |
|---|---|
| 巣状分節性糸球体硬化症 | 219, 242 |

### ●た

| | |
|---|---|
| ダイアフィルター ヘモフィルター | 60 |
| ダイアライザ | 60 |
| 体液(輸液)過剰率 | 29 |

| | | | |
|---|---|---|---|
| 体液過剰 | 102, 106, 130, 177, 203 | ●て | |
| 体液過剰率 | 132 | 低カリウム血症 | 32 |
| 体液恒常性 | 28 | 低カルシウム血症 | 223 |
| 体液量管理 | 86 | 低出生体重児 | 269 |
| 体外限外濾過法 | 3 | 低体温 | 83, 85, 87 |
| 体外式膜型人工肺 | 202 | 低用量ドパミン | 107 |
| 代謝性アシドーシス | 129 | 低リン血症 | 32 |
| 代謝専門医 | 169 | 電解質異常 | 129 |
| 対流(convection) | 4 | | |
| 多科 | 23 | ●と | |
| 多職種 | 23 | 透析液 | 129 |
| 多臓器支持療法 | 203 | 透析液流量 | 103, 134 |
| 多臓器不全 | 173 | 導入基準 | 107 |
| 脱血圧 | 84 | トルバプタン | 107 |
| 多発奇形 | 19 | トレミキシン® | 61 |
| 多発性骨髄腫 | 188 | | |
| ダブルルーメンカテーテル | 39, 41, 276, 277, 278 | ●な | |
| 多用途血液処理用装置 | 47, 52 | 内因性麻薬 | 175 |
| 蛋白結合率 | 93 | 内頸静脈 | 42 |
| タンパク質 | 111 | 内部濾過 | 5 |
| | | ナファモスタットメシル酸塩 | 75, 134, 155, 253, 255 |
| ●ち | | | |
| チーム医療 | 167 | ●に | |
| チャイルド・ライフ・スペシャリスト | 12 | 二重濾過血漿分離交換法 | 224 |
| チャンバー式計量容器 | 52 | 二相性の方法 | 167 |
| 中間型薬物 | 93 | 尿素サイクル異常症 | 160 |
| 中止後のリバウンド | 169 | | |
| 中毒原因物質 | 250 | ●ね | |
| 長期間欠的腎代替療法 | 10 | 熱量 | 111 |
| 長期生命予後 | 142 | | |
| 長期フォローアップ | 144 | ●の | |
| 長期予後 | 141 | 脳室ドレナージ用回路 | 276 |
| 超低出生体重児 | 269, 270, 274, 277 | 脳障害 | 19 |
| 直並列 | 155 | ●は | |
| 治療の差し控え | 19 | バイオマーカー | 116 |
| | | 敗血症 | 29, 172 |
| | | 敗血症/多臓器不全 | 35 |

# 索引

| | |
|---|---|
| 敗血症性ショック | 129, 172 |
| バイタルサイン | 73 |
| ハイパフォーマンス膜 | 249, 252 |
| バスキュラーアクセス | 129, 206, 221, 254 |
| バスキュラーアクセス喪失 | 39 |
| パターナリズム | 20 |
| パラコート | 253 |
| パラコート中毒 | 255 |
| バルプロ酸 | 253 |

## ●ひ

| | |
|---|---|
| ビタミン | 112 |
| 非典型溶血性尿毒症症候群 | 197 |
| 非特異的症状 | 161 |
| 微量元素 | 112 |

## ●ふ

| | |
|---|---|
| 腹膜透析 | 9, 129, 204 |
| プライミング | 80, 82 |
| プライミングボリューム | 136 |
| プラズマフロー OP | 61 |
| プリズマフレックス | 56 |
| 分布容積 | 93, 251 |

## ●へ

| | |
|---|---|
| 閉塞 | 44 |
| ヘパリン | 44, 255 |
| ヘモクロン | 221 |
| ヘモクロンテストチューブP214 | 155 |
| 返血圧 | 84 |

## ●ほ

| | |
|---|---|
| ホスピタル・プレイ・スペシャリスト | 12 |
| ポリミキシンB固定化繊維カラム | 179 |

## ●ま

| | |
|---|---|
| 膜型血漿分離器 | 61 |
| 膜間圧力差 | 84 |
| マグネシウム | 214 |
| マクロファージ活性化症候群 | 227 |
| 末期の悪性腫瘍 | 19 |
| 慢性腎臓病 | 142 |

## ●み

| | |
|---|---|
| ミトコンドリア異常症 | 260 |
| ミトコンドリア病 | 160 |
| 未分画ヘパリン | 75 |
| 未変化体尿中排泄率 | 93 |

## ●め

| | |
|---|---|
| メトトレキサート | 257 |
| 免疫複合体 | 225 |

## ●も

| | |
|---|---|
| モニタリング | 92 |

## ●や

| | |
|---|---|
| 薬物中毒 | 37 |
| 薬物中毒原因物質 | 253 |
| 薬物動態 | 92 |

## ●ゆ

| | |
|---|---|
| 有機酸 | 34 |
| 有機酸代謝異常症 | 160 |

## ●よ

| | |
|---|---|
| 溶血性尿毒症症候群 | 220, 223 |
| 溶質除去効率 | 1, 8 |
| 容量フィードバック制御機構 | 52 |

## ●ら

| | |
|---|---|
| ラスブリカーゼ | 192 |

## ● り
| | |
|---|---|
| 利益と不利益 | 23 |
| 留置血管 | 42 |
| 流量単位 | 78 |
| 理論誤差 | 153 |
| リン | 213 |
| 臨床工学技士 | 12 |
| 倫理委員会 | 23 |

## ● る
| | |
|---|---|
| ループ利尿薬 | 107 |

## ● ろ
| | |
|---|---|
| ロイシン値 | 164 |
| 濾過流量 | 103, 134 |

## ● わ
| | |
|---|---|
| わが国のガイドライン | 163 |

\* \* \*

## 小児急性血液浄化療法
## ハンドブック 第2版

| 定　価 | 4,180円（本体3,800円＋税10％） |
|---|---|
| | ※消費税率変更の場合，上記定価は税率の差額分変更になります。 |
| 発　行 | 2013年7月10日　第1版第1刷発行 |
| | 2021年4月20日　第2版第1刷発行 |
| 監　修 | 亀井宏一　伊藤秀一 |
| 発行者 | 株式会社 東京医学社 |
| | 代表取締役 蒲原 一夫 |
| | 〒101-0051　東京都千代田区神田神保町2-40-5 |
| | 編集部　TEL 03-3237-9114 |
| | 販売部　TEL 03-3265-3551 |
| | URL：https://www.tokyo-igakusha.co.jp |
| | E-mail：info@tokyo-igakusha.co.jp |

印刷・製本　三報社印刷 株式会社

本書に掲載する著作物の複製権・翻訳権・上映権・譲渡権・公衆送信権（送信可能化権を含む）は（株）東京医学社が保有します。
ISBN 978-4-88563-727-8
乱丁，落丁などがございましたら，お取り替えいたします。
正誤表を作成した場合はホームページに掲載します。

---

**JCOPY** 〈出版者著作権管理機構 委託出版物〉

本書の無断複製は著作権法上での例外を除き禁じられています。複製される場合は，そのつど事前に出版者著作権管理機構（TEL 03-5244-5088, FAX 03-5244-5089, e-mail：info@jcopy.or.jp）の許諾を得てください。

© 2021 Printed in Japan